BEGINNING ITALIAN GRAMMAR

RECORDINGS FOR Cioffari: *BEGINNING ITALIAN GRAMMAR, Revised*

TAPES

NUMBER OF REELS: 6 7" double track
SPEED: 3¾ ips
RUNNING TIME: 9 hours

BEGINNING ITALIAN GRAMMAR

Revised Edition

BY VINCENZO CIOFFARI
Modern Language Editor, D. C. Heath and Company

D. C. HEATH AND COMPANY

BOSTON   ENGLEWOOD   CHICAGO   SAN FRANCISCO
ATLANTA   DALLAS   LONDON

Map by

RICHARD C. BARTLETT, JR.

Library of Congress Catalog Card Number: 65-14287

PRINTED JUNE 1967

Dedicated to Vinny

PREFACE

The aim of this *Beginning Italian Grammar* is to present in a compact and complete form the basic elements of the Italian language. Since proper speech habits are essential for the knowledge of a foreign language, we have not only given an Introduction to Italian Pronunciation, but we have supplemented it with explanations and examples at the beginning of each lesson of Part I. By the time the student reaches Part II his habits should be firmly established.

The book is composed of twenty-six lessons divided into two parts of thirteen lessons each. Part I provides the basic sounds, the essential vocabulary, and the skeleton structure without which knowledge of the language would be impossible. Part II increases the vocabulary, expands the grammatical structure, and furnishes the exercises necessary to attain a firm grasp of the language. At the same time we have attempted to introduce enough elements of Italian culture and customs to arouse interest and provide topics for discussion.

In the section on Pronunciation we have presented all the significant sounds of Italian in the order of their importance for the English speaker. After the vowels we have stressed the sounds which have no counterpart in English, so that the student can learn to distinguish them and form them correctly. Even the student who is interested only in a reading knowledge will assign a mental pronunciation to the words he sees; it will be to his advantage to assign the correct one from the start.

In the section on Current Usage our aim has been to furnish the standard Italian used by all good speakers of the language regardless of the region from which they come. It is, of course, the language of Tuscany as modified by the language of Rome, without the regionalisms peculiar to either section. The vocabulary is carefully controlled, so that no more than about thirty new words are introduced in each lesson. Grammatical points are likewise controlled; no construction is introduced which is not presented in the lesson itself or in previous lessons.

In the section on Structure we have presented briefly and concisely all the fundamentals of construction. Current usage has been the determining factor in the order of presentation and in the choice of points to be treated. The emphasis has always been on general rules rather than on exceptions.

The Language Practice is a new experiment. Here the student is expected to learn to guess correctly from the subject matter. In Part I the English in parallel columns serves as a check. In Part II there is no English, but the more difficult words are given in footnotes, and the student is trained to answer questions according to sense rather than according to word-for-word equivalents. All words appearing in the Language Practice are included in the end vocabulary. In Part II the section on pronunciation is replaced by a study of useful expressions and idiomatic phrases.

The book can be used for a full year of college work by taking up a lesson a week, with ample time for supplementary readers. It can be used for a concentrated one semester course by taking up two lessons a week; as such it will form a solid basis for courses leading to the study of literature. It can be used for a two-year course in academic high schools by implementing it with readers, conversational materials, and individual projects. The book will then serve as the core from which the class can expand along the lines of greatest interest. It covers adequately all the requirements of regents and college board examinations.

The author is indebted to his many friends who have gone over the manuscript in mimeographed form and given him the benefit of their criticism and suggestions. The following professors in Italy have each gone over two or three lessons: Signorina Giuseppina Campanile (Pisa); Signorina Maria Pia Gallo (Messina); Dott. Antonio Mattu (Cagliari); Signora Laura Combatti (Trieste); Signora Barbara Bruno Asero (Catania); Dott. Dario Gazzoni-Pisani (Roma); Dott. Guido Bistolfi (Alessandria); Signorina Clara Enrico (Genova); Signorina Alma V. Tron (Genova); Signora Margherita Pottino (Roma); Signorina Alma Sabatini (Roma). The author owes a special debt of gratitude to those who have patiently gone over the whole of the manuscript: Dr. Carlo Vacca, of Bay State Community College; Mr. Gino Bigongiari, of Columbia and Long Island Universities; Prof. Camillo Merlino, of Boston University; and Prof. Rocco Montano, of the Istituto Universitario di Magistero "Suor Orsola Benincasa" di Napoli and of the Catholic University of America. As in all previous works, most of the credit goes to the patient and silent collaborator, Mrs. Angelina Grimaldi Cioffari. Whatever shortcomings the book may have are the author's own, since he has been the final judge of what was to be included.

Vincenzo Cioffari

PREFACE TO THE REVISED EDITION

The main objective of the Revised Edition is to provide a set of Pattern Drills which make it possible to teach the beginning course audio-lingually as well as by traditional methods. *Beginning Italian Grammar* was written with a strong belief in the oral approach, but the need to provide a concise course made it necessary to condense rules of grammar and exercises into the briefest form for use both in the classroom and at home. Now that the language laboratory provides for oral drill outside of the classroom, the new set of Pattern Drills makes it possible to conduct all outside work in audio-lingual fashion. Moreover, the pattern-drill technique has now been perfected to cover adequately both vocabulary and grammatical structures.

The text of the original edition remains substantially as it was, with only improvements as dictated by experience. Lesson nineteen, which was too heavy, has been lightened, and lesson twenty-two has been strengthened. Two Language Practices, which were criticized as being outmoded, have been substituted by up-to-date short dialogues. Minor changes in the wording of grammatical explanations clarify points that were considered hazy. Other minor changes reflect the tremendous developments in Italy during the last few years. However, the general presentation has met with such favor that no other changes were considered necessary.

The Revised Edition provides two parallel methods of instruction: 1. the traditional presentation, with oral and written exercises on each essential point of grammatical structure; 2. a completely audio-lingual presentation, in which pattern drills provide oral practice without recourse to writing or translation. The instructor who uses the regular exercises in the body of the text will not need to use the Pattern Drills in the Appendix. Likewise the instructor who uses the Pattern Drills in the Appendix will find it unnecessary to use the exercises in the body of the text. Naturally each instructor will develop his own best method to present the course.

We are grateful to the many teachers and professors who have favored us with their criticism. We have taken advantage of this criticism in so far as possible, but we assume full responsibility for shortcomings. A special acknowledgement goes to my son, Vincent, and to my wife, Angelina, who patiently tried out all pattern drills before they reached their final form, and whose careful criticism has contributed greatly to the clarity of explanations.

V. C.

March, 1965

TABLE OF CONTENTS

PHOTOGRAPHS

INTRODUCTION ON PRONUNCIATION

In this brief introduction on Italian pronunciation we present only the general rules, avoiding exceptions and uncommon cases, whose pronunciation is indicated by special type in the text. These general rules are expanded with exercises at the beginning of each of the thirteen lessons of Part I.

Since Italian is practically a phonetic language, the same symbol represents the same sound under similar circumstances. All syllables are pronounced clearly and distinctly, without slurring the vowels. Italian is pronounced more forward in the mouth than English, with intonation that extends over whole phrases rather than individual words.

Alphabet. The Italian alphabet has twenty-one letters, namely all the letters of the English alphabet except j,[1] k, w, x, y.

Vowels. The five vowel letters actually represent seven vowel sounds, because **e** and **o** both have an open and a close sound. The vowel sounds correspond approximately to the following English sounds:

a	like the *a* in *father* (Midwestern)	madre, padre
e (close)	like the *a* in *day* (without *i*-glide)	perchè, tre
ɛ (open)	like the *e* in *met* or *let*	è, Ɛnzo
i	like the *i* in *machine* or *ee* in *feet*	Gina, Gentile
o (close)	like the *o* in *go* (without *u*-glide)	sono, molto
ɔ (open)	like the *o* in *for*	stɔria, cɔsa
u	like the *oo* in *boo* or *moon*	uno, studia

[1] The letter **j** is sometimes seen in older Italian, where it represents the i-sound before another vowel or is used in place of **ii.** The other letters sometimes occur in foreign words.

xvii

In this book we have used the symbols ε and ɔ to represent open **e** and open **o,** but in printed Italian these symbols do not exist. ~~The ε and ɔ occur only in stressed syllables; when unstressed, e and o are always close.~~

Consonants. The following consonants are pronounced approximately as in English: **b, d, f, l, m, n, p, q, t,** and **v.** In pronouncing **d, l, n,** and **t** the tip of the tongue touches the back of the upper teeth and produces a more dental sound than the corresponding English. The sound **p** does not have the explosive puff of the English *p.* The **n-**sound has a slight nasal quality before a **k-** or hard **g-**sound.

The letters **c** and **g** have two sounds:
1. A hard sound before **a, o,** or **u** (like *k* in *keep* or *g* in *go*).
2. A soft sound before **e** or **i** (like *ch* in *church* or *j* in *James*).
To represent the soft sound before **a, o,** or **u** an **i** is inserted after the **c** or **g** (**cia, cio, ciu;** or **gia, gio, giu**).
To represent the hard sound before **e** or **i** an **h** is inserted after the **c** or **g** (**che, chi;** or **ghe, ghi**).

h is always silent.

r is a trill produced by the tip of the tongue flapping up and down against the gums behind the upper teeth. Double **rr** has a longer trill.

s $\begin{cases} \text{sometimes like the } s \text{ in } soap, sit \text{ (UNVOICED)} & \text{casa, basta} \\ \text{sometimes like the } s \text{ in } rose \text{ (VOICED)} & \text{pro}sa, \text{chie}sa \end{cases}$

In this book the voiced **s** is printed in italics to distinguish it from the unvoiced **s.**

z $\begin{cases} \text{frequently like the } ts \text{ in } cats \text{ (UNVOICED)} & \text{zio, grazie} \\ \text{sometimes like the } ds \text{ in } beds \text{ (VOICED)} & \text{me}zzo, \text{pran}zo \end{cases}$

Combined Letters. There are two combinations of letters which produce sounds that have no exact parallel in English.

gn like *ny* in *canyon,* but as a single sound bagno, ogni
gli [1] like the *lli* in *million,* but as a single sound fam*i*glia, figli

[1] **Gli** retains its separate sounds in a few words like **negligente, anglicismo,** etc.

There are other combinations of letters which have sounds that do have an approximate parallel in English.

ch and **gh**	always a hard sound in Italian (**ch** = *k;* **gh** = *g* of *go*)	chi, laghi
chi	followed by **a, e, o,** or **u** is pronounced like *ky*	chiɛsa, vɛcchio
qu	always like *kw*	quanto, quattro
sc	always like *sh* when before **e** or **i**	scɛna, finisci
sc	always like *sk* when before **a, o,** or **u**	scala, scopa
sci	followed by **a, o,** or **u** has an *sh*-sound	lascia, lascio

Long Consonant (Double Consonant). The double consonant in Italian is longer and more emphatic than the single consonant.[1] It is not two consonants in rapid succession, but a holding of the vocal organs forming the consonant and a slightly heavier explosion when the consonant does come out.

Anna	AN-na	fratɛllo	fra-TƐL-lo
sorella	so-RƐL-la	ballo	BAL-lo

This long consonant is produced not only when you have two consonants, but also when a single consonant comes after certain one-syllable words like **a, e, ɛ̀, da, ciɔ̀,** etc.

a me = am-ME   ɛ̀ mio = ɛm-MI-yo   da casa = dak-KA-sa

Stress and Written Accent. In Italian the stress falls generally on the next to the last syllable in a word, but there are many exceptions. For example:

1. In the third person plural of verb forms the stress is regularly on the third syllable from the end in many tenses.

2. Words ending in –ɛsimo or –*i*ssimo are stressed on the third syllable from the end.

3. Verb forms which add a pronoun retain the stress on the syllable which had it before the pronoun was added.

In pronouncing Italian notice that words of more than one syllable which have a stress on the last syllable carry a written accent (ˋ). In this book we use only the grave accent (ˋ), but in books printed in Italy you will find also the acute accent (ˊ),

---

[1] There is no distinction in pronunciation between the single **z** and double **zz.**

and sometimes even the circumflex (^). Since the type of accent used does not indicate the quality of the vowel except by agreement, we find it more convenient to use only one type in our textbooks.

The written accent is used on certain words of one syllable to distinguish them from similar words which have a different meaning.

chè, because	**che,** that
dà, gives	**da,** from, by
è [ɛ], is	**e,** and
là, lì, there	**la,** the; **li,** them
nè, neither, nor	**ne,** of it
sè, himself	**se,** if
sì, yes	**si,** himself

In this book the stress is indicated in one of three ways: (1) by the written accent; (2) by the special characters ɛ and ɔ; (3) by printing the stressed vowel in italics whenever that vowel is in any position other than the second vowel from the end.

Diphthongs and Triphthongs. Two vowels pronounced as one syllable form a diphthong. The vowels **a, e,** and **o** combine with the vowels **i** or **u** to form a diphthong (**st*u*dia, Lɛi, fiore**). The vowels **i** and **u** combine with each other to form a diphthong (**più, guida**). The vowels **a, e,** and **o** do not form a diphthong when they are combined with each other (**aereo**).

In a diphthong the **a, e,** or **o** is the vowel which bears the stress (**piano, colɛi, pɔi**). In the diphthongs formed only with **i**[1] and **u** the second vowel is stressed (**piuma, Guido**).

A triphthong is a vowel cluster containing a diphthong plus a third vowel. The triphthong is pronounced like a single syllable if the middle vowel is **a, e,** or **o** (**vuɔi, miɛi**). It is pronounced like two syllables if the middle vowel is **i** or **u** (**aiutare, p*a*io**).

Syllabication. Italian words are divided into syllables according to the following rules:

1. Every vowel or diphthong forms the core of a syllable.

---

[1] When the **i** is in the sound **gli** or is used to soften **c** or **g**, it does not form a diphthong (**f*i*glio, giorno, giardino**).

2. A single consonant between vowels goes with the syllable which follows.

3. Double consonants between vowels are separated.

4. Two dissimilar consonants or more than two consonants are separated so that the second syllable contains sounds which can begin words in Italian:

> **al-to**   because there is no word which can begin with **lt.**
> **la-dro**   because there are words which begin with **dr.**
> **la-scia**   because there are words which begin with **scia.**

As a result you will find that **s** followed by another consonant goes with the syllable which follows. With combinations of **l** or **r** with another consonant, the two are separated if the **l** or **r** comes first, but they are not separated if the **l** or **r** comes second.

Capitalization. Capitals in Italian are used about the same as in English, with the following exceptions:

1. Months and days of the week are written with a small letter.

2. **Io** is written with a small letter, but **Lɛi** and **Loro** (when meaning *you*) and the corresponding object pronouns and possessives are generally written with a capital.

3. Names of languages or adjectives of nationality are written with a small letter.

4. When an adjective of nationality is used as a substantive denoting a person, it is written with a capital.

5. Titles of books or chapters are written with small letters, except, of course, for the first letter of the title or any word which has a capital in its own right.

The rules of capitalization are flexible in Italian and vary greatly from one printer or from one person to another.

Apostrophe. The apostrophe is used in Italian whenever certain short words ending in a vowel are followed by a word beginning with a vowel. This happens regularly with (*a*) most of the articles; (*b*) the object pronouns **mi, ti, si, ci, vi, lo,** and **la;** (*c*) demonstrative adjectives; (*d*) the preposition **di;** (*e*) the adjectives **bɛllo, buɔno, grande,** and **santo.**

Punctuation. Following are the names of the punctuation signs:

.	punto *or* punto fermo	—	lineetta
,	vìrgola	-	stanghetta
;	punto e vìrgola	...	punti sospensivi
:	due punti	« »	virgolette
?	punto interrogativo	( )	parentesi
!	punto esclamativo	[ ]	parentesi quadra

The punctuation signs are used about the same in Italian as in English. The only important distinction is that Italian uses a different type of quotation marks for direct quotations and the dash instead of quotation marks to denote a change of speaker in conversation.

PART ONE

PRONUNCIATION

In Italian, as in English, there are only a limited number of sounds which make up the language. Many sounds are similar in both languages, as for example, those represented by the consonants *b, d, f, l, m, n, p, t,* and *v.* Other sounds have no exact parallel in the two languages.

The vowels. The sounds represented by the letters *a, e, i, o, u* are quite different from English. Listen carefully as you hear them and you will notice that when the vowel is stressed it is pronounced as follows:

a is like the English *a* in father	padre
e ⎰ is sometimes like the *e* in *met* or *let*	Ɛnzo
and sometimes like the *a* in *day* (without the *y*-glide)	perchè
i is like the *i* in *machine,* or the *ee* in *feet*	Gentile
o ⎰ is sometimes like the *o* in *for*	scuɔla
and sometimes like the *o* in *go* (without the *u*-glide)	Roma
u is like the *oo* in *boo*	studia

As an aid to pronunciation we have indicated the sound of *e* in *met* (called open *e*) by the symbol ε and the sound of *o* in *for* (called open *o*) by the symbol ɔ, to distinguish them from the other sounds of *e* and *o* (called close sounds). Remember, however, that printed Italian does not make any such distinctions.

1

CURRENT USAGE

La famiglia Gentile

In the following selection you will be able to recognize many words, even though you have never seen or heard them before. Read loudly, clearly, and without inhibitions.

La famiglia Gentile è italiana. Il padre è Carlo; la madre è Anna. Carlo è il marito; Anna è la moglie. Carlo e Anna sono marito e moglie.

5 Enzo Gentile è il figlio di Carlo e di Anna. Gina è la figlia. Enzo è il fratello di Gina; Gina è la sorella di Enzo. Enzo e Gina sono fratello e sorella. Carlo ed Enzo sono padre e figlio. Anna e Gina sono madre e figlia. Ora basta con il padre, la madre, il figlio, la figlia, il fratello e la sorella.

10 La famiglia abita a Roma. Roma è la capitale d'Italia. È una città molto bella. Carlo Gentile è professore di storia. La moglie fa il lavoro di casa. Enzo studia medicina; Gina va a scuola di ballo.

La famiglia Gentile è felice. E perchè no? Il padre e la
15 madre lavorano a Roma. Il figlio e la figlia studiano a Roma. La città è molto bella. Sì, la famiglia è felice.

STRUCTURE

1. Gender. Nouns in Italian are either masculine or feminine; there are no neuter nouns. Those denoting a male are masculine (**padre, fratello**). Those denoting a female are feminine (**madre, sorella**). Nouns denoting anything else may be either masculine (**ballo**), or feminine (**capitale**).

In general, words ending in –**o** in the singular are masculine, words ending in –**a** are feminine, and words ending in –**e** may be either masculine or feminine (**padre, madre**).

2. Articles. The little word preceding a noun is called an article. When it indicates a definite person or thing it is called the definite article and corresponds to the English *the*. When it

The Via dei Fori Imperiali marks the grandeur of ancient Rome, St. Peter's marks the splendor of the Renaissance, and yet Rome is most modern in spirit. It is truly the Eternal City.

indicates *any* person or thing, it is called indefinite and corresponds to the English *a* or *an*.

The definite article before a masculine noun which does not belong to a special class is **il.** Before a feminine noun the definite article is **la.** The indefinite article before a masculine noun which does not belong to a special class is **un.** Before a feminine noun the indefinite article is **una (un'** before a vowel). You will learn about the special class and the plural in the next lesson.

il padre, *the father*	**la** madre, *the mother*
un padre, *a father*	**una** madre, *a mother*

3. Interrogative Form. To ask a question in Italian the subject may be placed after the verb.

È Carlo il marito? *Is Charles the husband?*

The simplest way of asking a question is to keep the order of the positive statement and change the inflection of the voice.

La famiglia abita a Roma? *Does the family live in Rome?*

Remember that in a question the English word *do* or *does* is not expressed in Italian.

4. Negative Form. To make a sentence negative in Italian the word **non** is placed before the verb.

La famiglia non abita a Roma. *The family does not live in Rome.*

LANGUAGE PRACTICE

Piccolo dialogo

In the Language Practice you will have simple selections containing words and expressions which may or may not have been presented in the previous lessons. This exercise is intended for guessing and getting the gist of the subject matter. The ability to make a good guess is very important in learning a language. The words in these sections are not included in Word Lists of each lesson, nor are they used in the exercises until they have appeared in the active part of the lesson. The words are included in the end vocabulary, however.

NT USAGE

La casa

...míglia Gentile ha una bɛlla casa. La casa non è ... è una casa cɔmoda. Ha ɔtto stanze, quattro al ...eno e quattro al primo piano. La cucina, il salɔtto, ...la pranzo, e lo studio sono al pianterreno. Al primo ... sono tre camere da lɛtto e la stanza da bagno.

...asa è in Via Toscana, vicino a Villa Borghese. Villa ...se è un parco di Roma grande e bɛllo. Vicino a Villa ...se c'è la famosa Via Vittɔrio Vɛneto, dove ci sono ... caffè. La vita a Roma è bɛlla, anche per la famíglia ...rofessore.

...asa ha un giardino con molti fiori. Il professore passa ... tɛmpo nel giardino. Coltiva i fiori e studia libri di ... Anche Ɛnzo studia nel giardino. L'aria è fresca e ... sono bɛlli. Gina, però, passa il tɛmpo alla scuɔla di ... dove balla per molte ore.

...v'è la madre mentre tutti studiano? La pɔvera madre ...ucina. Prepara il pranzo per la famíglia.

...UCTURE

Plural of Nouns. In Italian nouns form the plural by ...ging the final vowel. Words ending in –o in the singular ...ge the –o to –i. Words ending in –a change the –a to –e. ...ds ending in –e change the –e to –i. Words ending in an ...nted vowel do not change.

giardin**o** — giardin**i**   professor**e** — professor**i**
casa — case   caffè — caffè

...Nouns ending in –io in the singular simply drop the –o for the ...al, unless the **i** is stressed, and then you have –**ii**.

stud**io** — stud**i**   **zio,** *uncle* — **zii**

. Agreement of Adjectives. In Italian, adjectives agree in ...der and number with the noun they modify. The masculine ...gular form is used with a masculine singular noun, the feminine ...gular form with a feminine singular noun, etc. Notice:

Read aloud for recognition only and act out in class or with a fellow student.

— Buɔn giorno, signorina Sabatini.	Good morning, Miss Sabatini.
— Buɔn giorno, signor Crespi. Come sta?	Good morning, Mr. Crespi. How are you?
— Bene, grazie. E Lei?	Fine, thank you. And you?
— Anch'io stɔ bene, grazie. Bella giornata!	I'm fine too, thank you. Beautiful 5 day!
— Bella davvero! Come sta Suo padre?	Really beautiful! How is your father?
— Molto bene. Come sta Sua madre?	Very well. How is your mother? 10
— Non c'è male. Stiamo tutti bene.	Fairly well. We are all well.
— Ne sono molto contenta. Dia i miei saluti.	I'm very happy over it. Give them my regards.
— Grazie; saluti anche ai Suɔi. Arrivederla!	Thanks; regards to your family 15 too. So long!

EXERCISES

I. Questions. Answer the following in complete sentences in Italian:

1. È Carlo il padre? 2. Carlo e Anna sono marito e mɔglie? 3. Gina è la fíglia di Carlo e di Anna? 4. Carlo ed Ɛnzo sono padre e fíglio? 5. Ɛnzo e Gina sono fratello e sorɛlla? 6. La famíglia abita a Roma? 7. È una città molto bɛlla Roma? 8. Carlo Gentile è professore di stɔria? 9. Studia medicina Ɛnzo? 10. È felice la famíglia?

II. Place the correct definite and indefinite article before each of the following words:

1. famíglia 2. padre 3. madre 4. marito 5. mɔglie 6. fíglio 7. fíglia 8. fratello 9. sorɛlla 10. capitale 11. città 12. professore 13. stɔria 14. casa 15. medicina 16. ballo

III. Make the following sentences negative:

1. La famíglia è felice. 2. Il fíglio studia a Roma. 3. La madre fa il lavoro di casa. 4. La città è molto

bella.   5. Ɛnzo va a scuɔla di ballo.   6. Il padre è professore di stɔria.   7. La città è la capitale d'Italia. 8. Carlo ed Ɛnzo sono padre e figlio.   9. La famiglia abita a Roma.   10. Gina studia medicina.

IV. Pronounce carefully the following words:

1. famiglia, Anna, italiana, madre, figlia, città.
2. Gentile, è, perchè, Ɛnzo, e, bɛlla.
3. il, figlio, marito, Gina, figlia, Gentile, sì.
4. sono, con, ora, molto, professore, scuɔla, stɔria, lavorano, nɔ, non.
5. una, studia, studiano.

V. Write the Italian for the following:

1. The family is Italian.   2. Charles and Anna are husband and wife.   3. Enzo is the son of Charles. 4. Gina is the daughter of Anna.   5. Anna and Gina are mother and daughter.   6. Does the family live in Rome?   7. Is Rome the capital of Italy?   8. Enzo is not a professor of history.   9. The husband does not do the housework.   10. Yes, the city is very beautiful.

WORD LIST

NOUNS

ballo *m.* dancing, dance
capitale *f.* capital
Carlo Charles
casa *f.* house, home
città *f.* city
famiglia *f.* family
figlia *f.* daughter
figlio *m.* son
fratɛllo *m.* brother
Italia *f.* Italy
lavoro *m.* work; **lavoro di casa** *m.* housework
madre *f.* mother
marito *m.* husband
medicina *f.* medicine
moglie *f.* wife
padre *m.* father

professore *m.* professor
Roma *f.* Rome
scuɔla *f.* school; **scuɔla di ballo** *f.* dancing school
sorɛlla *f.* sister
stɔria *f.* history

ADJECTIVES

bɛllo, –a beautiful
felice happy
italiano, –a Italian

VERBS

abita lives
basta (it is) enough
è is
fa does
lavorano (they) work

sono (they) are
studia studies
studiano (they) study
va goes

OTHER WORDS

a to, at;   **a Roma** in Rome
alla (a + la) to the

PRONUNCIATION

The *gn-* and *gli-*sounds.   There are which have no counterpart in English.   N of **bagno**.   The **gn** resembles the English single sound.   Notice the pronunciation o sound resembles the English *lli* in *millio* sound.

The *r*-sound.   The **r** in Italian is a ch duced by the tip of the tongue flapping up a gums behind the upper teeth.   A single **r** (usually so short that it sounds like a single f initial **r**) is a longer trill.   Notice the pronunc ing:

single **r:** grande, quattro, primo, pran
double **r:** pianterreno, Roma

¹ Sometimes before a vowel, and especially before e for *and*.

parco bello   povera madre
casa comoda   grandi caffè
bella casa   molti fiori

Adjectives like **comodo**, which end in –o in the masculine
singular, end in –a in the feminine singular, –i in the masculine
plural, and –e in the feminine plural. We can call these four-
form adjectives.

Adjectives like **grande**, which end in –e in the masculine
singular, do not change for the feminine singular and end in –i
in the plural for both genders. We can call these two-form
adjectives.

7. Special Masculine Words. Masculine words beginning
with a **z**, an **s** followed by a consonant, or a vowel, are treated as
a special group. They take the definite article **lo** instead of **il**
(**lo studio**, *the study*). The **lo** becomes **l'** before a vowel (**l'amico,**
the friend). These special words take the indefinite article **uno**
instead of **un** (**uno studio**, *a study*), but **un** is retained before
a vowel (**un amico**, *a friend*).

8. Summary of the Definite Article. All the forms of the
definite article are as follows:

	SINGULAR	PLURAL	
MASC.	**il**	**i**	before ordinary masculine words. il fratello, i fratelli
	lo	**gli**	before masculine words beginning with **z** or **s** + consonant. lo zio, gli zii lo studio, gli studi
	l'	**gli**	before words beginning with a vowel. l'amico, gli amici
FEM.	**la**	**le**	before feminine words beginning with a consonant. la stanza, le stanze
	l'	**le**	before feminine words beginning with a vowel. l'aula, *the classroom*, le aule

*The fountains of Rome have long inspired poets,
musicians, and artists. The Fountain of the
Triton is one of the most powerful creations of
the sculptor Bernini.*

9. Position of Adjectives. In Italian the adjective normally comes after the noun instead of before it, as in English.

una casa comoda, *a comfortable house*

Some common adjectives and all numerals generally come before the noun.

la povera madre, *the poor mother*

When two adjectives modify the same noun they usually come after it and are joined by **e.**

un parco grande e bello, *a large and beautiful park*

10. Contractions. When some prepositions are followed by the definite article, usually the two contract into a single word. Notice:

[handwritten: at-the   of the   in the = gender]
[handwritten: to =]

a + il = al	di + il = del	in + il = nel
a + lo = allo	di + lo = dello	in + lo = nello
a + la = alla	di + la = della	in + la = nella
a + i = ai	di + i = dei	in + i = nei
a + gli = agli	di + gli = degli	in + gli = negli
a + le = alle	di + le = delle	in + le = nelle
a + l' = all'	di + l' = dell'	in + l' = nell'

You will have more of these contractions later on.

LANGUAGE PRACTICE

Piccolo dialogo

For recognition only. Act out in class or with a fellow student.

— Dove abita Lei? Where do you live?
— Abito in Via Toscana. I live on Toscana street.
— È grande la casa dove abita? Is the house where you live large?
— Sì, è grande. Ha dieci stanze. Yes, it is large. It has ten rooms.
— C'è un giardino? Is there a garden? 5
— Sì, c'è un bel giardino. Yes, there is a beautiful garden.
— Lei passa molto tempo nel giardino? Do you spend a great deal of time in the garden?

— Sì, studio e coltivo i fiori.   Yes, I study and cultivate the flowers.

— Cosa studia Lei?   What are you studying?

— Studio medicina. E Lei?   I am studying medicine. And you?

5 — Anch'io studio medicina.   I am studying medicine, too.

— Caspita! E dove sono tanti malati?   Heavens! And where are so many sick people?

— Pazienza! Iddio provvede.   Be patient! The Lord will provide.

EXERCISES

I. Questions. 1. Ha una bella casa la famiglia Gentile? 2. Ci sono otto stanze al pianterreno? 3. Ci sono quattro stanze al primo piano? 4. Dov'è la casa? 5. Villa Borghese è un parco? 6. Dov'è la famosa Via Vittorio Veneto? 7. La casa ha un giardino? 8. Il professore coltiva i fiori? 9. Passa il tempo nel giardino Gina? 10. Dov'è la madre?

II. Supply the correct definite and indefinite articles for the following words:

1. casa   2. piano   3. cucina   4. salotto   5. sala da pranzo   6. studio   7. camera da letto   8. stanza da bagno   9. caffè   10. vita   11. giardino   12. fiore   13. tempo   14. libro di storia   15. aria   16. ora   17. pranzo

III. Supply the definite article for the following words and then change the article and the noun to the plural:

1. pranzo   2. ora   3. aria   4. libro   5. tempo   6. fiore   7. giardino   8. vita   9. caffè   10. stanza   11. camera   12. studio   13. sala   14. salotto   15. cucina   16. piano   17. casa

IV. Combine a noun from line A with an adjective from line B and supply the definite articles; then change the expressions to the plural. The same adjective may be used with more than one noun.

A. giardino, libro, fiore, pranzo, caffè, vita, camera, sala, cucina, stanza, casa, madre

B. povero, bello, comodo, grande, felice, italiano

V. Write the Italian for the following:

1. Charles has a beautiful house. 2. The house has eight rooms, four on the first floor and four on the second floor. 3. The kitchen and the dining room are on the first floor. 4. The bathroom is on the second floor. 5. The house is near Villa Borghese. 6. There are many large cafés. 7. Does the house have many flowers? 8. Does the professor cultivate the flowers? 9. Where is Gina while Enzo studies? 10. The mother prepares the dinner for the family.

WORD LIST

NOUNS

aria *f.* air
caffè *m.* café
camera *f.* room; **camera da letto** *f.* bedroom
cucina *f.* kitchen
fiore *m.* flower
giardino *m.* garden
libro *m.* book
ora *f.* hour
parco *m.* park
piano *m.* story, floor; **al primo piano** on the second floor
pianterreno *m.* ground floor, first floor; **al pianterreno** on the ground floor, on the first floor
pranzo *m.* dinner
sala da pranzo *f.* dining room
salotto *m.* living room
scuola di ballo *f.* dancing school
stanza *f.* room; **stanza da bagno** *f.* bathroom
studio *m.* study
tempo *m.* time
via *f.* road, street
vita *f.* life

ADJECTIVES

comodo, –a comfortable
famoso, –a famous
fresco, –a cool
grande big, large
molto, –a much, a great deal of; **molti, –e** many
povero, –a poor
primo, –a first
vicino, –a near

VERBS

balla (she) dances
coltiva (he) cultivates
ha (it) has
passa (he) spends (*time*)
prepara (she) prepares

OTHER WORDS

anche also
ci there; **c'è** there is; **ci sono** there are
dove where
mentre while
otto eight
per for
però however
quattro four
tre three
tutti everyone, all

PRONUNCIATION

The *t*-sound. The t-sound in Italian is similar to the English, but it is more dental and is not accompanied by the released puff of air which is characteristic of the English *t*. Listen carefully as you hear:

strada, troviamo, appartamento, distante, soltanto, quattro

The *y*-sound. The y-sound in Italian is not represented by the letter *y*, but by the letter *i*, whenever the i-sound is followed by any other vowel sound. Listen carefully for the y-sound in the following:

graziose, piani, propria, negozio, chiesa; io, via [1]

Notice that the y-sound does not occur when the letter *i* forms part of the consonant sound, as in **giardino, famiglia, figlio.**

The *w*-sound. The w-sound is produced whenever *u* is followed by another vowel sound, although the letter *w* itself does not exist in the Italian alphabet. Listen carefully as you hear:

quattro, qualsiasi, quasi, vuole; sua, due [2]

CURRENT USAGE

La strada

La strada dove abita la famiglia è bella. Le case sono piccole e graziose. Non ci sono grandi edifici perchè la

---

[1] When the i-sound is stressed, the y-sound is in addition to the i-sound. You actually hear i-yo, vi-ya.　[2] When the u-sound is stressed, the w-sound is in addition to the u-sound. You actually hear su-wa, du-we.

strada non è commerciale. Troviamo invece case a due
piani, semplici, con un bɛl¹ giardino e con alberi e fiori. Ogni
famiglia ha la propria casa.

Il mercato però non è distante; soltanto tre o quattro
isolati. Anche il mercato è piccolo e comodo. C'è un sarto, ₅
un barbiere, una modista, e un calzolaio. C'è, per di più,
un negozio di abiti, un pizzicagnolo, e un caffè. La famiglia
Gentile compra quasi tutto lì vicino, perchè nei negozi vendono tutto.

La chiesa dove va la famiglia è proprio dirimpɛtto alla ₁₀
casa. Ma poi a Roma non mancano chiese. Roma ha molte
chiese. La più grande chiesa del mondo è San Piɛtro. Però
quasi ogni strada ha la sua piccola chiesa. Roma, Città
Eterna, pensa bene alla vita eterna.

STRUCTURE

11. Subject Pronouns. The subject pronouns in Italian are
as follows:

SINGULAR	PLURAL
io, I	**noi,** we
tu, you (*fam.*)	**voi,** you (*fam.*)
Lɛi, you (*pol.*)	**Loro,** you (*pol.*)
ɛgli, he	**essi,** they (*m.*)
essa, she	**esse,** they (*f.*)

12. Forms of Address. Italian has various ways of expressing
the word *you*. **Tu** is used when addressing a close friend, a child,
or a member of one's own family. **Voi** is used when addressing
several friends, members of the family, or when addressing a large
group. **Lɛi**² is the common form for addressing the average person

¹ Notice that **bɛllo** becomes **bɛl** before a masculine singular noun which
does not belong to the special class.   ² The polite forms **Lɛi** and **Loro,** together with their corresponding object pronouns and possessives, are generally
written with a small letter at present in Italy. We follow the older usage in
this book because it is more convenient for both teachers and students.

Via Vittorio Veneto has the elegance of sophisticated society, but the common folk enjoy themselves just as much in some shaded nook of the streets of Rome.

you will meet; it is a more polite form than **tu.** **Lo**
plural of **Lεi** and is used when addressing more than on

In many sections of Italy, particularly south of R
is used as the polite form of address rather than **Lεi.**
when addressing one person or more than one. Foreigı
ever, will find no need for this form of address.

13. Present Indicative of the First and Second
tions. In Italian the ending of the verb varies in ɪ
number according to the subject. Therefore each vɛ
tense will have forms for the first, second, and tʰ
singular and for the first, second, and third person plu
quently subject pronouns are frequently omitted in Itᴀ....

Verbs are always designated by their general form, which is
called the infinitive. Regular verbs fall into three main classi-
fications, known as conjugations. Those whose infinitive ends in
–**are** belong to the first conjugation. Those whose infinitive ends
in –**ere** belong to the second conjugation. Those whose infinitive
ends in –**ire** belong to the third conjugation.

In the first conjugation the endings of the present indicative
are as follows:

---

comprare, *to buy*

io compr–**o**	noi compr–**iamo**
tu compr–**i**	voi compr–**ate**
egli, essa, Lεi compr–**a**	essi, esse, Loro compr–**ano**

In the second conjugation the endings are as follows:

---

vendere, *to sell*

io vend–**o**	noi vend–**iamo**
tu vend–**i**	voi vend–**ete**
egli, essa, Lεi vend–**e**	essi, esse, Loro vend–**ono**

---

14. Present Indicative of *essere* and *avere*. The two most
common irregular verbs are **εssere,** *to be,* and **avere,** *to have.* The
present indicative forms of the two verbs are as follows:

	essere	avere
io	sono	ho
tu	sei	hai
egli, essa, Lei	è	ha
noi	siamo	abbiamo
voi	siete	avete
essi, esse, Loro	sono	hanno

Notice that the h is not sounded. Pronunciation is similar to the Italian.

LANGUAGE PRACTICE

Piccolo dialogo

For recognition only. Act out in class or with a fellow student.

— Scusi, dov'è un ristorante? — Pardon me, where is there a restaurant?

— Un ristorante? Perchè? Vuol mangiare? — A restaurant? Why? Do you want to eat?

5 — Sì che voglio mangiare. Ho molto appetito. — Yes, I do want to eat. I am very hungry.

— Non ha fatto la prima colazione stamattina? — Didn't you have breakfast this morning?

— Sì ho fatto la prima colazione. Ma adesso sono le dodici. — Yes, I did have breakfast. But it is now twelve o'clock. (10)

— Non è poi tardi. Qui facciamo colazione alle due. — It isn't at all late. Here we have lunch at two o'clock.

— Fino alle due non posso aspettare. Dov'è un ristorante? — I can't wait until two o'clock. Where is there a restaurant?

15 — Un ristorante di lusso o un ristorante modesto? — An expensive restaurant or a modest restaurant?

— Un ristorante dove posso mangiare. — A restaurant where I can eat.

— Ma non vede che questo è un ristorante? Io sono il proprietario. — But don't you see that this is a restaurant? I am the proprietor. (20)

— E allora entriamo. Voglio mangiare piuttosto che conversare. — Let's go in then. I want to eat rather than talk.

EXERCISES

I. Questions. 1. Sono piccole le case nella strada dove abita
la famiglia Gentile? 2. Ci sono grandi edifici? 3. Ci sono case
a due piani? 4. È distante il mercato? 5. È grande il mercato?
6. C'è un sarto e una modista? 7. Vendono tutto nei negozi?
8. Dov'è la chiesa dove va la famiglia? 9. È grande la Chiesa
di San Pietro? 10. Pensa alla vita eterna Roma?

II. To conjugate means to give all the forms of a given tense
of a verb. Conjugate the following verbs in the present indicative:

abitare, vendere, essere, avere

III. Supply the appropriate subject pronouns for the following
verb forms and translate:

coltivano	vende	siamo	avete
coltivi	vendono	sono	hanno
comprate	vendete	siete	abiti
compra	troviamo	è	abita
compro	abbiamo	ho	vendo

IV. Supply the correct forms of the verbs indicated for the
following pronouns:

1. io (abitare)	11. Lei (abitare)
2. Lei (vendere)	12. noi (vendere)
3. essa (avere)	13. egli (essere)
4. Loro (essere)	14. essa (trovare)
5. voi (trovare)	15. Loro (essere)
6. noi (comprare)	16. noi (abitare)
7. tu (essere)	17. io (essere)
8. voi (coltivare)	18. io (avere)
9. Lei (avere)	19. egli (trovare)
10. egli (vendere)	20. essa (comprare)

V. Write the Italian for the following:

1. There are no large buildings in the street. 2. Instead there are two-story houses. 3. The houses are
simple, with (a) garden, trees, and flowers. 4. Is the
shopping district very far? 5. Only three or four

blocks. 6. The shopping district has a tailor, a hat shop, a barber, and a shoemaker. 7. Is there a dress shop besides? 8. Does the family buy almost everything near there? 9. Is the church right opposite the house? 10. Every street has its little church.

WORD LIST

NOUNS

albero *m.* tree
barbiere *m.* barber
calzolaio *m.* shoemaker
chiesa *f.* church
Città Eterna *f.* Eternal City
edificio *m.* building
isolato *m.* block
mercato *m.* shopping district
modista *f.* hat shop, milliner
mondo *m.* world
negozio *m.* store, shop; **negozio di abiti** *m.* dress shop
pizzicagnolo *m.* grocer
San Pietro Saint Peter's
sarto *m.* tailor
strada *f.* street

ADJECTIVES

commerciale commercial
distante distant, far
eterno, –a eternal
grazioso, –a pretty
piccolo, –a small

proprio, –a one's own
semplice simple
il suo, la sua his, her, its

VERBS

comprare to buy
mancare to lack
pensare to think
trovare to find
vendere to sell

OTHER WORDS

bene well, carefully
dirimpetto a opposite
invece instead
lì *adv.* there
ma but
ogni every
perchè because
per di più moreover, besides
poi then
proprio *adv.* directly
quasi almost
soltanto only
tutto everything

PRONUNCIATION

The s-sound. The s-sound is sometimes a pure hissing sound such as you hear in the English words *hissing* or *soap*. At other times it is closer to the **z** of the English words *dozen* or *doze*. The hissing type is called voiceless. The **z**-type is called voiced, because the vocal cords are called into play. The sound represented by double *s* in Italian is always voiceless. Listen to the pronunciation of the following:

voiceless **s**	*voiced* **s**
spesso	chi*e*sa
sono	vi*s*ita
sì	bi*s*ogno
nessuno	
ca*s*a	

We have indicated the voiced *s* throughout the book by printing it in italics.

Open and close e and o. Listen again carefully for the distinction between open **ε** and close **e,** and open **ɔ** and close **o.** The native speaker of Italian makes the distinction without realizing it.

e	ε	o	ɔ
spesso	Firεnze	sono	trɔvano
provvede	sεmpre	giorno	prɔprio
fresco	sorεlla	mondo	perɔ̀

21

CURRENT USAGE

Un viaggio a Firenze

I genitori di Carlo Gentile abitano a Firenze. Egli fa spesso il viaggio da Roma a Firenze per vedere i genitori, i fratelli e le sorelle. Parte da Roma il sabato mattina e arriva a Firenze nel pomeriggio. Poi parte da Firenze la
5 domenica nel pomeriggio e arriva a Roma la sera. Così può passare un giorno con i genitori.

Firenze è il centro della cultura italiana. Ogni casa e ogni strada ha la sua importanza storica. Il Duomo, il Battistero, e il Campanile di Giotto formano il gruppo cen-
10 trale. A poca distanza ci sono altri edifici di importanza storica: Santa Croce, il Bargello, gli Uffizi, il Palazzo Pitti, ecc. Firenze è famosa nella storia, nella letteratura, e nell'arte.

Gli stranieri che vanno in Italia passano molto tempo a
15 Firenze. Visitano le chiese e i musei. Vedono le opere d'arte di Michelangelo, Raffaello, Botticelli, Tiziano, Giotto, Leonardo da Vinci, Andrea del Sarto, e tanti altri artisti. La città di Firenze è un vero museo.

Le donne però, preferiscono Firenze perchè vi trovano
20 negozi di lusso, specialmente negozi di borsette, gioielli, ecc. Vogliono sempre comprare. Quando un Americano arriva a Firenze, consegna alla moglie tutto il suo denaro e va all'albergo a riposare.

STRUCTURE

15. Present Indicative of the Third Conjugation. Verbs ending in **–ire** are classified as third conjugation. Some of these verbs follow the pattern of **finire** and others the pattern of **partire**.

Who could imagine that Perseus, the bronze masterpiece of Benvenuto Cellini, would be standing in the open air in Piazza della Signoria? It is only one of the many attractions that make the whole city of Florence a veritable art museum.

finire, *to finish*	partire, *to leave*
io fin–**isco**	io part–**o**
tu fin–**isci**	tu part–**i**
egli, essa, Lɛi fin–**isce**	egli, essa, Lɛi part–**e**
noi fin–**iamo**	noi part–**iamo**
voi fin–**ite**	voi part–**ite**
essi, esse, Loro fin–**iscono**	essi, esse, Loro part–**ono**

Verbs which follow the pattern of **finire** are marked **isco** in the end-vocabulary: **preferire** (**isco**). Other verbs of the third conjugation follow **partire**.

16. Present of *volere, potere, andare*. These are three of the most common verbs which are irregular in the present indicative. The forms are as follows:

	volere, *to wish*	potere, *to be able*	andare, *to go*
io	vɔglio	pɔsso	vado
tu	vuɔi	puɔi	vai
egli, essa, Lɛi	vuɔle (vuɔl) [1]	puɔ̀	va
noi	vogliamo	possiamo	andiamo
voi	volete	potete	andate
essi, esse, Loro	vɔgliono	pɔssono	vanno

17. Plural of Indefinite Articles. Strictly speaking, Italian has no plural of indefinite articles. The partitive is used instead. It is formed by **di** + definite article and is translated by *some*. The forms are as follows:

MASCULINE

> **dei**   plural of **un** (cannot be used before a vowel).
> dei musɛi, *some museums*
>
> **degli**   plural of **uno** (used also before a vowel).
> degli straniɛri, *some foreigners*
> degli amici, *some friends*

---

[1] Many short words, particularly verb forms ending in –le or –re, drop the final –e before words beginning with a consonant.

FEMININE **delle** plural of **una** and **un'**.

delle dɔnne, *some ladies*

delle ɑule, *some classrooms*

18. Partitive Construction. When the preposition **di** is combined with the singular of the definite article, it indicates that only part of whatever is mentioned is taken into account. It is translated by *some.*

del pane, *some bread*   della medicina, *some medicine*

19. Uses of the Articles. The definite article is generally repeated before each noun and must agree in gender and number with the noun it modifies.

Visitano le chiese e i musei.   *They visit the churches and museums.*

The definite article is used in Italian but not required in English in the following instances:

1. Before a noun about which you want to express a general characteristic.

L'arte è bella.   *Art is beautiful.*

2. Before the name of a language (except immediately after the verb **parlare** or after the prepositions **in** or **di**).

Carlo studia l'italiano.   *Charles studies Italian.*

BUT →   La classe d'italiano.   *The Italian class.*

The indefinite article is used about the same as in English except for the following instances:

1. The indefinite article is omitted with a predicate nominative denoting a profession or a trade, but not modified by an adjective.

Il padre è professore.   *The father is a professor.*

2. If the predicate nominative is modified, the indefinite article is used.

Il padre è un buon professore.   *The father is a good professor.*

20. Purpose. The purpose for which an action is done is expressed by **per** followed by the infinitive.

Va a Firenze per vedere i genitori. *He goes to Florence to see his parents.*

21. Days of the Week. The days of the week are as follows:

(la) **domenica,** Sunday	(il) **giovedì,** Thursday
(il) **lunedì,** Monday	(il) **venerdì,** Friday
(il) **martedì,** Tuesday	(il) **sabato,** Saturday
(il) **mercoledì,** Wednesday	

Notice that the days of the week are written with a small letter in Italian.

LANGUAGE PRACTICE

Piccolo dialogo

For recognition only. Act out in class or with a fellow student.

— Le presento il signor Perry.   May I present Mr. Perry?

— Lieto di far la Sua conoscenza, signor Perrini.   Pleased to make your acquaintance, Mr. Perrini.

— Il piacere è mio, ma non mi
5   chiamo Perrini. Mi chiamo Perry.   The pleasure is mine, but my name is not Perrini. My name is Perry.

— Come, non è italiano Lei?   Why, aren't you Italian?

— No, signore, non sono italiano. Sono americano.   No, sir, I am not Italian. I am an American.

10 — Di che parte degli Stati Uniti, per favore?   From what part of the United States, please?

— Sono della Virginia.   I am from Virginia.

— Della Virginia? E la Virginia non è regione italiana?   From Virginia? And isn't Virginia an Italian region?

15 — No, non è regione italiana.   No, it is not an Italian region.

— Sì, ma ha il nome italiano. E poi, Lei parla bene l'italiano.   Yes, but it has an Italian name. And besides, you speak Italian well.

— Tante grazie. Lei è molto
20   gentile. Scusi, come si chiama?   Thank you very much. You are very kind. Pardon me, what is your name?

— Mi chiamo Lorenzo Perrini, e   My name is Lorenzo Perrini, and
   sono fiorentino.   I am a Florentine.
— Sono molto lieto di far la Sua   I am very happy to make your ac-
   conoscenza. Adoro Firenze.   quaintance. I adore Florence.
— Allora resti a Firenze e prenda   Then stay in Florence and take the 5
   il nome di Perrini.   name of Perrini.

EXERCISES

I. Questions. 1. Dove abitano i genitori di Carlo Gentile?
2. Perchè Carlo fa spesso il viaggio da Roma a Firenze?
3. Quando parte da Roma e poi quando parte da Firenze? 4. Ha
importanza storica Firenze? 5. Dove sono il Duomo, il Battistero, e il Campanile di Giotto? 6. Dove sono Santa Croce, il
Bargello, gli Uffizi, e il Palazzo Pitti? 7. Passano molto tempo a
Firenze gli stranieri? 8. È un vero museo la città di Firenze?
9. Perchè le donne preferiscono Firenze? 10. Le donne vogliono
sempre comprare?

II. Supply the proper subject pronoun for the following verb
forms and translate:

preferiamo	può	parto
preferisce	vai	partite
preferiscono	vado	vuoi
possono	andate	vuole
potete	parte	vogliamo

III. Supply the proper form of the present indicative:

1. noi (potere). 2. voi (andare). 3. egli (volere).
4. Lei (volere). 5. essi (finire). 6. Loro (partire).
7. io (preferire). 8. tu (preferire). 9. voi (potere).
10. io (andare). 11. essi (volere). 12. esse (potere).
13. noi (preferire). 14. Loro (finire). 15. Lei (partire).

IV. Translate the following:

1. some ladies 2. some palaces 3. some foreigners
4. some jewels 5. some museums 6. some hotels
7. not far away 8. Sunday morning 9. they visit
10. expensive shops

V. Write the Italian for the following:

1. He wants to see the parents, brothers, and sisters.
2. He does not leave Rome (on) [1] Saturday afternoon.
3. Does he arrive in Rome (in) the evening? 4. Every street has its importance. 5. The Cathedral and the Bell Tower form the central group. 6. The other buildings are also beautiful. 7. The city is famous in [the] [2] history, [the] literature, and [the] art. 8. [The] foreigners who go to Italy are happy. 9. They visit the museums and churches. 10. They always want to buy many things.

WORD LIST

NOUNS

albɛrgo *m.* hotel
Americano *m.* American
arte *f.* art
artista *m. or f.* artist
Bargɛllo *m. a museum in Florence*
battistɛro *m.* baptistry
borsetta *f.* handbag
Campanile di Giɔtto *famous bell tower in Florence*
cɛntro *m.* center
cultura *f.* culture
denaro *m.* money
distanza *f.* distance
dɔnna *f.* lady
duɔmo *m.* cathedral
Firɛnze *f.* Florence
genitori *m. pl.* parents
gioiɛllo *m.* jewel
giorno *m.* day
gruppo *m.* group
importanza *f.* importance
letteratura *f.* literature

lusso *m.* luxury; **di lusso** luxurious, expensive
mattina *f.* morning
musɛo *m.* museum
ɔpera *f.* work; **ɔpera d'arte** *f.* masterpiece
Palazzo Pitti *m.* Pitti Palace, *art gallery in Florence*
pomeriggio *m.* afternoon
Santa Croce *a famous church in Florence*
sera *f.* evening
straniɛro *m.* foreigner
Uffizi *m. pl. art gallery in Florence*
viaggio *m.* trip; **fa il viaggio** takes the trip

ADJECTIVES

altro, –a other
centrale central
pɔco, –a little; **a pɔca distanza** not far away
stɔrico, –a historic, historical

---

[1] Do not translate English words in parentheses. [2] Translate into Italian English words in brackets.

tanto, –a so much; *pl.* so many
tutto, –a all
vero, –a true, real

VERBS

andare to go
arrivare to arrive
consegnare to turn over
formare to form
partire to depart
preferire (isco) to prefer
potere to be able
riposare to rest

vedere to see
visitare to visit
volere to want

OTHER WORDS

che who
così thus, in this way
da from
ecc. etc.
quando when
sɛmpre always
specialmente especially
spesso often

PRONUNCIATION

The *z*-sound. The z-sound is sometimes like the English ts-sound in *cats*, as for example in the words **zio** or **negozio.** It is formed in the front part of the mouth, with the tongue right behind the upper teeth. Listen for it in words like: **stazione, grazie, Tiziano, Uffizi, Palazzo.**

At other times the sound represented by the letter **z** is voiced, that is the vocal cords accompany the sound, which is now made with less explosion, allowing the air to pass between the tongue and the teeth. The closest to it is the sound in the English word *beds.* Listen for it in words like **pranzo, mɛzzo.** In this book you will find this type printed with an italic *z*.

The *ch*-sound. The **ch**-sound is about the same as the English, but in this case the spelling is troublesome. The **ch**-sound is represented by **c** before **e** or **i** (**ce, ci**) and by **ci** before **a, o,**

or **u** (**cia, cio, ciu**). The **i** is not pronounced as a separate
vowel in **cia, cio, ciu**; it simply indicates that the **c** has a **ch**-
sound. Listen for it in the following words: **edifício, commɛrcio,
Cioffari, città, cɛntro.**

The *j*-**sound.** The *j*-sound is also about the same as in the
English words *James* or *gentle.* In Italian this sound is repre-
sented by **g** before **e** or **i** (**ge, gi**) and by **gi** before **a, o,** or **u**
(**gia, gio, giu**). The **i** in these three groups is not pronounced
separately; it simply indicates that the **g** has a **j**-sound. Listen
for it in the following words: **pomeríggio, giardino, Giusɛppe.**

CURRENT USAGE

La stazione di Roma

Oggi arriva a Roma un amico di Ɛnzo. Ɛ̀ uno studɛnte
inglese che viɛne a passare l'estate in Italia. Si chiama
Riccardo Webster. Ɛnzo va alla stazione perchè l'amico
non conosce Roma.

5   La stazione principale si chiama Roma Tɛrmini. Lì ar-
rívano e di lì partono trɛni per tutte le parti d'Europa. La
stazione è grande e bɛlla. Ci sono bɛlle sale d'aspɛtto:
una per la prima e una per la seconda classe. Ogni sala
d'aspɛtto ha il proprio ristorante. (Lo sapete che i trɛni
10 italiani hanno due classi?)

C'è un uffício informazioni dove si possono chiɛdere informazioni su qualsíasi trɛno. Gl'impiegati sono cortesi e
rispondono subito a tutte le domande. Ɛnzo va all'uffício
informazioni e domanda:

15   — A che ora arriva il trɛno di Londra?

L'impiegato gli dice che il trɛno arriva alle sedici e due,
sul binario numero dodici. Sono già le sedici meno diɛci,
perciò Ɛnzo va subito a ricevere il suo amico.

The graceful Esedra fountain sparkles in the night light against the backdrop of modern, busy, Stazione Termini, resplendent with glass walls and marble floors. Here, during the day, Roman traffic is at its worst.

STRUCTURE

22. Present Indicative of *venire, fare, dare*

	venire, *to come*	**fare,** *to do*	**dare,** *to give*
io	vengo	faccio	do
tu	vieni	fai	dai
egli, essa, Lei	viene	fa	dà
noi	veniamo	facciamo	diamo
voi	venite	fate	date
essi, esse, Loro	vengono	fanno	danno

23. Expressions of Time. Italian has two expressions for asking for the time.

Che ora è?
Che ore sono? } *What time is it?*

Both are equally good, but **Che ora è?** is the more common.

È l'una. *It's one o'clock.*
È mezzogiorno. *It's noon.*
È mezzanotte. *It's midnight.*
Sono le sette. *It's seven o'clock.*
Sono le tre e mezzo (*or* mezza). *It's half-past three.*
Sono le nove meno un quarto. *It's a quarter to nine.*
Il treno parte alle sedici. *The train leaves at four PM.*

Before a singular word the hour is expressed by è; before a plural word it is expressed by **sono.** The hour itself is in the feminine (**l'una, le sette**). Minutes or parts of the hour are expressed by **e** after the hour and by **meno** before the hour.

Train schedules and official events employ the twenty-four hour system, starting at midnight. This makes noon twelve o'clock, one o'clock in the afternoon thirteen o'clock, etc.

24. Numerals. The cardinal numerals from 1 to 20 are as follows:

1 uno	6 sei	11 undici	16 sedici
2 due	7 sette	12 dodici	17 diciassette
3 tre	8 otto	13 tredici	18 diciotto
4 quattro	9 nove	14 quattordici	19 diciannove
5 cinque	10 dieci	15 quindici	20 venti

25. Possessive Adjectives. Possessive adjectives are those which indicate possession. In Italian the possessive adjective agrees in gender and number with the object possessed (and not with the possessor, as in English). The forms are as follows:

MASCULINE		FEMININE		MEANING
Sing.	*Pl.*	*Sing.*	*Pl.*	
il mio	i miei	la mia	le mie	my
il tuo	i tuoi	la tua	le tue	your (*fam. sing.*)
il suo	i suoi	la sua	le sue	his, her, its
il Suo	i Suoi	la Sua	le Sue	your (*pol. sing.*)
il nostro	i nostri	la nostra	le nostre	our
il vostro	i vostri	la vostra	le vostre	your (*fam. pl.*)
il loro	i loro	la loro	le loro	their
il Loro	i Loro	la Loro	le Loro	your (*pol. pl.*)

Notice that the definite article is used as part of the possessive adjective. However, the article is not used with certain words denoting a member of the family and unmodified (**padre, madre, fratello, sorella cugino, zio, etc.**).[1]

> mio padre e mia madre, *my father and mother*

But if the noun is modified or is in the plural, the article is used.

> la mia cara madre, *my dear mother*
> i miei fratelli, *my brothers*

The article cannot be omitted if the possessive is **loro.**

26. Interrogatives. The most common interrogative pronouns in Italian are:

> chi? *who? whom?*   che cosa? *what?*
> che? *what?*   cosa? *what?*

Notice that **chi?** is used both as the subject and object of a verb.

> Chi arriva? *Who is arriving?*
> Chi vuole? *Whom do you want?*

[1] The article is used with the four terms **babbo, mamma, nonno,** and **nonna.**

The most common interrogative adjectives are **che?** (*what?*), **quale?** (**qual?**), *pl.* **quali?** (*which?*), **quanto, –a?** (*how much?*), and **quanti, –e?** (*how many?*).

Che libro vuole?   *What book does he want?*
Quale treno, per favore?   *Which train, please?*
Quante classi ci sono?   *How many classes are there?*

LANGUAGE PRACTICE

Piccolo dialogo

— Scusi, signore, a che ora parte il treno?
Excuse me, sir, at what time does the train leave?

— Quale treno, per favore?
Which train, please?

— Il treno per Napoli. Vado a
5 visitare mio cugino.
The train for Naples. I am going to visit my cousin.

— Ah, sì! Via Formia?
Oh, yes. Via Formia?

— Non so. Vado a Napoli.
I don't know. I am going to Naples.

— Che biglietto ha?
What ticket do you have?

— Non ho biglietto. Posso fare il
10 biglietto in treno?
I don't have a ticket. Can I get the ticket on the train?

— In treno costa di più. A che ora vuol partire?
It costs more on the train. At what time do you want to leave?

— Voglio partire presto.
I want to leave right away.

— Presto, va bene. C'è un treno
15 fra dieci minuti.
All right, immediately. There is a train in ten minutes.

— Dove posso fare il biglietto?
Where can I get the ticket?

— Allo sportello numero sette, qui a sinistra. Faccia presto.
At window number seven, here to the left. Be quick.

— Ecco, vado subito. Tante
20 grazie.
Here I go, quickly. Thank you so much.

— Prego. Buon viaggio, e saluti al cugino.
You are welcome. Have a nice trip, and regards to your cousin.

EXERCISES

I. Questions.   1. Chi arriva oggi a Roma?   2. Chi va alla stazione a ricevere l'amico?   3. È italiano Riccardo Webster? 4. A quale stazione arrivano i treni di Londra?   5. Ci sono buone sale d'aspetto nella stazione?   6. Che c'è in ogni sala d'aspetto? 7. Dove si possono chiedere informazioni?   8. Sono cortesi gl'impiegati? 9. A che ora arriva il treno di Londra? 10. Che ora è già quando Enzo va a ricevere il suo amico?

II. Give the following hours in Italian:

7:20	12:00 M	8:30	1:12
10:19	3:20	11:15	5:25
4:05	9:17	6:08	9:10

(On the twenty-four hour system)

1:15 PM	5:05 PM	10:00 AM
3:10 PM	7:30 PM	9:10 PM

III. Translate orally:

my friend	her class	their waiting room
his station	your (*fam.*) office	their restaurant
our hotel	your (*pol.*) restaurant	our train
their students	our question	your (*pol.*) father
your (*pol.*) train	my number	my uncle

IV. Supply the correct form of the verb indicated and translate:

1. tu (venire)
2. voi (venire)
3. io (fare)
4. egli (fare)
5. noi (dare)
6. essi (dare)
7. essi (venire)
8. Lei (fare)
9. tu (dare)
10. noi (fare)

V. Translate the English words in parentheses:

1. (Who) arriva oggi? 2. (Who) viene alla stazione? 3. (Whom) vuole vedere Enzo? 4. (What) è una sala d'aspetto? 5. (What) c'è in ogni sala d'aspetto? 6. (What) treno arriva alle sedici? 7. (Which) è il binario numero dodici? 8. (Which) treni hanno due classi? 9. (What) chiede Lei nel ristorante? 10. A (what) ora arriva il treno?

VI. Write the Italian for the following:

1. I am going to meet my friend because he does not know Rome. 2. His name is Richard, not Joseph. 3. The trains arrive there and depart from there. 4. They go to all parts of Europe. 5. There are beauti-

ful waiting rooms in the station. 6. This waiting room is for the second class. 7. Do you know that the trains are comfortable? 8. I go to the information desk and I ask. 9. Does the train arrive at four PM? 10. It is already ten minutes to ten.

WORD LIST

NOUNS

amico m. friend
binario m. track
classe f. class
domanda f. question
estate f. summer
Europa f. Europe
impiegato m. clerk, employee
informazioni f. pl. information
Londra f. London
numero m. number
ora f. hour, time; **a che ora?** at what time?
parte f. part
Riccardo Richard
ristorante m. restaurant
Roma Termini *main station in Rome*
sala d'aspetto f. waiting room
stazione f. station
studente m. student
treno m. train
ufficio informazioni m. information desk

ADJECTIVES

cortese courteous
inglese adj. English

principale principal
secondo, -a second
sedici sixteen; **alle sedici** at 4:00 PM

VERBS

chiamarsi to be called; **si chiama** his name is
chiedere to ask for
conoscere to know
dire to say; **dice** says
domandare to ask; **fare una domanda** to ask a question
ricevere to receive, meet
rispondere to answer
sapere to know
venire to come

OTHER WORDS

di lì from there
già already
gli to him
lo him, it
meno minus
oggi today
perciò therefore
qualsiasi any
su on
subito quickly

verb is conjugated with εssere the past participle is treated as an
adjective and agrees with the subject in gender and number.

Following are models of verbs conjugated with εssere:

	I	II	III
	andare, *to go*	**cadere,** *to fall*	**partire,** *to leave*
io	sono andato, –a	sono caduto, –a	sono partito, –a
tu	sεi andato, –a	sεi caduto, –a	sεi partito, –a
egli	è andato	è caduto	è partito
essa	è andata	è caduta	è partita
Lεi	è andato, –a	è caduto, –a	è partito, –a
noi	siamo andati, –e	siamo caduti, –e	siamo partiti, –e
voi	siεte andati, –e	siεte caduti, –e	siεte partiti, –e
essi	sono andati	sono caduti	sono partiti
esse	sono andate	sono cadute	sono partite
Loro	sono andati, –e	sono caduti, –e	sono partiti, –e

30. Irregular Past Participles. Some common verbs have
irregular past participles. Keep these in mind in forming the
present perfect.

fare — **fatto**	εssere — **stato** (takes εssere)
prεndere — **preso**	venire — **venuto** (takes εssere)

31. Direct Object Pronouns (*lo, la, li, le*). The direct object pronouns for the third person are as follows:

lo, him *or* it   referring to a masculine singular person or thing.
la, her *or* it   referring to a feminine singular person or thing.
li, them   referring to masculine plural persons or things.
le, them   referring to feminine plural persons or things.

La prεndo? *Do I take it?*
Li vediamo spesso. *We see them often.*

These object pronouns generally come directly before the verb
in Italian. There are many more pronouns and many more rules
about them, but at present learn only these forms.

32. The Particle *ne*. The particle **ne** is a direct object pronoun which refers to something that has been mentioned before. It is a combination of the preposition **di** + a pronoun, and has a great variety of meanings: *of it, of them, some, some of it, some of them,* etc.

Che ne dici?   *What do you think of it?*

33. Months and Seasons

gennaio, January	**luglio,** July
febbraio, February	**agosto,** August
marzo, March	**settembre,** September
aprile, April	**ottobre,** October
maggio, May	**novembre,** November
giugno, June	**dicembre,** December

All the names of the months are masculine and are generally written with a small letter in Italian.

primavera *f.* spring	**autunno** *m.* autumn, fall
estate *f.* summer	**inverno** *m.* winter

LANGUAGE PRACTICE

La colazione   *Breakfast*

La colazione è il primo pasto del giorno. Come il sole entra per la finestra e porta luce, così la colazione entra per la bocca e porta
5 nutrimento.

In Italia ci sono due colazioni: la prima quando uno si alza, e la seconda a mezzogiorno. La prima si chiama caffè, perchè infatti non
10 è altro che caffè con latte, e un panino con burro. La seconda colazione si chiama più generalmente pranzo, e allora finalmente si può mangiare.
15 L'Americano che va in Italia si trova in difficoltà nei primi giorni.

Breakfast is the first meal of the day. Just as the sun enters through the window and brings light, so breakfast enters through the mouth and brings nourishment.

In Italy there are two breakfasts: the first when one gets up, and the second at noon. The first breakfast is called coffee, because in fact it is nothing more than coffee with milk, with a roll and butter. The second is called more generally lunch, and then at last one can eat.

The American who goes to Italy finds himself in trouble in the

Invece di cominciare il giorno con spremuta d'arancia, due uova con salsiccia, ecc. ecc., lo deve cominciare con un caffè ed un panino. Pazienza! Paese che vai, usanza che trovi.

first few days. Instead of starting the day with orange juice, two eggs with sausages, etc., etc., he has to begin it with coffee and a roll. Patience! When in Rome do as 5 the Romans do.

EXERCISES

I. Questions. 1. Hanno fatto colazione presto Enzo e Riccardo? 2. Che cosa hanno cercato vicino all'università? 3. Che cosa ha domandato la signora? 4. Perchè Enzo non vuole una camera? 5. Vuole una camera grande Riccardo? 6. È ricco Riccardo? 7. Ci sono ristoranti vicino all'albergo? 8. Quanto costa la pensione? 9. Riccardo ha trovato la camera? 10. Dove sono tornati i due amici?

II. Conjugate the following verbs in the present perfect:

A. 1. studiare 2. abitare 3. capire
B. 1. uscire 2. cadere 3. tornare
C. 1. fare 2. prendere 3. venire 4. essere

III. Supply the correct form of the present perfect of the verbs indicated:

A. (*Conjugated with* **avere**) 1. Egli (trovare). 2. Noi (abitare). 3. Voi (capire). 4. Essi (studiare). 5. Lei (volere). 6. Loro (prendere). 7. Esse (fare). 8. Io (sentire). 9. Lei (capire). 10. Egli (imparare).

B. (*Conjugated with* **essere**) 1. Io (venire). 2. Lei (andare). 3. Loro (uscire). 4. Noi (partire). 5. Voi (cadere). 6. Esse (tornare). 7. Io (andare). 8. Lei (tornare). 9. Noi (essere). 10. Essa (arrivare).

IV. Translate the following:

1. I take it (*m.*). 2. He sees them (*m.*). 3. We see them (*f.*). 4. I know it (*m.*). 5. They study it (*f.*). 6. He understands her. 7. They take it (*f.*). 8. They study them (*m.*). 9. We have them (*m.*). 10. She takes them (*f.*).

V. Write the Italian for the following:

1. Where did they take the bus and where did they go? 2. He wants a room because he came to Rome to study. 3. Are you Americans or are you Englishmen? 4. She lives with her parents in their house. 5. Here is a beautiful room, at nine hundred lire a day. 6. There are no restaurants, but we have a good "pensione." 7. Did you take the room with board (**pensione**)? 8. Why do you want two rooms? 9. And so the two friends found a comfortable room. 10. Have you learned the present perfect?

WORD LIST

NOUNS

allɔggio *m.* lodging
autobus *m.* bus
colazione *f.* breakfast, lunch
Inglese *m.* Englishman
lira *f.* lira (*Italian unit of currency, worth about* ⅙ *of a cent*)
passato prɔssimo *m.* present perfect
pensione *f.* boardinghouse, board (*lodging with meals*)
signora *f.* madam, lady
signore *m.* gentleman
Toscana *f.* Tuscany (*a region in Central Italy*)
università *f.* university

ADJECTIVES

bravo, –a good, fine
buɔno, –a good
duecɛnto two hundred
duemila two thousand
mille a thousand
quanto, –a how much
ricco, –a rich
romano, –a Roman, from Rome
stesso, –a same

VERBS

capire (isco) to understand
cercare to look for, search
fare to make, do; **far colazione** to have breakfast
imparare to learn
prɛndere to take
sembrare to seem (*takes ɛssere*)
sentire to hear
studiare to study
tornare to return (*takes ɛssere*)
uscire to go out (*takes ɛssere*) (*See Appendix*)

OTHER WORDS

allora then
come how, what
Lɛi di dov'ɛ? where are you from?
ɛcco here is, here are
forse perhaps
mɛglio *adv.* better
mi me, to me
prɛsto early
quanto *adv.* how much
qui here; **di qui** from here
stamattina this morning

PRONUNCIATION

The *ch-* and *k*-sounds. These two sounds are more troublesome in spelling than in pronunciation because the same basic letter **c** is used for both of them. Starting from the written letter, we can say that **c** is pronounced like a **k** before **a, o,** or **u** (**ca, co, cu**). It is pronounced like **ch** before **e** or **i** (**ce, ci**). In order to give **c** the soft (**ch**) sound before **a, o,** or **u,** you write an **i** after the **c** (**cia, cio, ciu**). In order to give **c** the hard (**k**) sound before **e** or **i,** you write an **h** after the **c** (**che, chi**).

The *j-* and *g*-sounds. These two sounds cause the same difficulty as the two previous ones in spelling because they are both represented by the same basic letter **g**. Again, starting from the written letter, we can say that **g** is pronounced hard (*g* as in *go*) before **a, o,** or **u.** It is pronounced soft (*j* as in *jump*) before **e** or **i.** In order to give **g** the soft (**j**) sound before **a, o,** or **u,** you write an **i** after the **g** (**gia, gio, giu**). In order to give **g** the hard (**g**) sound before **e** or **i,** you write an **h** after the **g** (**ghe, ghi**).

Missing Letters. The Italian alphabet has five letters less than the English alphabet: Italian has no **j, k, w, x, y.** Of course any of these may be found in foreign words. In the older spelling **j** was used as the consonantal **i,** but in modern spelling it is seldom used. The sounds which the five letters represent are written by corresponding Italian letters, as you have seen in the pronunciation exercises.

45

CURRENT USAGE

Venezia

Gina ha una compagna che ha la famiglia a Venezia. Si chiama Flora. La compagna ha invitato Gina a passare una settimana con la sua famiglia. Gina ha accettato con piacere. Farà il viaggio la settimana prossima.

5 Il viaggio da Roma a Venezia è lungo. Ci sono cinque ore di treno da Roma a Firenze e quattro ore da Firenze a Venezia. Gina prenderà il treno delle dieci, che arriverà a Firenze alle tre del pomeriggio, e a Venezia alle diciannove, cioè alle sette di sera.

10 Quando Gina arriverà a Venezia non potrà prendere un tassì. Dovrà prendere il vaporetto o la gondola, perchè a Venezia non ci sono tassì; infatti non ci sono automobili. Venezia è forse l'unica grande città del mondo dove non ci sono automobili. È un piacere passeggiare per le sue strade.

15 Venezia è una città meravigliosa. Le case formano una sinfonia di colori nell'acqua dei canali. La Piazza San Marco, con la Basilica e il Campanile, formano una veduta stupenda. La Riva degli Schiavoni e il Palazzo dei Dogi sono incantevoli. Il Lido di Venezia, poi, è rinomato in tutto 20 il mondo.

Gina, che non ha mai visto Venezia, passerà una settimana meravigliosa con la sua compagna. Beato chi può passare una settimana a Venezia!

STRUCTURE

34. Present Indicative of *dovere, dire, sapere*

	dovere, *to owe, must*	dire, *to say*	sapere, *to know*
io	devo (debbo)	dico	so
tu	devi	dici	sai
egli, essa, Lei	deve	dice	sa
noi	dobbiamo	diciamo	sappiamo
voi	dovete	dite	sapete
essi, esse, Loro	devono (debbono)	dicono	sanno

Saint Mark's Square and the Rialto Bridge symbolize the beauty of Venice, the Queen of the Adriatic.

35. Future Tense. The future tense of regular verbs is formed as follows:

For the first and second conjugations, take the stem of the verb and add the endings: **–erò, –erai, –erà, –eremo, –erete, –eranno.** For the third conjugation take the stem and add the endings: **–irò, –irai, –irà, –iremo, –irete, –iranno.** Notice the following model verbs:

		I	II	III
	io	parlerò	venderò	finirò
	tu	parlerai	venderai	finirai
egli, essa, Lei		parlerà	venderà	finirà
	noi	parleremo	venderemo	finiremo
	voi	parlerete	venderete	finirete
essi, esse, Loro		parleranno	venderanno	finiranno

As for the verbs which are irregular in the future, once you know the first person singular the rest of the forms follow the pattern of regular verbs.

andare, *to go* 1st person singular **andrò**
  FUTURE: andrò, andrai, andrà, andremo, andrete, andranno

avere, *to have*	avrò, avrai, avrà, avremo, avrete, avranno
dovere, *to have to*	dovrò, dovrai, dovrà, dovremo, dovrete, dovranno
essere, *to be*	sarò, sarai, sarà, saremo, sarete, saranno
fare, *to do*	farò, farai, farà, faremo, farete, faranno
potere, *to be able*	potrò, potrai, potrà, potremo, potrete, potranno
vedere, *to see*	vedrò, vedrai, vedrà, vedremo, vedrete, vedranno
venire, *to come*	verrò, verrai, verrà, verremo, verrete, verranno
volere, *to want*	vorrò, vorrai, vorrà, vorremo, vorrete, vorranno

36. Direct Object Pronouns (Cont.). Personal pronouns of all three persons naturally have a direct object form. Following is a table of the subject personal pronouns and the corresponding direct object pronouns:

SINGULAR		PLURAL	
Subject	*Direct Object*	*Subject*	*Direct Object*
io	**mi,** *me*	noi	**ci,** *us*
tu	**ti,** *you*	voi	**vi,** *you*
egli	**lo,** *him, it*	essi	**li,** *them*
essa	**la,** *her, it*	esse	**le,** *them*
Lεi	**La,** *you*	Loro	**Li, Le,** *you*

Generally the direct object personal pronoun comes immediately before the verb in Italian. Later you will learn the conditions under which it comes after the verb.

37. Expressions about the Weather. Following are some of the common expressions about the weather:

Che tempo fa? *How is the weather?*
Fa caldo. *It's warm.*
Fa freddo. *It's cold.*
Fa fresco. *It's chilly.*
Fa molto caldo. *It's hot.*
Fa bεl tempo. *The weather is fine.*
Fa cattivo tempo. *The weather is bad.*

With expressions about the weather Italian uses **fa** (from **fare**).

LANGUAGE PRACTICE

Piccolo dialogo

For recognition only. Act out in class or with a fellow student.

— Lεi che cosa fa in Italia, signorina Campanile?

What do you do in Italy, Miss Campanile?

— Sono professoressa d'inglese.

I am a teacher of English.

— In che città insegna?

In what city do you teach?

— Insegno a Pisa, città del famoso Campanile.

I teach in Pisa, the city of the famous bell tower. 5

— Ci sono molti studεnti d'inglese in Italia?

Are there many students of English in Italy?

—Sì, ce ne sono molti. L'inglese è la lingua più popolare.	Yes, there are many (of them). English is the most popular language.
—Perchè si studia tanto l'inglese?	Why do people study English so much?
—Si studia tanto perchè ha importanza commerciale e politica. Quando uno sa l'inglese, può sempre migliorare la sua posizione.	It is studied so much because it has commercial and political importance. When one knows English, he can always improve his position.
—Si usa molto l'inglese nel commercio in Italia?	Is English used a great deal in business in Italy?
—Sì, tutte le grandi case commerciali hanno relazioni con paesi di lingua inglese.	Yes, all the big commercial houses have relations with English-speaking countries.
—Preferisce l'inglese d'Inghilterra o l'inglese degli Stati Uniti?	Do you prefer the English of England or the English of the United States?
—Ecco, ho studiato l'inglese in Inghilterra, come molti dei miei amici. Adesso però, vogliamo imparare la pronunzia americana, perchè è più importante per noi.	I studied English in England, like many of my friends. Now, however, we want to learn the American pronunciation, because it is more important for us.
—Spero che troverà interessante il suo soggiorno qui in America.	I hope you will find your stay here in America interesting.

EXERCISES

I. Questions. 1. Come si chiama la compagna di Gina? 2. Quando farà il viaggio Gina? 3. Ci sono molte ore di treno da Roma a Venezia? 4. A che ora arriva a Venezia il treno? 5. Gina potrà prendere un tassì? 6. Che cosa dovrà prendere invece? 7. Ci sono molte automobili a Venezia? 8. È bella la città di Venezia? 9. Che cosa formano la Piazza San Marco con la Basilica e il Campanile? 10. È rinomato il Lido di Venezia?

II. Conjugate the following verbs:

A. (*Future*) 1. formare 2. accettare 3. andare
4. potere 5. fare 6. dovere 7. prendere.

B. (*Present perfect*) 1. invitare 2. arrivare (*takes*

εssere) 3. prεndere 4. fare 5. vedere 6. venire
(*takes* εssere) 7. andare (*takes* εssere).

III. Supply the correct form of the verb indicated in (*a*) the
present, (*b*) the present perfect, and (*c*) the future:

1. Lεi (dovere). 2. Noi (potere). 3. Egli (arrivare).
4. Essa (fare). 5. Loro (prεndere). 6. Lεi (capire).
7. Tu (imparare). 8. Voi (cercare).

IV. Use a direct object pronoun instead of the words in italics:

1. Passerà *la settimana* a Firεnze. 2. Prenderemo *il
treno* alle diεci. 3. Faranno *il viaggio* la settimana
prɔssima. 4. Vediamo *le case.* 5. Inviteremo *i compagni.* 6. Comprerete *l'automɔbile.* 7. Prenderemo
la gondola. 8. Prεndi *la stanza?* 9. Vediamo *le
ragazze* spesso. 10. Lεi dove passa *l'estate?*

V. Write the Italian for the following:

1. How is the weather? It's chilly. 2. The weather
is fine this morning. 3. There are no taxis because the
streets are canals. 4. It is a pleasure to walk where
there are no cars. 5. The basilica and the square form
a stupendous view. 6. When will you take the train
from Florence to Venice? 7. I shall have to take a
small steamer or a gondola. 8. Are there many enchanting things in the city? 9. He who has not seen
Venice has not seen the world. 10. We shall take the
trip next week and we shall spend three days in the city.

WORD LIST

NOUNS

acqua *f.* water
automɔbile *f.* car
basilica *f.* basilica
canale *m.* canal
colore *m.* color
compagna *f.* companion,
friend
Flɔra *proper name*
gondola *f.* gondola

Lido *m. famous beach on a
reef near Venice*
Palazzo dei Dɔgi *m.* Doges'
Palace
piacere *m.* pleasure
Piazza San Marco Saint
Mark's Square (*in Venice*)
Riva degli Schiavoni *f.
promenade near Saint
Mark's Square*
settimana *f.* week

sinfonia *f.* symphony
tassì *m.* taxi
vaporetto *m.* small steamer
Venezia *f.* Venice
veduta *f.* sight, view

ADJECTIVES

beato, –a lucky
incantevole enchanting
lungo, –a long
meraviglioso, –a marvelous
prossimo, –a next
rinomato, –a famous
stupendo, –a stupendous
unico, –a only

VERBS

accettare to accept
dovere to have to, owe

invitare to invite
passeggiare to walk, stroll
visto *p.p.* of **vedere** seen

OTHER WORDS

chi he who, the one who
cioè that is
infatti in fact

EXPRESSIONS

alle tre del pomeriggio at three in the afternoon
cinque ore di treno five hours on the train

PRONUNCIATION

Written Accent. In Italian you will find in some books three types of written accents, the grave (`` ` ``), the acute (´), and the circumflex (^). The circumflex has practically disappeared now. The acute accent is used by many Italian writers over the final vowel of words which require an accent. However, the most common practice in our textbooks is to use only the grave accent whenever an accent is needed. Such is the practice followed in this book.

Although in Italian most words are stressed on the next to the last syllable, there are so many exceptions that it is hardly worthwhile to mention this as a rule. For that reason the stress is indicated throughout this book either by the accent, by the special

characters ε and ɔ, or by printing the stressed vowel in italics
whenever the stress does not fall on the next to the last vowel in
the word.

Many of the standard Italian dictionaries use accents to indicate the quality of the vowels **e** and **o**. When accents are used for
this purpose, the acute (´) accent indicates the close vowel and the
grave (`) indicates the open vowel.

CURRENT USAGE

La casa di Flɔra

Gina è arrivata a Venεzia alle diciannɔve, alla stazione
Santa Lucia. Flɔra è venuta a incontrarla con suo padre, il
signɔr Bettini. Sono andati a casa in gondola. Com'è
bεlla Venεzia vista dalla gondola! I motoscafi ed i vaporetti sono più velɔci, ma perchè andare in fretta per i canali   5
di Venεzia?

La casa di Flɔra è vicino al Ponte di Rialto, dirimpεtto
alla Casa del Petrarca. Non molto distante si trɔva il
Teatro Goldoni, e un pɔco più lontano il Teatro Rossini.
In casa del signɔr Bettini ci sono quadri di artisti veneziani 10
come Tiziano, il Tintoretto, Giovanni Bellini, e molti altri.
Ci sono bεi vetri di Murano, la famosa *i*sola vicino a Venεzia,
nell'Adriatico. Tutto a Venεzia fa pensare alla poesia, alla
m*u*sica e all'arte.

Gina è rimasta molto contεnta perchè la signora Bettini 15
l'ha ricevuta con grande cordialità. Le ha dato una camera
accanto a quella di Flɔra, così le due compagne pɔssono
passare la giornata insiεme. Perɔ ha detto loro di riposare
prima del pranzo, perchè il vi*a*ggio è stato lungo. Gina non
ha potuto riposare. Ha scritto una lεttera al babbo e gli 20
ha raccontato la sua prima impressione di Venεzia.

STRUCTURE

38. Agreement of Past Participles. When a verb is conjugated with εssere the past participle agrees in gender and
number with the subject.

The Adoration of the Shepherds, by Giorgione, is one of the treasures of our own National Gallery in Washington.

The Flora (detail), by Titian, is one of the countless masterpieces in the Uffizi Gallery in Florence.

Gina è arrivata a Venezia.   *Gina arrived in Venice.*
Essi sono andati in gondola.   *They went in a gondola.*

When a verb is conjugated with **avere** the past participle remains unchanged unless there is a direct object preceding the
verb.   If the direct object comes before the verb, the past participle agrees with it in gender and number.

Gina ha scritto una lettera.   *Gina has written a letter.*
Gina l'ha scritta.   *Gina has written it.*

39. Indirect Object Pronouns.   The indirect object refers to
the person *to whom* or *for whom* an action is done.   The forms of
the indirect object personal pronouns are as follows:

	SINGULAR		PLURAL
mi	to *or* for me	**ci**	to *or* for us
ti	to *or* for you (*fam.*)	**vi**	to *or* for you (*fam.*)
gli	to *or* for him ⎫	**loro**	to *or* for them
le	to *or* for her ⎭		
Le	to *or* for you (*pol.*)	**Loro**	to *or* for you (*pol.*)

The indirect object pronouns generally precede the verb, the
same as direct object pronouns.   However, the pronoun **loro** always comes after the verb.

Le ha dato una camera.   *She gave her a room.*
Ha detto loro di riposare.   *She told them to rest.*

Notice that when the object which comes before the verb is
indirect, the past participle does not agree with it.

40. Position of Object Pronouns with Infinitives.   When
an object pronoun (other than **loro**) depends on an infinitive, it is
attached to it after dropping the final **e.**

Flora è venuta a incontrar**la**.   *Flora came to meet her.*

41. The Adjective *bello*.   The adjective **bello** generally
comes before the noun.   In that position it has six forms, like the
definite article.

SINGULAR	PLURAL	
bɛl	bɛi	before ordinary masculine nouns. il bɛl quadro — i bɛi quadri
bɛllo	bɛgli	before special masculine nouns. il bɛllo studio — i bɛgli studi
bɛlla	bɛlle	before feminine nouns. la bɛlla casa — le bɛlle case

Notice moreover that **bɛllo** and **bɛlla** drop the last vowel and take the apostrophe (**bɛll'**) before a word beginning with a vowel. When the adjective **bɛllo** comes after the noun, it has four forms, the same as any other similar adjective.

i quadri grandi e bɛlli, *the large beautiful pictures*

42. Verbs Conjugated with ɛssere. The following common verbs which you have learned so far are conjugated with **ɛssere**.

andare, *to go*	rimanere, *to remain*
arrivare, *to arrive*	sembrare, *to seem*
cadere, *to fall*	tornare, *to return*
ɛssere, *to be*	uscire, *to go out*
partire, *to depart*	venire, *to come*

43. More Irregular Past Participles. Here are some additional common verbs whose past participle is irregular:

dire, *to say* — **detto**
ɛssere, *to be* — **stato**
rimanere, *to remain* — **rimasto**
scrivere, *to write* — **scritto**
vedere, *to see* — **visto** (*or* **veduto**)

LANGUAGE PRACTICE

Piccolo dialogo

For recognition only. Act out in class or with a fellow student.

— Mi dica, per favore, dove posso comprare del formaggio?

Tell me, please, where can I buy some cheese?

— C'è una salumeria nella strada a dɛstra.

There is a delicatessen in the street to the right.

— Posso comprare anche prosciutto cotto lì?

Can I buy boiled ham there, too?

— Sì, signore, si vende prosciutto
cotto e prosciutto crudo.

Yes, sir, they sell boiled ham and
smoked ham.

— Io sono americano e preferisco
il prosciutto cotto. Lo ado-
periamo molto in America,
nei panini imbottiti.

I am an American and I prefer 5
boiled ham. We use it a great
deal in sandwiches in America.

— Il panino imbottito è usanza
americana. Noi in Italia pre-
feriamo un pranzo completo.

The sandwich is an American custom. We in Italy prefer a full 10
meal.

— Quando viaggio, spesso mi pre-
paro io stesso qualche cosa da
mangiare a mezzogiorno. La
sera preferisco pranzare in un
buon ristorante.

When I travel I often prepare
something for myself at noon.
In the evening I prefer to eat in
a good restaurant. 15

— Ebbene, nella salumeria troverà
molti cibi. Ci sono formaggi,
salami, mortadelle, scatole di
tonno, scatole di acciughe,
ecc.

Well, in the delicatessen you will
find many foods. There are
cheeses, salami, bologna, cans of
tuna fish, cans of anchovies, etc. 20

— Grazie, signore. È molto gentile.

Thank you, sir. You are very kind.

— Prego, signore. Buon appetito!

Not at all, sir. Enjoy your dinner.

EXERCISES

I. Questions. 1. Quando è arrivata a Venezia Gina? 2. Chi
è venuta a incontrarla? 3. Come sono andati a casa? 4. Sono
veloci i motoscafi ed i vaporetti? 5. Quali artisti veneziani
conosce Lei? 6. Quali teatri sono vicino al Ponte di Rialto?
7. Perchè è famosa l'isola di Murano? 8. Perchè è rimasta con-
tenta Gina? 9. Possono passare bene la giornata insieme le due
compagne? 10. Che cosa ha fatto Gina prima del pranzo?

II. Translate orally:

A. 1. They have arrived. 2. She has come. 3. We
have gone. 4. You have been. 5. I have remained.
6. She has returned. 7. You (*pol. pl.*) have fallen.
8. Has she arrived? 9. Has Gina remained? 10. Have
they been?

B. 1. He has said.   2. I have given.   3. She has seen.   4. We have received.   5. You have done. 6. You (*fam. sing.*) have written.   7. You (*fam. pl.*) have not been able.   8. He has not wanted.   9. You (*pol. pl.*) have said.   10. I have taken.

III. Supply the proper form of the verb in the person and number indicated:

A. (*Future*)   1. Io (arrivare).   2. Lɛi (avere). 3. Noi (ɛssere).   4. Gina (andare).   5. Le compagne (venire).   6. Tu (pensare).   7. Loro (vedere).   8. Voi (riposare).   9. La signora (ricevere).   10. Il babbo (capire).

B. (*Present Perfect*).   1. Flɔra (venire).   2. Il signore (arrivare).   3. Essi (rimanere) contɛnti.   4. Essa le (dare) una camera.   5. Il babbo (raccontare) la sua impressione.   6. Gli artisti (fare) i quadri.   7. Egli (venire) al teatro.   8. Essi (andare) in fretta.   9. Lɛi (passare) la giornata.   10. Noi (dire) loro di riposare.

IV. Substitute an indirect object pronoun for the words in italics:

1. Ha dato una camera *a Gina*.   2. Abbiamo detto *alle ragazze* di riposare.   3. Hɔ scritto una lɛttera *to you*.   4. Ha raccontato la stɔria *to us*.   5. Diremo *ai ragazzi* di prɛndere il motoscafo.   6. Ha dato l'automɔbile *to me*.   7. Scriviamo le lɛttere *ai genitori*. 8. Danno tutto *to you* (*fam. pl.*).   9. Parlerɔ *a mio padre* domani.   10. Direte *a Flɔra* la vɔstra impressione.

V. Write the Italian for the following:

1. When did she arrive in the city?   2. Her friend came to meet her at the station.   3. There is a beautiful little steamer in the canal.   4. The beautiful glass (*use plural*) of Murano is very famous.   5. Why did they rush through the streets of Venice?   6. Have you seen the paintings of artists like Tiziano, il Tintoretto, or Giovanni Bellini?   7. Everything in the city makes one

think of music and art. 8. Is my room next to the
one of my friend? 9. I told him to rest before dinner.
10. Why don't you tell her your first impression of
Venice?

WORD LIST

NOUNS

Adriatico m. Adriatic Sea
babbo m. daddy
Bellini (Giovanni) Italian painter (1426–1516)
cordialità f. cordiality
fretta f. hurry; **andare in fretta** to be in a hurry, rush
giornata f. day
Goldoni most famous Italian playwright (1707–1793)
impressione f. impression
isola f. island
lettera f. letter
motoscafo m. motorboat
Murano island near Venice, famous for its glass industry
musica f. music
Petrarca Petrarch; famous Italian poet (1304–1374)
poesia f. poetry
ponte m. bridge; **ponte di Rialto** Rialto Bridge
quadro m. painting, picture
Rossini famous Italian composer (1792–1868)
teatro m. theater
Tintoretto famous Italian painter (1518–1594)
Tiziano famous Italian painter (1477–1576)
vetro m. glass

ADJECTIVES

veloce fast
veneziano, –a Venetian

VERBS

incontrare to meet
raccontare to tell
scrivere (p.p. **scritto**) to write

OTHER WORDS

accanto (a) next to
diciannove here = seven o'clock
insieme (a) together (with)
lontano far
più more
prima di before
quella the one

PRONUNCIATION

The *sk*-sound. The sk-sound as in the English word *sky* is represented in Italian as follows: before **a, o,** or **u** it is **sc** (**sca, sco, scu**). Before **e** or **i** it is **sch** (**sche, schi**).

The *sh*-sound. The sh-sound as in the English word *shoe* is represented in Italian as follows: before **a, o,** or **u** it is **sci** (**scia, scio, sciu**). Before **e** or **i** it is **sc** (**sce, sci**).

Notice that the **ch** in Italian is never pronounced like **ch** in English. It is always like the English **k**-sound, even in syllables like **schia, schio,** or **schiu.**

CURRENT USAGE

Consigli di un padre a un figlio

Parla poco e con giudizio.
Impara bene e non dimenticare.
Parla solo quando ti fanno una domanda.
Finisci tutto quel che hai cominciato.
5 Scrivi spesso, ma non per chiedere denaro.

Consigli di un professore agli studenti

State bene attenti in classe.
Non sprecate il tempo.
Imparate bene le lezioni.
Fate i compiti ogni giorno.
10 Studiate prima e poi vi riposate.

60

Invito a un amico lontano

Venga a stare con noi per qualche giorno. Faccia un
viaggio da queste parti e porti la Sua famiglia. Lasci tutto
quel lavoro che sta facendo e si prenda un po' di riposo. Il
riposo è necessario per la salute e per lo spirito. Non
dimentichi la frase « dolce far niente »; è la medicina segreta 5
dei dottori. Prendano il prossimo treno, Lei e Sua moglie,
e portino anche i bambini. Li vedremo tutti con piacere.
Saranno contenti del Loro viaggio.

STRUCTURE

44. The Imperative. The imperative is the form of the verb
which indicates a command or a request. Strictly speaking, it
has only the second person singular and the second person plural.
The negative imperative for the second person singular has the
same form as the infinitive. The negative for the second person
plural has the same form as the affirmative.

IMPERATIVE

I	II
Affirmative — Negative	*Affirmative — Negative*
parla — non parlare	vendi — non vendere
parlate — non parlate	vendete — non vendete

III

Affirmative — Negative

finisci — non finire
parti — non partire
finite — non finite

45. First Person Plural Commands. When a command is
given to a group which includes the speaker, it goes in the first
person plural. In English it is translated by *let's*. The form is
the same as the first person plural of the present indicative, both
for the affirmative and the negative.

I	II	III
ascoltiamo, *let's listen*	vendiamo, *let's sell*	finiamo, *let's finish*

*Lake Como, in northern Italy, offers many
fascinating views such as the one above. The
shores of the lake are dotted with villages
whose colorful houses are mirrored in its
waters.*

46. Polite Commands. When a command is given to a person whom you are addressing in the **Lɛi**-form, or to more than one person, whom you address as **Loro,** the verb goes in the present subjunctive, which you will learn completely in Lesson 16. At present notice the polite command forms of regular verbs. The negative form is the same as the affirmative.

I	II	III
parli (Lɛi)	venda (Lɛi)	finisca (Lɛi)
parlino (Loro)	vendano (Loro)	finíscano (Loro)
		(parta — partano)

In these polite command forms the plural is always formed from the singular by adding –**no,** regardless of whether the verbs are regular or irregular. Notice some polite command forms:

cominciare:	**cominci — comíncino**
dimenticare:	**dimentichi — dimentichino**
fare:	**faccia — facciano**
lasciare:	**lasci — lascino**
venire:	**vɛnga — vɛngano**

47. Complete Imperative. If all the various types of command forms are grouped together, you get the following forms:

	I	II	III
(io)	——	——	——
(tu)	parla (non parlare)	vendi (non vɛndere)	finisci (non finire)[1]
(Lɛi)	parli	venda	finisca
(noi)	parliamo	vendiamo	finiamo
(voi)	parlate	vendete	finite
(Loro)	parlino	vɛndano	finíscano

48. Position of Object Pronouns. With the strictly imperative forms (**tu** and **voi**) and with the first person plural command (**noi**) all object pronouns except **loro** come after the verb and

[1] The forms of **partire** are: (tu) **parti,** (Lɛi) **parta,** (Loro) **partano.**

are attached to it. **Loro** always comes after the verb, but it is not attached.

> Fin*i*scilo domani. *Finish it tomorrow.*
> Portalo a Maria. *Take it to Mary.*
> Diciamo loro di venire. *Let's tell them to come.*

When the imperative forms are in the negative, or when the commands are in the polite form, the object pronouns come before the verb, as they do regularly.

> Non lo portare a Maria. *Do not take it to Mary.*
> Lo finisca domani. *Finish it tomorrow.*
> Lo porti a Maria. *Take it to Mary.*

49. Orthographical Changes. Verbs ending in –**care** or –**gare** (like **dimenticare** and **pagare** [*to pay*]) add an **h** to the stem whenever the ending begins with **e** or **i**. This is done in order to preserve the **k**- or **g**-sound of the stem. Notice the present indicative, imperative, and future of the verb **dimenticare.**

PRESENT: dimentico, **dimentichi,** dimentica, **dimentichiamo,** dimenticate, dimenticano

IMPERATIVE: ——, dimentica, **dimentichi, dimentichiamo,** dimenticate, **dimentichino**

FUTURE: **dimenticherò,** etc.

Verbs ending in –**ciare** (like **cominciare** or **lasciare**) drop the **i** of the stem when the ending begins with an **i** or an **e**. Notice the future of **lasciare:**

> lascerò, lascerai, lascerà, lasceremo, lascerete, lasceranno

50. Relative Pronouns. The most common relative pronoun in Italian is **che,** corresponding to *who, whom, which,* or *that.* The relative pronoun is never omitted in Italian. **Che** may be used as the subject or as the object of a verb, but it cannot be used after a preposition. The common relative pronoun after a preposition is **cui,** corresponding to *whom* or *which.*

> Quel lavoro che sta facendo. *That work which you are doing.*
> L'amico a cui ho scritto. *The friend to whom I have written.*

There are other relative pronouns, which you will learn later on.

LANGUAGE PRACTICE

Piccolo dialogo

For recognition only. Act out in class or with a fellow student.

— Guardi dalla finestra. Che tempo fa oggi?

Look out of the window. How is the weather today?

— Piove e tira vento.

It is raining and windy.

— Piove forte? Fa freddo?

Is it raining hard? Is it cold?

— Non piove forte, ma fa freddo.

It is not raining hard, but it is cold. 5

— Meglio così. Quando fa caldo tuona spesso e lampeggia.

Better this way. When it is warm, there is often thunder and lightning.

— Quando lampeggia ho paura. Mi nascondo nell'armadio.

When it is lightning, I am afraid. I hide in the closet. 10

— Il fulmine può arrivare anche nell'armadio.

Lightning can reach in the closet, too.

— Se arriva non mi trova, perchè mi nascondo bene.

If it reaches there it won't find me, because I hide well.

— Bravo, sei molto coraggioso. Preferisci l'inverno?

Fine, you are very brave. Do you 15 prefer winter?

— Sì, preferisco l'inverno, quando nevica e fa freddo.

Yes, I prefer winter, when it snows and it is cold.

— La neve non mi piace, perchè con la neve è difficile guidare.

I don't like snow, because it is hard to drive with the snow. 20

— D'inverno io prendo sempre il treno.

In winter I always take the train.

— Sì, va bene, ma per me la macchina è necessaria.

Yes, all right, but I need the car.

— Allora l'estate va bene per Lei e l'inverno va bene per me.

Then summer is all right for you 25 and winter is all right for me.

EXERCISES

I. Questions. 1. Lei parla sempre con giudizio? 2. Parla quando non Le fanno una domanda? 3. Scrive spesso a Suo padre per chiedere denaro? 4. Finisce sempre tutto quel che ha cominciato? 5. Sprecano il tempo gli studenti? 6. Chi fa i suoi compiti ogni giorno? 7. Chi impara bene le lezioni? 8. Il riposo è necessario per la salute? 9. Qual è la medicina segreta dei dottori? 10. Lei andrà a visitare un amico qualche giorno?

II. **A.** Give the complete imperative forms, both affirmative and negative, of the following verbs:

1. imparare   2. dimenticare   3. finire   4. scrivere
5. prendere   6. portare

B. Give only the polite command forms, both affirmative and negative, of the following verbs:

1. venire   2. fare   3. lasciare   4. sprecare
5. vedere   6. cominciare

III. Translate the following:

A. 1. Let's tell him everything.   2. Let's take it (*m.*) to Gina.   3. Do not finish (*pol.*) it today.   4. Do not speak (*pol.*) to her now.   5. Sell (*fam. pl.*) all that you have.   6. Finish (*pol. pl.*) them (*f.*) tomorrow.   7. Forget (*pol.*) it.   8. Let's take them (*m.*).   9. Write (*pol.*) to him, please.   10. Let's take it (*m.*) to Richard.

B. 1. The homework which I do.   2. The friend with whom I travel.   3. The question which they ask.   4. The teacher to whom we speak.   5. The rest which is necessary.   6. The train which you will take.   7. The friends we'll see.   8. The child to whom he writes.   9. We have spoken of it.   10. You will be glad of it.

IV. Translate the words in parentheses and read aloud:

1. (Leave) il lavoro che Lei fa.   2. (Work) molto se Lei vuole imparare.   3. Non (waste) tanto tempo.   4. (Let's write) ogni giorno.   5. (Let's take) un viaggio in Europa.   6. (Come) a stare con noi quando possono (Loro-*form*).   7. (Of them) abbiamo studiate due.   8. (Of it) parlano spesso.   9. (Of them) hanno comprati sei.   10. Il denaro (which) ho ricevuto.   11. Il lavoro (which) ha cominciato.   12. (To him) abbiamo dato un consiglio.   13. (To her) scriverò domani.   14. (To you, *pol.*) porteremo la medicina.   15. (To us) risponderanno quando potranno.

V. Write the Italian for the following:

1. He writes to him often because he wants money.
2. Learn the lessons if you want to learn the language.

3. Let's take the next train for Venice, where we shall see the family.   4. Will he take a little rest for his health?   5. Rest is also necessary for the morale. 6. They have an invitation from a friend far away. 7. The saying goes: "Happy life of ease."   8. He wastes his time, but he is very happy.   9. What is the secret medicine of [the] doctors?   10. Take the next train and bring your wife, too.

WORD LIST

NOUNS

bambino *m.* child
compiti *m. pl.* homework
consiglio *m.* advice
dottore *m.* doctor
frase *f.* phrase, saying
giudizio *m.* judgment; **con giudizio** with good sense
invito *m.* invitation
lezione *f.* lesson
parte *f.* part; **da queste parti** to these parts
riposarsi to rest
riposo *m.* rest
salute *f.* health
spirito *m.* morale

ADJECTIVES

attɛnto, –a attentive; **stare attɛnto** to pay attention
dolce sweet; **dolce far niɛnte** happy life of ease
necessario, –a necessary

qualche some
quel, quella that; **quel che** what, that which
questo, –a this
segreto, –a secret

VERBS

cominciare to begin
dimenticare to forget
lasciare to leave, let
parlare to speak
portare to bring
sprecare to waste
stare (takes ɛssere) to be, stay

OTHER WORDS

che that; who, whom
niɛnte nothing
un pɔ' a bit
solo *adv.* only

EXPRESSIONS

fare un viaggio to take a trip

PRONUNCIATION

Practice the following words, with particular attention to the sounds indicated.

ɛ	e	ɔ	o
niɛnte	spesso	pɔco	solo
provɛrbio	segreto	scuɔla	dolce
insiɛme	quello	cɔmodo	lezione
trɛno	vetro	ɔggi	dottore
albɛrgo	invece	automɔbile	famoso

gli	gn	r	rr
famiglia	bagno	arte	arrivare
consiglio	compagna	teatro	verrò
meraviglia	pizzicagnolo	quadro	pianterreno
meglio	ogni	incontro	a Roma

s	s	z	ʒ
impressione	musica	veneziano	pranzo
famoso	poesia	stanza	mezzogiorno
così	isola	accoglienza	azzurro
distante	chiesa	stazione	

ch	k	j	g
duecɛnto	che	dɔge	impiegato
diɛci	ricco	viaggio	Borghese
cucina	ɛcco	passeggiare	grandioso
invece	Carlo	già	golfo

CURRENT USAGE

Napoli e il giro di Amalfi

Ogni estate la famiglia Gentile va in villeggiatura per il mese di luglio. Quest'anno sono andati ad Amalfi, dove c'è una bella spiaggia. Si sono riposati e si sono divertiti.

Al principio della villeggiatura si sono fermati a Napoli 5 per un paio di giorni. La città ha una grande importanza storica. I disastri causati dal Vesuvio fanno dei dintorni di Napoli il centro [1] degli studi archeologici. Gli scavi di Pompei e di Ercolano hanno messo in luce la grandiosa civiltà romana di venti secoli fa. Enzo e Gina si sono 10 meravigliati dell'importanza storica di questa bella città.

Alla fine della villeggiatura la famiglia ha fatto il giro della riviera di Amalfi. Questa è una delle più belle gite d'Italia. L'autobus è partito da Napoli alle nove. Prima si è fermato a Pompei, dove tutti hanno visitato gli scavi. 15 Quegli scavi dimostrano che la città era una delle più belle dei tempi romani.

Dopo Pompei l'autobus ha fatto il lungo giro della riviera. Ci sono seicento curve lungo il giro, ed ogni curva apre una veduta incantevole. Il cielo limpido, il mare azzurro, le mon- 20 tagne, gli alberi, e le case formano una vera sinfonia di colori. Enzo e Gina non dimenticheranno mai questa gita.

STRUCTURE

51. Reflexive Verbs. A reflexive verb is one in which the action reverts back to the subject, as in the English sentence: "He sees himself in the mirror." Reflexive verbs are characterized by the fact that the infinitive has the reflexive pronoun **si** attached to it. Following are the forms of the present indicative of **lavarsi,** *to wash* (*oneself*).

---

[1] Make the surroundings of Naples into a center.

io mi lavo	noi ci laviamo
tu ti lavi	voi vi lavate
egli si lava	essi si *lavano*
essa si lava	esse si *lavano*
Lɛi si lava	Loro si *lavano*

The only feature which makes a verb reflexive is the reflexive pronoun; otherwise the verb retains its conjugation, whether it be regular or irregular. Reflexive verbs are conjugated with **ɛssere,** and the past participle agrees with the subject in gender and number. Notice the conjugation of **riposarsi,** *to take a rest,* in the present perfect.

io mi sono riposato, −a	noi ci siamo riposati, −e
tu ti sɛi riposato, −a	voi vi siɛte riposati, −e
egli si è riposato	essi si sono riposati
essa si è riposata	esse si sono riposate
Lɛi si è riposato, −a	Loro si sono riposati, −e

52. Reflexive for the Passive. The reflexive of the verb in the third person can express the idea of the passive when there is no particular one performing the action. When you say, for example, that *the excavations are found in Pompeii,* the passive is used in a general sense, meaning *one finds,* or *you find.* In Italian the idea is expressed by the reflexive form of the verb: **gli scavi si trɔvano a Pompɛi.** Likewise *Italian is spoken* is rendered by **si parla italiano.** In this passive construction the subject generally comes after the verb.

53. Demonstratives. The demonstrative is the word which points out or indicates a person or a thing. In English you can indicate something near the speaker (*this, these*) or something far from the speaker (*that, those*). In Italian there is also a demonstrative expressing a mid-position, that is, something near the person spoken to. For the present, however, we shall study only the first two types, which are more common.

If you could only see this view of Amalfi in its natural setting you would no longer wonder why people rave so much about the Amalfi drive.

questo, questa	this ⎱	refer to that which is near the
questi, queste	these ⎰	speaker.
quel, quello, quella	that ⎫	refer to that which is far away
quei, quegli, quelle	those ⎬	from the speaker and the person spoken to.

The demonstrative adjective always comes before the noun it modifies and agrees with it in gender and number. In deciding which form of **quel** to use, keep in mind the following table:

SINGULAR	PLURAL	
quel	**quei**	before ordinary masculine nouns. quel giorno — quei giorni
quello	**quegli**	before special masculine nouns. quello zio — quegli zii
quella	**quelle**	before feminine nouns. quella fam*i*glia — quelle fam*i*glie
quell'	⎛ **quegli** ⎞ ⎝ **quelle** ⎠	before masculine or feminine singular nouns beginning with a vowel. quell'*a*lbero quell'*a*ula quegli *a*lberi quelle *a*ule

54. Numerals. Numerals from 20 to 100 by tens.

20	venti	70	settanta
30	trenta	80	ottanta
40	quaranta	90	novanta
50	cinquanta	100	cento
60	sessanta		

To form the numerals from one multiple of ten to the next one notice the following rules:

For the 1 and the 8, drop the last vowel of the multiple and add **uno** or **otto: ventuno, trentuno, ventotto, trentotto,** etc.

For the 3, add the word **tre** to the multiple and add an accent: **ventitrè, trentatrè,** etc.

For all the other numbers, simply add the smaller to the multiple: **ventisei, trentasette,** etc.

In the multiples of 100 the smaller number comes before the larger one.

200	duecento	600	seicento
300	trecento	700	settecento
400	quattrocento	800	ottocento
500	cinquecento	900	novecento

The word for 1000 is **mille.** The plural of **mille** is **mila** and the multiples are formed by placing the smaller number before the larger one: **duemila, tremila,** etc.

From one million on the numbers are: **un milione, due milioni, tre milioni,** etc.

LANGUAGE PRACTICE

La passeggiata

The Stroll

For recognition only. Read aloud or have some other student read it to you.

La passeggiata è una delle più belle usanze italiane. Parecchie persone camminano insieme e conversano. I veri amici fanno la stessa passeggiata alla stessa ora ogni giorno. Se arriva l'ora della passeggiata e uno degli amici non si presenta, vuol dire che è malato.

La passeggiata non ha nè destinazione nè scopo. L'unica ragione è il piacere della compagnia. Quando uno passeggia gode non soltanto la compagnia dell'amico, ma l'amicizia delle persone che si incontrano lungo il cammino. L'usanza è così comune che all'ora del passeggio si incontrano almeno venti o trenta amici. La passeggiata è più piacevole del teatro o del cinematografo — e molto più economica. Un paio di scarpe dura parecchi anni. Con la passeggiata uno si riposa, mantiene l'amicizia, scambia idee, e si mantiene in salute.

The stroll is one of the most beautiful Italian customs. Several people walk together and talk. True friends take the same stroll at the same time every day. If 5 the time for the stroll comes and one of the friends does not show up, it means that he is ill.

The stroll has neither a destination nor a purpose. The only rea- 10 son is the pleasure of the company. When one strolls, he enjoys not only the company of his friend, but the friendship of the people he meets along the way. The custom 15 is so common that during the strolling hour one meets at least twenty or thirty friends. The stroll is more pleasant than the theater or the movies — and much more eco- 20 nomical. A pair of shoes lasts several years. With a stroll one rests, keeps up friendships, exchanges ideas, and keeps in good health. 25

EXERCISES

I. Questions. 1. Va spesso in villeggiatura la famiglia Gentile? 2. Che cosa ha fatto la famiglia ad Amalfi? 3. Quanti giorni si sono fermati a Napoli? 4. Che cosa hanno messo in luce gli scavi di Pompei e di Ercolano? 5. Di che cosa si sono meravigliati Enzo e Gina? ˙ 6. Qual è una delle più belle gite? 7. L'autobus dove si è fermato prima? 8. Che cosa dimostrano gli scavi di Pompei? 9. Ci sono molte curve lungo la riviera di Amalfi? 10. Sono belli i colori che si vedono lungo la riviera?

II. Conjugate the following verbs in the (*a*) present, (*b*) present perfect, and (*c*) future.

    1. riposarsi   2. divertirsi   3. fermarsi   4. meravigliarsi

III. A. Supply the proper form of (*a*) **questo,** (*b*) **quello,** and translate:

    1. estate   2. anno   3. spiaggia   4. giorno   5. disastro   6. centro   7. studi   8. secoli   9. gite   10. autobus   11. scavi   12. tempi   13. curva   14. mare   15. alberi

B. Write out and say the following numerals in Italian:

19	55	81	122	597
38	63	92	250	1010
43	77	110	411	3500

IV. Supply the proper form of the verb indicated and use each expression in a complete sentence in Italian.

    A. (*Future*) 1. Essi (fermarsi). 2. Egli (divertirsi). 3. Lei (riposarsi). 4. Noi (fermarsi). 5. Io (meravigliarsi).

    B. (*Present perfect*) 1. Tu (andare). 2. Essi (mettere). 3. Voi (fare). 4. Loro (visitare). 5. Questo (dimostrare).

    C. (*Present*) 1. I disastri (fare). 2. L'autobus (partire). 3. Le case (formare). 4. Essa (riposarsi). 5. Gina (meravigliarsi).

V. Translate into Italian:

1. This year we went to Amalfi because there is a beautiful beach. 2. Did they rest and did they enjoy themselves on (their) vacation? 3. Every city has its historical importance. 4. The archeological studies make the surroundings of Naples famous. 5. The Roman civilization of twenty centuries ago was grandiose. 6. Those mountains, those houses, and those trees are very beautiful. 7. Everyone visited the excavations when we stopped in Pompeii. 8. Every curve opens (on) an enchanting view on this drive. 9. We shall never forget this trip. 10. They go on a vacation every year, but they have never gone to Naples.

WORD LIST

NOUNS

Amalfi *a city near Naples*
anno *m.* year
cielo *m.* sky
civiltà *f.* civilization
curva *f.* curve
dintorni *m.pl.* surroundings
disastro *m.* disaster
Ercolano Herculaneum, *a city covered by lava when Vesuvius erupted in 79 A.D.*
fine *f.* end
giro *m.* tour, drive
gita *f.* trip
mare *m.* sea
mese *m.* month
montagna *f.* mountain
Napoli Naples, *the largest city in southern Italy*
paio *m.* pair, few; **un paio di giorni** a few days
Pompei Pompeii, *a city near Naples, buried by the ashes when Vesuvius erupted in 79 A.D.*
principio *m.* beginning; **al principio** in the beginning

riviera *f.* coast
scavo *m.* excavation
secolo *m.* century
spiaggia *f.* beach
Vesuvio *m.* Vesuvius, *a volcano near Naples*
villeggiatura *f.* country holiday; **in villeggiatura** on a vacation

ADJECTIVES

archeologico, –a archeological
azzurro, –a blue
grandioso, –a grandiose
limpido, –a clear

VERBS

aprire (*pp.* **aperto**) to open
causare to cause
dimostrare to show
divertirsi to have a good time, enjoy oneself
fermarsi to stop
meravigliarsi to be astonished
mettere to put; **mettere in luce** bring to light

dopo after
fa ago
lungo *prep.* along
mai never
prima *adv.* first

la più bɛlla gita the most
  beautiful trip
alle nɔve at nine o'clock

PRONUNCIATION

Writing from Sounds. A. Listen to the following words and write them from dictation:

ala — alla	vene — venne	sono — sonno	risa — rissa
cola — colla	pene — penne	rɔse — rosse	dici — dicci
cane — canne	casa — cassa	pɔso — pɔsso	visi — vissi
pani — panni	base — basse	ɛco — ɛcco	lino — l'inno

B. Now write the following from dictation:

pɔco — pɔchi	luɔgo — luɔghi	vacca — vacche	larga — larghe
ɛco — ɛchi	lungo — lunghi	amica — amiche	lunga — lunghɛ
ciɛco — ciɛchi	largo — larghi	ɔca — ɔche	voga — voghe
fuɔco — fuɔchi	prego — preghi	parca — parche	paga — paghe

CURRENT USAGE

Il Trecɛnto

Il sɛcolo decimoquarto fu il più importante della letteratura italiana. In quel sɛcolo, chiamato il Trecɛnto, vissero

*The Dante Monument in Trento is the best known
of the countless monuments to the great Poet.*

i tre maggiori scrittori italiani: Dante Alighieri, Francesco
Petrarca, e Giovanni Boccaccio. Dante fu il maggior poeta
italiano ed è considerato da molti il maggior poeta del
mondo. Il ¹ Petrarca fu uno dei migliori poeti e il più impor-
5 tante umanista dei suoi tempi. Il Boccaccio fu il migliore
scrittore di prose e uno dei migliori novellieri del mondo.

Dante passò la gioventù a Firenze ed i suoi anni maturi
in varie città dell'Italia. Morì a Ravenna nel 1321 (mille
trecento ventuno). Il Petrarca passò i primi anni in Toscana
10 e gli anni maturi in Francia, vicino alla città di Avignone.
Viaggiò per molte città della Francia e dell'Italia. Il Boccaccio passò la prima parte della sua vita a Napoli, poi visse
quasi sempre in Toscana.

Dante aveva trentanove anni quando nacque il Petrarca.
15 Questi aveva nove anni quando nacque il Boccaccio. Il
Boccaccio aveva soltanto otto anni quando morì Dante, ma
fu uno dei suoi più grandi ammiratori. Studiò la vita e gli
scritti del famoso poeta e commentò parte della Divina
Commedia. Dante, il Petrarca, e il Boccaccio servirono di
20 modello ai migliori scrittori di tutte le nazioni d'Europa;
ebbero un grande influsso sulla letteratura europea.

STRUCTURE

55. Past Definite. The past definite (**passato remoto**) is
another of the past tenses in Italian. It indicates an event which
took place at a definite time in the past and is not mentally connected with the present by the speaker. The past definite is used
in relating historical events or in talking about personal events
which took place some time ago.

Dante fu il maggior poeta italiano. *Dante was the greatest Italian
poet.*
Ebbero un grande influsso. *They had a great influence.*

---

¹ The article is used before the surname of many famous people, but not
always nor with every famous person.

Notice the endings of regular verbs in the past definite.

	I	II	III
	parlare	**vendere**	**finire**
io	parl–**ai**	vend–**ei** (–**ɛtti**)	fin–**ii**
tu	parl–**asti**	vend–**esti**	fin–**isti**
egli, essa, Lɛi	parl–**ɔ**	vend–**è** (–**ɛtte**)	fin–**ì**
noi	parl–**ammo**	vend–**emmo**	fin–**immo**
voi	parl–**aste**	vend–**este**	fin–**iste**
essi, esse, Loro	parl–**arono**	vend–**erono** (–**ɛttero**)	fin–**irono**

56. Irregular Verbs in the Past Definite. Many verbs are irregular in the past definite. Notice the irregular forms of the verbs used in this lesson:

ɛssere	**vivere,** *to live*	**nascere,** *to be born*	**avere**
fui	**vissi**	**nacqui**	**ɛbbi**
fosti	**vivesti**	**nascesti**	**avesti**
fu	**visse**	**nacque**	**ɛbbe**
fummo	**vivemmo**	**nascemmo**	**avemmo**
foste	**viveste**	**nasceste**	**aveste**
furono	**vissero**	**nacquero**	**ɛbbero**

57. Comparison of Adjectives. The comparative form of an adjective expresses a greater degree of the quality of the adjective, as for example *green — greener; small — smaller; important — more important.* In Italian this comparative is generally formed by placing the word **più** before the adjective:

verde — più verde; piccolo — più piccolo; importante — più importante

The superlative of an adjective expresses the greatest degree of the quality of the adjective: *green — greenest; small — smallest; important — most important.* In Italian this superlative is formed by placing not only the word **più,** but also the appropriate definite article before **più.**

verde — il più verde; piccolo — il più piccolo; importante — il più importante

If the comparison expresses a lesser degree of the quality of the adjective, **meno** is used instead of **più**.

58. Irregular Comparatives. In Italian as well as in English there are some adjectives which change their form in the comparative and superlative, as for example: *good, better, best; bad, worse, worst.* Notice the comparative of some of the common adjectives which you have learned:

grande,[1] maggiore, il maggiore; buono, migliore, il migliore

59. "In" after a Superlative. The word *in* after a superlative is generally translated by **di**.

il maggior poeta del mondo, *the greatest poet in the world*

60. "Than" in Comparisons. The word *than* in comparisons is usually translated by **di** before nouns, pronouns, and numerals.

Questa scuola è migliore di quella. *This school is better than that one.*
Abbiamo più di venti alunni. *We have more than twenty students.*

Later you will learn more about the word *than*.

61. Ordinal Numerals. The ordinal numerals from the first to the tenth are as follows:

1st	primo, −a	6th	sesto, −a
2nd	secondo, −a	7th	settimo, −a
3rd	terzo, −a	8th	ottavo, −a
4th	quarto, −a	9th	nono, −a
5th	quinto, −a	10th	decimo, −a

---

[1] The adjective **grande** has a regular as well as an irregular comparison. When the regular comparison is used, the word refers to size; when the irregular comparison is used, the word refers to age (*older*) or importance (*greater*).

la più grande casa, *the largest house*
il maggior poeta, *the greatest poet*

LANGUAGE PRACTICE

For recognition only. Read it aloud or have some other student read it to you.

Il genio italiano

Dovunque leggiamo in un libro italiano, non troviamo altro che superlativi: il maggior poeta, il migliore scultore, il miglior pittore, il sommo scienziato, il miglior compositore — e sempre « del mondo ». È difficile credere che una piccola nazione abbia avuto tanti geni. Fatto sta che è una malattia contagiosa, e molti Italiani si credono di essere geni soltanto perchè sono Italiani.

Ma insomma, che ci possiamo fare! Se la natura ha voluto regalare a questa piccola nazione un Dante, un Michelangelo, un Raffaello, un Galileo, un Verdi, e tanti altri — perchè negarlo? E poi se la natura ha voluto mettere tutto insieme in un Leonardo da Vinci, si deve dire che non è vero? Alcune nazioni hanno petrolio, altre carbone, altre diamanti, ed altre . . . genio.

The Italian Genius

No matter where we read in an Italian book, we find nothing but superlatives: the greatest poet, the best sculptor, the best painter, the greatest scientist, the best com- 5 poser — and always "in the world." It is hard to believe that a small nation has had so many geniuses. The point is that this is a conta- gious disease and many Italians 10 think they are geniuses just because they are Italians.

After all, what can we do about it! If nature has decided to grant this small nation a Dante, a Mi- 15 chelangelo, a Raphael, a Galileo, a Verdi, and so many others — why deny it? And then if nature has decided to put everything to- gether in a Leonardo da Vinci, 20 must we say that it is not true? Some nations have oil, others coal, others diamonds, and others . . . genius.

EXERCISES

I. Questions. 1. Quale fu il più importante secolo della letteratura italiana? 2. Chi visse in quel secolo? 3. Chi è considerato il maggior poeta del mondo? 4. Perchè fu importante il Petrarca? 5. Fu gran novelliere il Boccaccio? 6. Dove passò la gioventù Dante Alighieri? 7. Viaggiò molto il Petrarca? 8. Quanti anni aveva Dante quando nacque il Boccaccio? 9. Fu grande ammiratore di Dante il Boccaccio? 10. Ebbero un grande influsso sulla letteratura europea questi tre grandi scrittori?

II. Conjugate the following verbs in the past definite (**passato remɔto**):

> A. considerare, studiare, passare, viaggiare
> B. credere, morire, partire, vendere
> C. ɛssere, vívere, avere, nascere

III. Supply the correct form of the past definite of the verb indicated and then make complete, original sentences in Italian.

> 1. Il Boccaccio (ɛssere). 2. Essi (vívere). 3. Noi (studiare). 4. Dante (nascere). 5. Lɛi (viaggiare). 6. Egli (avere). 7. Essa (passare). 8. Io (studiare). 9. Voi (viaggiare). 10. Tu (finire).

IV. A. Make up original sentences using the noun and the comparative form of the adjective.

MODEL: casa — píccola. Questa casa è più píccola di quella.

> 1. casa — grande. 2. città — píccola. 3. scuɔla — buɔna. 4. parte — grande. 5. trɛno — lungo. 6. poɛta — importante. 7. scrittore — interessante. 8. automɔbile — nuɔva. 9. campagna — bɛlla. 10. fratɛllo — grande.

B. Make up sentences using the noun and the superlative form of the adjective.

MODEL: ragazza — bɛlla. Rɔsa è la più bɛlla ragazza della classe.

> 1. letteratura — interessante. 2. sɛcolo — importante. 3. novelliɛre — grande. 4. tɛmpo — lungo. 5. vita — famosa. 6. casa — bɛlla. 7. ammiratore — grande. 8. nazione — buɔna. 9. ɔpera — famosa. 10. umanista — importante.

V. Write the Italian for the following:

> 1. That century was the most important one in our history. 2. The three greatest Italian writers lived in the same century. 3. He is the best prose writer and the best short-story writer in the world. 4. Where did Dante spend his youth and his mature years? 5. Who

died in Ravenna in 1321? 6. Who spent the first part
of his life in Naples? 7. Did you travel through many
cities when you went to Italy? 8. These three famous
writers served as models (*use singular*) for the best
writers in Europe. 9. The most important humanist
of his times was a great poet. 10. They all had a great
deal of influence on European literature.

WORD LIST

NOUNS

Alighieri: Dante Alighieri
greatest Italian poet (1265–1321)

ammiratore *m.* admirer

Avignone *city in southern France*

Giovanni Boccaccio *greatest Italian prose writer (1313–1375)*

Divina Commedia *f.* Divine Comedy

Francia *f.* France

gioventù *f.* youth

influsso *m.* influence

modello *m.* model

nazione *f.* nation

novelliere *m.* short-story writer

poeta *m.* poet

prosa *f.* prose; **scrittore di prose** prose writer

Ravenna *city in Romagna, in north central Italy*

scritti *m. pl.* writings

scrittore *m.* writer

Trecento *or* **secolo decimoquarto** 14th century

umanista *m.* humanist

ADJECTIVES

europeo, –a European

importante important

maggiore *adj.* major; **il maggiore** the greatest

maturo, –a mature

migliore *adj.* better; **il migliore** the best

vari, varie various

VERBS

commentare to write a commentary

considerare to consider

morire to die (takes essere)

nascere (*p.p.* **nato**) to be born (*takes* essere)

servire to serve; **servire di modello** serve as a model

viaggiare to travel

vivere (*p.p.* **vissuto**) to live (generally takes essere)

PRONUNCIATION

Intonation. Intonation refers to the variations in the pitch of the voice which are characteristic of a phrase or a sentence in a language. The pronunciation of individual sounds may be similar in two people and yet the sentence may sound quite different. The intonation, for example, is one of the characteristic differences between the English of our northern states and that of our southern states.

In Italian intonation varies considerably from one region of Italy to the other, and all those intonations are different from English. Notice the approximate intonation of the following sentences:

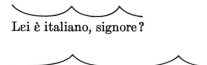

Lei è italiano, signore?

Dove andiamo questo pomeriggio?

Observe carefully and imitate clearly the intonation patterns you hear in the following sentences:

Dal pizzicagnolo compravamo formaggio, prosciutto, e cose simili.

Non possiamo mangiare bene senza spendere molto denaro.

Come si comportava il piccino di sette anni?

Quanto era bella la Fontana di Trevi!

« Paese che vai, usanza che trovi », dice il proverbio.

84

CURRENT USAGE

I nostri pasti

Quando eravamo a Roma abitavamo vicino alla Fontana di Trevi. Facevamo la prima colazione nella camera dell'albergo, perchè così era l'usanza. Non appena eravamo in piedi, suonavamo il campanello, e subito ce la portavano.

Per la seconda colazione preparavamo qualche cosa da 5 mangiare noi stessi lì in camera, quando avevamo appetito. Andavamo nei negozi e compravamo tutto il necessario. Dal pizzicagnolo compravamo formaggio, mortadella, salsiccia, prosciutto, e cose simili. Compravamo anche olive secche, acciughe, tonno in scatola, ecc. Poi dal fruttivendolo 10 compravamo arance, mele, pere, banane, pesche, uva, o altra frutta che si può mangiare facilmente in camera. Andavamo dal vinaio a comprare una bottiglia di vino. Poi, finalmente, dal fornaio compravamo pane e biscotti o paste. E così facevamo una bella colazione senza spendere 15 troppo.

La sera poi andavamo a pranzo in un vecchio ristorante vicino alla Fontana di Trevi. Si mangiava bene, e i camerieri erano molto cortesi. Avevano una grande pazienza con noi e col nostro piccino di sette anni, che non sempre si com- 20 portava bene. Eravamo sempre i primi ad arrivare, perchè noi siamo abituati a pranzare alle sei, e lì si pranzava alle otto. Ma « paese che vai, usanza che trovi », se lo stomaco lo permette.

STRUCTURE

62. The Imperfect Tense. The imperfect is another of the common past tenses in Italian. The imperfect expresses a continued, customary, or repeated action or a state of being in the past. For example, if we say *We were in Rome last year*, the sentence expresses a continued action, or one might say a state of being in the past. It goes in the imperfect in Italian: **Eravamo a**

The Trevi Fountain needs no introduction to moviegoers.

Wouldn't you like to be that little boy looking for coins?

Roma l'anno scorso. When we say *We used to buy oranges,* the sentence expresses a repeated or a customary action and goes in the imperfect: **Compravamo arance.**

The imperfect tense is generally regular in Italian, even for most verbs which are otherwise irregular. It is formed by taking the infinitive, dropping the last three letters, and adding the following endings for each conjugation:

I	II	III
comprare	**vendere**	**finire**
compr–**avo**	vend–**evo**	fin–**ivo**
compr–**avi**	vend–**evi**	fin–**ivi**
compr–**ava**	vend–**eva**	fin–**iva**
compr–**avamo**	vend–**evamo**	fin–**ivamo**
compr–**avate**	vend–**evate**	fin–**ivate**
compr–*avano*	vend–**evano**	fin–*ivano*

63. Verbs Irregular in the Imperfect. The imperfect of the verb ɛssere is as follows:

ɛro, ɛri, ɛra, eravamo, eravate, ɛrano

For other irregular verbs, learn the first person singular of the imperfect and the rest of the forms always follow the same pattern. Notice two of the common irregular verbs:

fare, *to do*   facevo, facevi, faceva, facevamo, facevate, facevano
dire, *to say*   dicevo, dicevi, diceva, dicevamo, dicevate, dicevano

64. Imperfect and Past Definite. Notice that the imperfect expresses a continued, customary, or repeated action in the past, whereas the past definite expresses a single act or a historical event in the past. The tense which you use expresses the idea which you wish to convey. If you say **Fui a Roma l'anno scorso,** you mean that you were there at that time and later you stopped being there. If you say **Ɛro a Roma l'anno scorso,** you intimate simply that you were there, without intimating anything about not being there later.

65. Table of Contractions. Following is a list of the contractions which are formed by the combination of a preposition and an article.

	il	lo	la	i	gli	le	l'
a, to, at	al	allo	alla	ai	agli	alle	all'
con, with	col	con lo	con la	coi	con gli	con le	con l'
		(collo)	(colla)		(cogli)	(colle)	(coll')
da, from	dal	dallo	dalla	dai	dagli	dalle	dall'
di, of	del	dello	della	dei	degli	delle	dell'
in, in	nel	nello	nella	nei	negli	nelle	nell'
per, through	pel	per lo	per la	pei	per gli	per le	per l'
su, on	sul	sullo	sulla	sui	sugli	sulle	sull'

66. Double Object Pronouns. When a direct and an indirect object pronoun both depend on the same verb, the indirect comes before the direct (except **loro**), and the last letter of the indirect object pronoun becomes **–e.**

> Ce la portavano. *They brought it to us.*
> Glielo portava la cameriera. *The maid brought it to him.*

If the indirect object pronoun is **gli** or **le,** it becomes **glie** and is attached to the direct object pronoun. The forms of the double object pronouns therefore are:

me lo	te lo	glielo	ce lo	ve lo
me la	te la	gliela	ce la	ve la
me li	te li	glieli	ce li	ve li
me le	te le	gliele	ce le	ve le
me ne	te ne	gliene	ce ne	ve ne

The double object pronouns will be taken up more completely in Lesson 22. At this point they are given for recognition only.

67. Special Meaning of *da*. The preposition **da** + a word denoting a person means *at the place* where the person is ordinarily found. It may be translated *at the house of*, *at the place of*, etc.

> Andavamo dal vinaio. *We went to the wine-seller's.*

LANGUAGE PRACTICE

For recognition only.   Act out in class or with a fellow student.

Benvenuti a Firɛnze

— Buɔn giorno, signori. Siamo così lieti di rivederli.

Good morning folks. We are so happy to see you again.

— Siamo lieti di tornare in Pensione Pendini. Ci sembra di tornare in famiglia.

We are happy to get back to Pensione Pendini. It feels like getting back home.   5

— Appunto, qui sono sɛmpre in casa Loro. Ho riservato due bɛlle camere, una doppia senza bagno e una singola con bagno. Sono dispiaciuto di non potɛr offrire due camere comunicanti.

Quite so; here you are always at home. I have reserved two fine rooms, a double one without bath and a single one with bath. I am sorry I cannot offer you adjoining rooms.   10

— Non si disturbi. Ci adatteremo.

It's quite all right. We'll be fine.

— Grazie. Il facchino si occuperà dei bagagli. Elisabɛtta, conduci i signori alle loro camere.

Thank you. The porter will take care of the baggage. Elizabeth, take these folks to their rooms.   15

— Senz'altro. Vɛngano di qua. Questa è la camera doppia, e qui vicino è la singola.

Of course. Come this way. This is the double room and close by is the single room.

— Sono grandi e bɛlle e danno prɔprio sulla piazza. Potremo sentire la musica di sera.

They are large and beautiful, and they face the square. We can hear the music at night.   20

— Purtrɔppo la musica è sɛmpre lì. Spero che non disturberà.

Unfortunately the music is always there. I hope it won't disturb.

— Niɛnte affatto.

Not at all.   25

— Ɛcco che il facchino arriva coi bagagli. Si pranza alle ɔtto, ma cɛrto se fanno un pochino tardi non fa niɛnte.

Here comes the porter with the bags. Dinner is at eight, but of course if you are a bit late it won't matter.

— Grazie, signorina. Arrivederla.

Thank you. We'll see you soon.   30

EXERCISES

I. Questions. 1. Dove si fa la prima colazione quando si è all'albɛrgo? 2. Che cɔsa facevamo noi non appena eravamo in piɛdi? 3. Dove facevamo la seconda colazione? 4. Che compravamo nei negɔzi? 5. Che si vendeva dal pizzicagnolo? 6. Che si vendeva dal fruttivɛndolo? 7. Dove andavamo per comprare il vino? 8. Chi vendeva pane, biscɔtti, e pastɛ? 9. Dove andavamo a pranzo la sera? 10. Ɛrano cortesi i cameriɛri?

II. Supply the proper form of the imperfect of the verb indicated:

1. Io (essere) abituato a pranzare alle sei, ma lì (pranzare) alle otto. 2. Egli (comportarsi) bene perchè i camerieri (essere) cortesi. 3. Essa non (avere) pazienza e non (volere) aspettare. 4. (Mangiare) bene voi quando (essere) in Italia? 5. Si (spendere) troppo denaro e non si (fare) buona colazione. 6. Le mele, pere, e pesche (essere) buone, ma l'uva non (essere) buona. 7. Il vinaio (vendere) vino e noi lo (comprare). 8. Essi (comprare) tonno in scatola e (preparare) la colazione. 9. La mortadella (essere) migliore della salsiccia, che (essere) troppo secca. 10. Ogni mattina io (andare) alla sua porta e (suonare) il campanello.

III. Make up original sentences in Italian containing the following expressions:

1. vicino a. 2. essere in piedi. 3. la prima colazione. 4. la seconda colazione. 5. tutto il necessario. 6. dal pizzicagnolo. 7. dal fruttivendolo. 8. una bottiglia di vino. 9. far colazione. 10. andare a pranzo. 11. comportarsi bene. 12. il primo ad arrivare. 13. alle sei. 14. senza spendere. 15. essere abituato a.

IV. Use the correct form of the imperfect or the past definite, according to the sense:

1. Tu mi (dire) sempre che la Fontana di Trevi (essere) la più bella fontana di Roma. 2. Quando il treno (partire) egli (comprare) ancora il biglietto. 3. Noi non (trovare) molto dal pizzicagnolo e (tornare) a casa senza comprare niente. 4. Io (mangiare) le pesche e le banane perchè (avere) appetito. 5. Un giorno il vinaio ci (vendere) una bottiglia di vino. 6. (Mangiare) frutta perchè si (potere) mangiare facilmente in camera. 7. Il prosciutto (essere) migliore della mortadella, che non mi (piacere). 8. Quando (nascere) il Boccaccio, Dante (avere) quarantotto anni.

9. Quando (arrivare) il treno, noi (essere) alla stazione.
10. Il tonno in scatola mi (piacere) molto, ma le acciughe non (costare) tanto.

V. Translate into Italian:

1. He used to live near the Trevi Fountain because there was a good hotel there. 2. Did you always ring the bell as soon as you woke up? 3. Who brought you your breakfast when you were hungry? 4. Where can we buy canned tuna fish, dry olives, and such things? 5. We bought everything we needed at the grocer's and at the fruit vendor's. 6. You have forgotten the wine. Didn't you buy it at the wine dealer's? 7. Without spending money she cannot have a good breakfast. 8. In the evening I want to go to a restaurant. 9. When the waiters were courteous, the dinner seemed better. 10. "When in Rome, do as the Romans do," says the proverb.

WORD LIST

NOUNS

acciuga *f.* anchovy
appetito *m.* appetite; **avere appetito** to be hungry
arancia *f.* orange
banana *f.* banana
biscotto *m.* cookie, biscuit
bottiglia *f.* bottle
cameriere *m.* waiter
campanello *m.* bell
Fontana di Trevi *f.* Trevi Fountain
formaggio *m.* cheese
fornaio *m.* baker
frutta *f.* fruit
fruttivendolo *m.* fruit vendor
mela *f.* apple
mortadella *f.* bologna
oliva *f.* olive
paese *m.* country

pane *m.* bread
pasta *f.* pastry
pazienza *f.* patience; **avere una grande pazienza** to have a great deal of patience
pera *f.* pear
pesca *f.* peach
piccino *m.* little fellow
piede *m.* foot; **essere in piedi** to be up and around
prosciutto *m.* ham
salsiccia *f.* sausage
scatola *f.* can
stomaco *m.* stomach
tonno *m.* tuna fish
usanza *f.* custom
uva *f.* grapes
vinaio *m.* wine-seller, wine dealer
vino *m.* wine

ADJECTIVES

abituato, -a accustomed
secco, –a dry
simile similar
vecchio, –a old

VERBS

abitare to live, dwell
comportarsi to behave
mangiare to eat; **qualche cosa da mangiare** something to eat

permettere to permit
pranzare to dine
spendere to spend
suonare to ring

OTHER WORDS

appena hardly; **non appena** as soon as
facilmente easily
finalmente finally
qualche some
senza without
troppo *adv.* too much

PRONUNCIATION

Si scriva sotto dettatura (*Write from dictation*):

Aneddoto su Rossini

Rossini, durante una fredda giornata dell'inverno del mille ottocento tredici, era rimasto a letto a comporre. Mentre scriveva un duetto, un foglio gli cadde a terra. Piuttosto che muoversi e prender freddo, si mise a comporre un nuovo duetto. Composto il secondo duetto, venne un suo amico che gli raccolse il foglio caduto. Allora Rossini cantò tutti e due i duetti, e l'amico scelse il migliore.

CURRENT USAGE

Mestiɛre o professione?

(Meditazioni di un giovane)

Che mestiɛre potrɛi fare?   Mio fratɛllo Giorgio è falegname e guadagna bɛne, ma a me non piace fare il falegname.   Potrɛi fare il barbiɛre, come il cugino Antɔnio.
Comprerɛi una bottega e lavorerɛi per conto mio.   Ma l'orario è lungo e non si guadagna molto.   Che mestiɛre allora?   5
sarto? calzolaio? muratore? elettricista?   Ah, ɛcco un bɛl
mestiɛre!   Tutte le case hanno apparecchi elɛttrici e tutti
gli apparecchi hanno bisogno di riparazioni.   Come elettricista avrɛi la mia automɔbile, non ci sarɛbbe orario fisso,
e mi farɛi ricco in pɔco tɛmpo.   Che altro di mɛglio si po-   10
trɛbbe desiderare?

Ma vediamo un pɔ'.   Perchè non pensare a qualche professione?   Cɛrto bisognerɛbbe andare all'università, ma la
vita di studɛnte non sarɛbbe tanto brutta.   L'avvocato
esɛrcita una buɔna professione; se è bravo può farsi una   15
bɛlla clientɛla.   Preferirɛi però la professione del mɛdico,
come lo zio Tommaso, ma per lui non c'è mai ripɔso; dɛve
lavorare giorno e nɔtte.   Ci sarɛbbe anche la professione
dell'ingegnɛre, ma non m'interɛssa affatto; prɔprio non è
per me.   20

Cɛrto si potrɛbbe fare anche il professore, ma lì ci vuɔle
intelligɛnza e paziɛnza.   Il professore dɛve studiare sɛmpre,
insegnare per lunghe ore, e rassegnarsi a fare una vita
modɛsta.   È una vita che non interɛssa molto a noi giovani.

Quindi cɔsa fare?   Non sɔ; ci penserò domani.   25

STRUCTURE

68. Conditional.   In Italian the present conditional is formed
by taking the first person singular of the future of any verb,
regular or irregular, dropping the –ɔ, and adding the following
endings: **–ɛi, –esti, –ɛbbe, –emmo, –este, –ɛbbero.**

Notice the present conditional of regular verbs:

I	II	III
comprerei	venderei	finirei
compreresti	venderesti	finiresti
comprerebbe	venderebbe	finirebbe
compreremmo	venderemmo	finiremmo
comprereste	vendereste	finireste
comprerebbero	venderebbero	finirebbero

Here is the present conditional of some common irregular verbs:

andare andrei, andresti, andrebbe, andremmo, andreste, andrebbero
avere avrei, avresti, avrebbe, avremmo, avreste, avrebbero
dovere dovrei, dovresti, dovrebbe, dovremmo, dovreste, dovrebbero
essere sarei, saresti, sarebbe, saremmo, sareste, sarebbero
potere potrei, potresti, potrebbe, potremmo, potreste, potrebbero
vedere vedrei, vedresti, vedrebbe, vedremmo, vedreste, vedrebbero
venire verrei, verresti, verrebbe, verremmo, verreste, verrebbero
volere vorrei, vorresti, vorrebbe, vorremmo, vorreste, vorrebbero

69. Uses of the Conditional. The conditional expresses what would happen under certain conditions, which may be expressed or implied. The present conditional corresponds to the English *should* or *would*, as for example *we would speak, he would come, I should be pleased*, etc.

> Avrei la mia automobile. *I would have my own car.*
> Non sarebbe tanto brutta. *It would not be so bad.*

70. Disjunctive Personal Pronouns. The disjunctive personal pronouns are those which are used independently of a verb.

The forms are as follows:

SINGULAR	PLURAL
me, me	**noi,** us
te, you (*fam.*)	**voi,** you (*fam.*)
lui, him (**esso,** it)	**loro** (**essi**), them (*m.*)
lɛi, her (**essa,** her, it)	**loro** (**esse**), them (*f.*)
Lɛi, you (*pol.*)	**Loro,** you (*pol.*)

sè (reflexive third person) himself, herself, themselves, etc.

71. Uses of Disjunctive Pronouns. The disjunctive pronouns are used:

1. After prepositions.

Per lui non c'è ripɔso. *For him there is no rest.*

2. In exclamations.

Beato lui! *Lucky he!*

3. For emphasis or contrast, in which case the pronoun always follows the verb.

Vɔglio te, non lɛi. *I want you, not her.*

4. **Lui, lɛi,** and **loro** are used after the verb ɛssere as predicate nominative.

È lui; sono loro. *It is he; it is they.*

5. **Lui, lɛi,** and **loro** are used in a compound subject or object.

Io, lui, e lɛi siamo rimasti. *He, she, and I remained.*

72. The Verb *piacere*. Piacere is the only verb in Italian which can be used to translate the English verb *to like*. When used in this sense,[1] **piacere** has only the third person singular and the third person plural in each tense. It is conjugated with ɛssere.

PRESENT INDICATIVE	piace, piacciono
FUTURE	piacerà, piaceranno
PRESENT PERFECT	è piaciuto (–a), sono piaciuti (–e)
PAST DEFINITE	piacque, piacquero
IMPERFECT	piaceva, piacevano

[1] With the meaning *to please*, **piacere** has all forms. Present Indicative: **piaccio, piaci, piace, piacciamo, piacete, piacciono.**

Soccer is a popular sport in Italy.

The motor scooter is a popular and economical means of transportation. There are many scooter assembly plants such as the Vespa one pictured here.

Since Italian has no verb meaning *to like*, English sentences containing this verb must be reworded, using the verb *to please*.

We like the profession. = The profession pleases us.

The sentence then translates directly into Italian by using the correct form of **piacere** and placing the subject of the verb *to please* after the verb. If this subject is singular, the verb is in the third person singular. If this subject is plural, the verb is in the third person plural. If the subject is an action, the verb is in the singular.

We like the profession. = The profession pleases us. = Ci piace la professione.
He likes the girls. = The girls please him. = Gli piacciono le ragazze.
She likes to work. = To work pleases her. = Le piace lavorare.

Notice that the subject in English (*we, he, she*) becomes the indirect object in Italian (**ci, gli, le**). The indirect object **loro** generally comes after the verb.

Piace loro lavorare giorno e notte. *They like to work day and night.*

If the subject of the verb *to like* is a noun, that word must be introduced by **a** in Italian.

Mary likes the gloves. = The gloves are pleasing to Mary. = A Maria piacciono i guanti.

LANGUAGE PRACTICE

Dialogo sullo sport

For recognition only. Act out in class or with a fellow student.

— Quali sono gli sport favoriti in Italia? Li conosce?

What are the favorite sports in Italy? Do you know them?

— Fra gli sport favoriti troviamo il calcio, il ciclismo, il tennis, il nuoto, lo sci, le corse di cavalli, le corse di automobili, il polo, e tanti altri giochi ben conosciuti in America.

Among the favorite sports we find soccer, bicycle riding, tennis, swimming, skiing, horse racing, 5 auto races, polo, and so many other games well known in America.

— Si gioca molto il foot-ball?	Do they play much football?
— Il foot-ball all'uso americano, no; ma il calcio è popolare.	Football American style, no; but soccer is popular.
— Si adopera molto la bicicletta?	Do they use bicycles very much?
5 — Sì, la bicicletta si adopera per trasporto, per esercizio, e per corse. Colle biciclette si fa anche il Giro d'Italia.	Yes, bicycles are used for transportation, for exercise, and for races. With bicycles they also do the Tour of Italy.
— Che sport c'è nelle montagne?	What sport is there in the mountains?
10	
— Nelle montagne c'è l'alpinismo. Molti giovani si dedicano all'alpinismo, che richiede coraggio e forza.	There you have mountain climbing. Many young men go in for mountain climbing, which requires courage and strength.
15 — Purtroppo in America l'alpinismo si fa soltanto con gli ascensori, nei grattacieli delle grandi città. Altrove l'alpinismo è conosciuto soltanto nelle montagne dell'ovest.	Unfortunately in America mountain climbing is done only with elevators, in the skyscrapers of large cities. Elsewhere mountain climbing is known only in the mountains of the West.
20	
— È bello lo sport, tanto in Italia come in America.	Sport is wonderful, in Italy as well as in America.

EXERCISES

I. Supply the correct form of the conditional and read aloud:

1. Egli (potere) fare il falegname, ma non gli (piacere).
2. Voi (dovere) fare il barbiere, perchè (essere) un bel mestiere. 3. (Volere) fare il sarto Lei? Le (piacere) fare il sarto? 4. Come muratore io (guadagnare) bene e (avere) la propria automobile. 5. Non ci (essere) orario fisso e ci (essere) molte vacanze. 6. Lei (andare) all'università e (fare) la vita di studente. 7. Noi (preferire) la professione del medico e non ci (piacere) la professione d'ingegnere. 8. L'avvocato (avere) una bella clientela e (essere) ricco. 9. Per lui non ci (essere) riposo e per me non ci (essere) denaro. 10. Essa (studiare) sempre e (imparare) molto.

II. Translate the English pronoun in parentheses and complete the sentence in Italian:

1. Per (me) preferirei ... 2. Vanno da (them) per ... 3. Il cugino Antonio abita con (us) ...

4. Non hanno bisogno di (her) ... 5. A (him) non interessa ... 6. Deve lavorare con (you, *fam.*) ... 7. Per (you, *pol.*) non c'è riposo ... 8. Verrò con (you, *fam. pl.*) ... 9. Con (them) mi farei ricco ... 10. Non pensare a (her) ...

III. Translate into Italian:

1. He likes the profession. 2. I like to work. 3. We like the movies. 4. They like to study. 5. She likes the university. 6. Do you like the houses? 7. Does he like the trades? 8. She likes the barber. 9. I like to rest. 10. We like to teach. 11. They like this life. 12. You (*fam.*) like these books. 13. You (*pol.*) like Rome. 14. We like Florence and Venice. 15. I like to sleep.

IV. Form complete sentences in Italian using the following expressions:

1. guadagnare bene. 2. fare il barbiere. 3. per conto mio. 4. apparecchi elettrici. 5. orario fisso. 6. in poco tempo. 7. la vita di studente. 8. non è tanto brutta. 9. giorno e notte. 10. non interessa affatto. 11. ci vuole. 12. cosa fare?

V. Translate into Italian:

1. I should like to learn a trade, but I don't like to work hard (**molto**). 2. The hours are too long for us; we prefer more rest. 3. Did you say that he would like to be a tailor, a shoemaker, or a barber? What an ambition! 4. They would get rich in a short time, but they would not be happy. 5. Would you come with us in our new automobile, or would you go with them? 6. All [the] electrical appliances need repairs if we use them a great deal. 7. The doctor has a good profession, but there is never any rest. 8. That profession does not interest him at all; it's not for him. 9. One could be a professor, but who wants to be a professor? It is not for us. 10. One would need too much intelligence and too much patience.

WORD LIST

NOUNS

Antonio Anthony
apparecchio *m.* appliance
avvocato *m.* lawyer
bisogno *m.* need; **aver bi-sogno di** to need
bottega *f.* shop
clientela *f.* clientele
conto *m.* account; **per conto mio** for myself
cugino *m.* cousin
elettricista *m.* electrician
falegname *m.* carpenter; **fare il falegname** to be a carpenter
Giorgio George
giovane *m.* young man; *f.* young lady; *adj.* young
ingegnere *m.* engineer
intelligenza *f.* intelligence
medico *m.* doctor
meditazione *f.* meditation
mestiere *m.* trade
muratore *m.* mason
notte *f.* night
orario *m.* hours, schedule
professione *f.* profession
riparazione *f.* repair
Tommaso Thomas
zio *m.* uncle

ADJECTIVES

brutto, –a bad, disagreeable
elettrico, –a electrical

fisso, –a fixed; **orario fisso** *m.* fixed hours
modesto, –a modest, simple

VERBS

bisognare to need to, have to
desiderare to desire, want
esercitare to practice (*a profession*)
farsi to become; **farsi ricco** to become rich
guadagnare to earn
insegnare to teach
interessare to interest
lavorare to work
rassegnarsi to resign oneself

OTHER WORDS

affatto at all
certo certainly
domani tomorrow
male *adv.* bad
poco little; **un po'** a little
quindi therefore

EXPRESSIONS

che altro di meglio? what could be better? what more?

PART TWO

CURRENT USAGE

La mɔda

Questa mɔda è una bella cɔsa. La natura si rinnɔva una vɔlta l'anno, nella primavɛra, ma la mɔda si rinnɔva quattro vɔlte l'anno. C'è la mɔda d'invɛrno, che nei negɔzi comincia in luglio. C'è la mɔda di primavɛra, che si mette in mostra a Natale. C'è la mɔda d'estate, che fa pensare a giornate 5 sulla spiaggia. E c'è la mɔda d'autunno, che fa pensare a fɛste e balli.

Andiamo a passeggio e vediamo la mɔda. Vede quella signorina con quell'abito corto? La pɔvera signorina sɛnte freddo, ma la mɔda è sevɛra e non le permette di portare 10 un abito più lungo. Vede quel cappɛllo su quella signora alta? Non è un parasole; è un cappɛllo. Quando tira vɛnto la pɔvera signora dɛve tenersi il cappɛllo con tutte e due le mani. Ma che si può fare se la mɔda è così?

Vede quei giovani senza cappɛllo e quegli altri in maniche 15 di camicia? Fa freddo e pɔssono prɛndere un raffreddore, ma preferiscono il raffreddore pur di seguir la mɔda.

Guardi un pɔ' anche il Suo vestito. A che sɛrve quella cravatta? Le riscalda forse il pɛtto? E quei bottoni alle maniche della giacca? E quel fazzoletto lì nel taschino? 20 Tutto fa parte della mɔda. Nella natura ci sono bɛi cieli, bɛgli alberi, bɛlle fɔglie, e bɛi colori. Nella mɔda ci sono bɛi cappɛlli, bɛgli abiti, e bɛlle giovani. Come ammiriamo la natura così possiamo ammirare anche la mɔda.

103

Useful Expressions

una vɔlta l'anno once a year
si mette in mostra is displayed
fa pensare a makes one think of
andiamo a passeggio let's go for a walk
tira vɛnto the wind is blowing
tutte e due le mani both hands
in maniche di camicia in shirt sleeves
prɛndere un raffreddore to catch a cold
pur di seguir la mɔda as long as they are in style
a che sɛrve? of what use is?
fa parte della mɔda forms a part of fashion

Questions. 1. Quando si rinnɔva la natura? 2. Quando comincia la mɔda di primavɛra? 3. A che fa pensare la mɔda d'autunno? 4. Quando possiamo vedere la mɔda? 5. Sɛnte freddo la signorina con l'abito corto? 6. Va bɛne il cappɛllo grande quando tira vɛnto? 7. Che preferiscono quei giovani senza cappɛllo e quegli altri in maniche di camicia? 8. Si prɛnde facilmente un raffreddore? 9. A che sɛrve la cravatta? 10. Ci sono bɛlle cɔse nella natura?

STRUCTURE

73. Demonstratives. In Lesson 10 you learned the forms of the demonstrative adjectives **questo** and **quello.** When a demonstrative is not followed by the noun it modifies it is used as a pronoun. Following are all the forms of the demonstratives that may be used either as adjectives or as pronouns.

		ADJECTIVES OR PRONOUNS		
	Sing.	*Pl.*		
MASC.	questo	questi	} this, these	Refers to that which is near the speaker.
FEM.	questa	queste		
MASC.	cotesto	cotesti	} that, those *(near you)*	Refers to that which is near the person spoken to.
FEM.	cotesta	coteste		
	(also spelled codesto)			

Fashion designers get ample inspiration from Italian models in the atmosphere provided by places such as the Pitti Palace in Florence.

Notice that in Italian there is the intermediate demonstrative **cotesto** (**codesto**) indicating an object near the person addressed. English has no such distinction. However, **cotesto** and all its forms are seldom used in ordinary conversation.

The following forms may be used as adjectives only or as pronouns only:

	ADJECTIVES ONLY		PRONOUNS ONLY		
	Sing.	*Pl.*	*Sing.*	*Pl.*	
MASC.	quel	quei	quello	quelli	Refers to that which is away from both the speaker and the person spoken to.
	(*that*)	(*those*)	(*that*)	(*those*)	
	quello	quegli			
	(quell')				
FEM.	quella	quelle	quella	quelle	
	(quell')				

Questa moda è una bella cosa. *This style is something beautiful.*
A che serve quella cravatta? *What is that tie for?*
Vede quei giovani? *Do you see those young men?*

74. The Particles *ci*, *vi*, and *ne*. **Ci** is used to indicate any vague place or topic, or a place which has been previously mentioned; it may be translated by *here, there, to this place, to that place* or *about it*. In literary Italian **vi** is often used instead of **ci**.

> Ci andiamo spesso. *We go there often.*
> Ci penserò domani. *I'll think about it tomorrow.*
> Vi ritornerò. *I shall go back there.*

Ci and **vi** cannot be used when there is any emphasis on the place mentioned (**lì** or **là** is used instead). Their position with respect to the verb is the same as that of conjunctive object pronouns.

The particle **ne,** in addition to meaning *some of it, some of them,* etc., may refer to a place previously mentioned. In that case it carries the meaning of *from there, from that place.*

> Se ne tornò subito. *He came back from there immediately.*

LANGUAGE PRACTICE

Si legga senza tradurre:

La cinematografia [1]

La cinematografia è adesso una delle grandi industrie in Italia. Prima della guerra [2] pochi artisti italiani apparivano [3] sullo schermo.[4] Ora quasi ogni pellicola [5] rinomata [6] ha qualche artista italiano, e le donne sono più note [7] degli uomini in questo campo.[8] Anche quelli che non conoscono l'Italia conoscono i nomi di Claudia Cardinale, Gina Lollobrigida, Sophia Loren, Rossano Brazzi, Vittorio de Sica, Marcello Mastroianni, e di tanti altri. Il cinema italiano è molto apprezzato [9] perchè è semplice e naturale; ha portato sullo schermo una sincerità che rende le pellicole vere opere d'arte.

Si risponda alle seguenti domande senza tradurre:

1. Apparivano molti artisti italiani sullo schermo prima della guerra?
2. Sono note le artiste italiane dello schermo? 3. Lei conosce i nomi di Cardinale, Lollobrigida, e Loren? 4. È semplice e naturale l'arte italiana?
5. Che ha portato sullo schermo l'arte italiana?

ESERCIZI

I. Furnish the proper demonstrative adjective or pronoun in the following sentences:

1. (This) primavera sarà più bella di (that one).
2. (These) negozi hanno più abiti di (those). 3. (That) signorina porta sempre (that) abito lungo. 4. (That) cappello sarebbe buono per (that) avvocato. 5. (Those) giovani che vanno a (that) università sono sempre senza cappello. 6. (That, *near you*) giacca e (that, *near you*) cravatta sono molto eleganti. 7. (That, *near you*) bottone non va con (that) altro bottone. 8. (This) parasole è più grande di (that) cappello. 9. (Those) abiti sono più eleganti di (these). 10. (That) inverno faceva più freddo di (that) autunno.

---

[1] movie industry. [2] war. [3] appeared. [4] screen. [5] film. [6] famous.
[7] noted. [8] field. [9] appreciated.

II. Si traducano le parole inglesi tra parentesi (Translate the English words in parentheses):

1. (Beautiful) alberi e (beautiful) foglie fanno (beautiful) la primavera.   2. Le (beautiful) giovani portano dei (beautiful) cappelli.   3. (It is) freddo e possiamo (catch) un raffreddore.   4. Quella (beautiful) cravatta va bene con (that) abito.   5. La moda (makes one think of the) giornate sulla spiaggia.   6. Sono andati (for a walk) mentre (the wind was not blowing).   7. (Both) le signorine sono uscite con (both) i giovani.   8. Non sentono freddo (as long as they are in style).   9. (Of what use is) la moda se non c'è denaro?   10. (Three times a year) compriamo abiti nuovi.

III. Form complete sentences using the following words:

1. maniche, camicia, giovane.   2. bottone, giacca, servire.   3. Natale, festa, inverno.   4. cotesto, fazzoletto, taschino.   5. signora, tenersi, cappello.   6. cappello, grande, parasole.   7. ammirare, giovani, belle.   8. riscaldare, abito, petto.   9. permettere, portare, cappello.   10. preferire, raffreddore, moda.

IV. Si traduca in italiano (Translate into Italian):

1. We like those stores and we go there often.   2. If they come back from there soon, they can be here for Christmas.   3. The fall fashion and the winter fashion are of no use where it is hot.   4. If she feels cold, she ought not to wear such a short dress.   5. That beautiful hat is too big for that lady, but such is the fashion.   6. It's cold, the wind is blowing, and you will catch a cold.   7. Does the necktie really warm your chest, or do you wear it because [the] others wear it?   8. When one is on the beach, one should have a beautiful parasol.   9. He thinks only of parties and dances, but he ought to think of work.   10. Let us admire beautiful clothes, beautiful hats, and beautiful girls.

WORD LIST [1]

NOUNS

abito *m.* dress
bottone *m.* button
camicia *f.* shirt
cappello *m.* hat
cravatta *f.* necktie
fazzoletto *m.* handkerchief
festa *f.* party
foglia *f.* leaf
giacca *f.* coat (*of suit*), jacket
manica *f.* sleeve
mano *f.* hand
moda *f.* fashion
mostra *f.* display
Natale *m.* Christmas
natura *f.* nature
parasole *m.* parasol
passeggio *m.* walk, stroll
petto *m.* chest
raffreddore *m.* cold

signorina *f.* young lady, Miss
taschino *m.* breast pocket
vento *m.* wind
vestito *m.* suit
volta *f.* time; **una volta** once

ADJECTIVES

alto, –a tall
corto, –a short
severo, –a severe, cruel

VERBS

ammirare to admire
guardarsi to look at oneself
riscaldare to warm, heat
seguire to follow
tenere to hold (*see Appendix*)

OTHER WORDS

se if

CURRENT USAGE

In un negozio

— Che bella giornata oggi! Ideale per far delle compre. Vuoi accompagnarmi, Alma?

— Sì, Margherita, con piacere. Mi piace molto girare per i negozi e vedere quel che c'è di nuovo.

---

[1] The idioms which are given under "Useful Expressions" are not repeated in the "Word List."

— Che borsetta elegante in quella vetrina. Vediamola!

— Entriamo. Signorina, ci mostri quella borsetta nera in vetrina.

— Veramente bɛlla, signora Bertɔldi, specialmente per
5 una serata di gala.

— Che te ne pare, Alma?

— Sì, è bɛlla. Quanto ne vuɔle?

— Domandiamole. Signorina, qual è il prɛzzo?

— Gliela pɔsso dare per dodicimila lire, signora.

10 — Mi sembra un pɔ' cara. Mi mostri la bianca, lì accanto.

— Cɛrto, signora. Bell*i*ssima anche quella. Le prɛnda
tutte e due; gliele pɔsso dare per ventimila lire.

— Mi lasci vedere. Quale va mɛglio col mio cappɛllo?

— Tutte e due vanno bɛne, signora. Se mi permette,
15 però, abbiamo un cappɛllo che va prɔprio a perfezione con
le due borsette.

— Me lo lasci provare. Dimmi, Alma, che te ne pare?
Ti piace?

— Sì, il cappɛllo mi piace, e mi piacciono anche le due
20 borsette. Dirɛi, però, che farɛbbero più effɛtto con un paio
di scarpe rosse.

— Signora, abbiamo appunto un paio di scarpe eleganti,
fatte prɔprio per Lɛi. Gliele faccio venire subito.

— Sono eleganti davvero. Però, quanto costa il tutto?

25 — Vediamo: borsette, ventimila; cappɛllo, settemila;
scarpe, diciottomila; totale, quarantac*i*nque mila. Non è
affatto caro.

— Eh, è caro abbastanza. Alma, tu che faresti?

— Io comprerɛi tutto. Ti va tutto a perfezione.

30 — Va bɛne. Me li faccia mandare a casa, signorina.

— Non dubiti, signora Bertɔldi. Mille grazie, e tornino
presto un'altra vɔlta.

Useful Expressions

far delle compre to do some shopping
girare per i negɔzi to go around the shops
quel che c'è di nuɔvo what is new
in vetrina in the (shop) window

serata di gala gala evening
Che te ne pare? What do you think of it?
lì accanto next to it
a perfezione perfectly
fare effɛtto to be effective
Quanto costa il tutto? How much is everything?
Non dubiti! Don't worry! By all means!
un'altra vɔlta again

Questions. 1. Ɛ̀ ideale la giornata per far delle compre?
2. Che piace fare ad Alma? 3. Le due amiche che cɔsa vedono in
vetrina? 4. Qual ɛ̀ il prɛzzo della borsetta nera? 5. Che altro
vuɔl vedere la signora? 6. Piacciono alla signora la borsetta e
il cappɛllo? 7. Che altro ci vuɔle dopo la borsetta e il cappɛllo?
8. Ci sono scarpe rosse nel negɔzio? 9. Quanto costa il tutto?
10. Le sembra caro questo prɛzzo?

STRUCTURE

75. Table of Pronouns

SUBJECT PRONOUNS	CONJUNCTIVE OBJECT PRONOUNS			DISJUNCTIVE PRONOUNS
	Direct	*Indirect*	*Reflexive*	
io, I	**mi**	**mi**	**mi**	**me**
tu, you (*fam. sing.*)	**ti**	**ti**	**ti**	**te**
egli, he	**lo**	**gli**	**si**	**lui (esso,** it)
essa, she, it	**la**	**le**	**si**	**lɛi (essa)**
Lɛi (*or* **Ella**), you (*polite sing.*)	**La**	**Le**	**Si**	**Lɛi**
noi, we	**ci**	**ci**	**ci**	**noi**
voi, you (*fam. pl.*)	**vi**	**vi**	**vi**	**voi**
essi, they (*m.*)	**li**	**loro**	**si**	**loro (essi)**
esse, they (*f.*)	**le**	**loro**	**si**	**loro (esse)**
Loro, you (*polite pl.*)	**Li, Le**	**Loro**	**Si**	**Loro** (*reflexive third person —* **sè**)

76. Position of Object Pronouns (Cont.)

1. All conjunctive object pronouns come after the verb and are attached to it (except **loro**) when the verb is in the affirmative imperative (**tu, noi,** and **voi** forms only).

> Domandiamole !　*Let's ask her.*
> Scrivi loro più tardi.　*Write to them later.*

2. All conjunctive object pronouns (except **loro**) come before the verb if these three imperative forms are in the negative.

> Non mi lasciare qui sola.[1]　*Don't leave me here alone.*
> Non li compriamo adesso.　*Let's not buy them now.*

3. When a verb is monosyllabic (one syllable) or ends in an accented vowel, the conjunctive pronoun doubles its initial consonant before it is attached. (This rule does not apply to **gli** and **loro.**)

> Dammi quella bianca.　*Give me that white one.*
> Dicci quando arriveranno.　*Tell us when they will arrive.*

4. With the adverb **ecco** the pronouns follow and are attached (except **loro**).

> Eccomi pronto.　*Here I am ready.*

5. When an infinitive depends upon another verb such as **potere, volere, dovere, sapere, cominciare, finire, mandare,** etc., the object pronoun may either come before the first verb or be attached to the infinitive.

> Lo voglio provare *or* Voglio provarlo.　*I want to try it.*

6. If the infinitive depends on **vedere, udire, sentire, fare,** or **lasciare,** the pronoun comes before this verb (or is attached to it if the form is in the affirmative imperative).

> L'abbiamo sentito cantare.　*We heard him sing.*
> Lasciami scegliere.　*Let me choose.*

[1] "Non lasciarmi qui sola" is also correct and quite common.

77. Infinitive with *fare*. When followed by an infinitive, **fare** expresses the idea of causing someone else to do an action. Object pronouns come before the verb **fare**.

> Glielo faccio venire subito. *I'll have it brought immediately.*
> Me li faccia mandare. *Have them sent to me.*

78. Possessive Pronouns. In Lesson 5, on page 33, we studied the possessive adjectives. When a noun does not follow the possessive immediately, the possessive is a pronoun and not an adjective. The forms of the possessive pronouns are like those of the adjectives, except for the use of the article, as you can see:

SINGULAR		PLURAL	
il mio, etc.	mine	il nostro, etc.	ours
il tuo, etc.	yours (*fam.*)	il vostro, etc.	yours (*fam.*)
il suo, etc.	his, hers	il loro, etc.	theirs
il Suo, etc.	yours (*pol.*)	il Loro, etc.	yours (*pol.*)

The possessive pronoun is of the same gender and number as the noun to which it refers. Remember that the word **loro** does not change.

> I suoi amici e i nostri. *His friends and ours.*
> La loro casa e la Sua. *Their house and yours.*

The article is not omitted with possessive pronouns, even when they refer to members of the family.

> Suo cugino e il mio. *His cousin and mine.*

The possessive pronoun drops the article after **essere** if possession only is implied. The article is retained even after **essere** if the possessive is used to distinguish one thing from another rather than show possession.

> Quella borsetta è Sua. *That handbag is yours.*
> BUT Questo cappello è il mio; tu trovati il tuo. *This hat is mine; you find yours.*

LANGUAGE PRACTICE

Si legga senza tradurre:

Milano

Milano è la più grande città industriale e commerciale d'Italia. È il centro delle ferrovie [1] e delle linee aeree [2] d'Europa. La stazione ferroviaria [3] è una delle più grandi del mondo. L'aeroporto è uno dei più importanti d'Europa, con aeroplani che vanno in Germania, Francia,
5 Inghilterra,[4] e in tutti i continenti. Le migliori autostrade [5] d'Italia passano per Milano.

Le ditte [6] principali d'Italia sono di Milano. Le case editrici,[7] i grandi negozi, le grandi fabbriche [8] — tutti hanno o la sede [9] o succursali [10] importanti in questa città.

10 Milano poi è un gran centro di arte e di cultura. Il Duomo è una delle più belle chiese del mondo. La Pinacoteca [11] di Brera ha opere d'arte famosissime. Santa Maria delle Grazie possiede [12] il famoso *Cenacolo,* [13] dipinto [14] da Leonardo da Vinci. Al Teatro della Scala si danno le più belle rappresentazioni di opere del mondo.

15 Milano è certo una delle più importanti città d'Italia.

Si risponda senza tradurre:

1. Quale città italiana è il centro delle ferrovie e delle linee aeree d'Europa? 2. In che paesi vanno gli aeroplani che partono da Milano? 3. A che serve un'autostrada? 4. Ci sono ditte importanti a Milano? 5. Che cosa è il Duomo di Milano? 6. Quale pinacoteca famosa è a Milano? 7. Chi dipinse il famoso *Cenacolo* che si trova in Santa Maria delle Grazie? 8. Perchè è rinomato il Teatro della Scala?

ESERCIZI

I. Si traducano le seguenti proposizioni (Translate the following sentences):

A. 1. They saw us and spoke to us. 2. I did not see him, but I shall write to him. 3. If he does not buy it, she will not go to dinner. 4. We have done it (*f.*). 5. I have seen them, but I have not spoken to them.

---

[1] railroads.   [2] airways.   [3] railroad station.   [4] England.   [5] highways.
[6] firms.   [7] publishing houses.   [8] factories.   [9] home office.   [10] branch offices.
[11] art gallery.   [12] possesses.   [13] Last Supper.   [14] painted.

The Duomo di Milano, all in white marble, is the best example of Gothic architecture in Italy. Yet in the same square you find a most modern subway, the Metropolitana Milanese (MM).

6. Have you seen the girls? Yes, I saw them this
morning. 7. Show me that hat in the window. 8. Let's
see it (*f.*). Bring it here. 9. Will you write to them
later or are you writing to them now? 10. Take it and
show it to your husband.

B. 1. We cannot do it now. 2. They must not see
us. 3. Must we go to the store? Must we go there
now? 4. She will not be able to eat it tonight.
5. When may I see you? 6. He wishes to speak to
you, boys. 7. Will she want to see it before buying it?
8. We were not able to see you this morning. 9. I
want to try it (on) now. 10. Let her choose what (**quel
che**) she wants.

II. Si trad*u*cano le par*o*le inglesi (Translate the English words):

1. (My) scarpe e (theirs). 2. (Our) amici e (yours,
fam. pl.). 3. (Your) pran*z*o e (ours). 4. (Her) borsetta e (mine). 5. (Their) vetrine e (ours). 6. (His)
neg*o*zio e (mine). 7. (Its) pr*e*zzo; (its) m*o*da. 8. (My)
serata di gala e (yours, *fam. sing.*). 9. (Their) capp*e*lli
e (yours, *fam. pl.*). 10. (Her) marito e (yours, *fam.
sing.*).

11. (Those) amici sono (ours). 12. (That) mano è
(hers). 13. (That) giacca è (his). 14. (This) pran*z*o è
(y*o*urs). 15. (Those) capp*e*lli sono (ours). 16. (That)
amica è elegante. 17. (Those) *a*lberi sono alt*i*ssimi.
18. (This) v*o*lta non torno. 19. (Those) pr*e*zzi (*of
yours*) sono tr*o*ppo alti. 20. (That) capp*e*llo (*on you*)
e (that) borsetta vanno a perfezione.

III. Use a pronoun instead of the nouns in italics:

1. Vedrai *Margherita* domani. 2. Compriamo *i cap-
p*e*lli* subito. 3. V*o*glio trovare *un marito* pr*e*sto.
4. Comprate *la casa* subito. 5. Pr*e*nda *la borsetta e il
cappello*. 6. Vediamo *la cravatta*. 7. Lascia venire
*Ant*o*nio*. 8. V*o*glio sapere *il pr*e*zzo*. 9. Vendi *la casa*
a tuo frat*e*llo. 10. Non finire *il lavoro* tr*o*ppo pr*e*sto.
11. Vu*o*l venire con *Alb*e*rto?* 12. S*e*i stato da *gli
amici?* 13. Avete trovato *la camicia?* 14. C*o*sa ne

dice di *Alma e Maria?* 15. Parleremo *al ragazzo* stasera. 16. Ha passato la serata con *gli zii.* 17. Fate venire *il professore.* 18. Facciamo partire *gli studenti.* 19. Non faccia cantare *la ragazza.* 20. Non facciamo scrivere *le lettere.*

IV. Si traduca in italiano (Translate into Italian):

1. We have seen them and we cannot forget them. 2. It's almost three o'clock and he still cannot go to dinner. 3. That handbag is really elegant, especially in the shop window. 4. Let's ask her what the price is before buying it. 5. This hat and this handkerchief match (*lit.* go very well together). 6. I want to try it and then we can go home. 7. If you do not buy them, I shall buy them with your money. 8. I cannot understand a word of it and I want to understand it. 9. Would these things be more effective with a pair of white shoes? She wants to buy them. 10. She wants to buy them all, but she does not want to spend too much money.

WORD LIST

NOUNS

borsetta *f.* handbag
compra *f.* purchase
effetto *m.* effect
grazie *f. pl.* thanks
Margherita Margaret
paio *m.* (*pl.* **paia** *f.*) pair
perfezione *f.* perfection
prezzo *m.* price
scarpa *f.* shoe
serata *f.* evening
totale *m.* total
vetrina *f.* (shop) window

ADJECTIVES

bellissimo, –a very beautiful
bianco, –a white
caro, –a dear, expensive
diciottomila eighteen thousand
dodicimila twelve thousand
elegante elegant
ideale ideal
nero, –a black
nuovo, –a new
quarantacinque mila forty-five thousand
rosso, –a red
settemila seven thousand
ventimila twenty thousand

VERBS

accompagnare to accompany
andare bene to go well, agree

dubitare to doubt
entrare to enter (takes ɛssere)
girare to go around
mandare to send
mostrare to show
parere to seem (takes ɛssere) (*see Appendix*)
provare to try on
tornare to return, come back
   (takes ɛssere)

OTHER WORDS

abbastanza *adv.* enough,
   sufficiently
adɛsso now
appunto exactly
davvero really
prɔprio *adv.* exactly
veramente really

CURRENT USAGE

Le bɛlle arti

L'Italia è la culla delle bɛlle arti. Nessuna nazione del
mondo ha prodotto tanti compositori, pittori, scultori, e
architɛtti famosi come l'Italia. Nell'ɔpera non c'è nazione
che le si pɔssa paragonare, a eccezione forse della Germania.
5 Chi può dubitare che Verdi[1] e Puccini abbiano avuto ispirazione quasi divina nel comporre le loro melodie? Ma
molti credono che questi siano i soli compositori importanti,
dimenticando che l'Italia ha avuto anche un Mascagni, un
Rossini, un Donizetti, un Leoncavallo, un Bellini, e tanti
10 altri . . . tutti compositori inimitabili.

    Nella pittura, chi non ha sentito parlare di Michelangelo,
Leonardo da Vinci, e Raffaɛllo? Eppure non sono affatto i
soli grandi pittori che l'Italia abbia prodotti. Bisogna

---

[1] The full name and dates of important figures are given in the end
vocabulary.

The Teatro della Scala, in Milano, has presented many great operas to the musical world.

Need we introduce Arturo Toscanini?

imparare a conoscere i capolavori di Giotto, Fra Angelico,
Andrea del Sarto, Botticelli, Tiziano, e tanti altri i cui quadri
si trovano in ogni grande museo del mondo. La pittura
moderna ebbe le sue origini in Italia più di sette secoli fa,
5 ma anche nei nostri giorni non c'è artista che non abbia
l'ambizione di studiare in quel bel paese.

Gli scultori e architetti famosi sono meno conosciuti dal
pubblico, ma sono nondimeno importantissimi nella storia
dell'arte. Forse tutti hanno sentito parlare di Michelangelo
10 e di Benvenuto Cellini, ma non molti conoscono Donatello,
Giambologna, Ghiberti, Bernini, Brunelleschi, e altri ugualmente famosi. Non fa meraviglia che non li si conosca,
perchè in fin dei conti non si può sapere tutto. Ma chi va
in Italia troverà che ogni città è un vero museo, perchè
15 l'arte fa parte dello spirito e del temperamento italiano.

Useful Expressions

a eccezione di with the exception of
sentir parlare di to hear about, hear mentioned
nei nostri giorni in our times
non fa meraviglia it is not surprising
non li si conosca one does not know them
in fin dei conti after all

Questions. 1. Perchè l'Italia è chiamata la culla delle belle
arti? 2. Quale nazione le si può paragonare nell'opera? 3. Si
può dubitare che Verdi e Puccini abbiano avuto ispirazione quasi
divina? 4. Sono questi i soli compositori importanti italiani?
5. Quali pittori famosi conosce Lei? 6. Dove si trovano i quadri
di questi grandi artisti? 7. Qual è l'ambizione di ogni artista nei
nostri giorni? 8. Sono ben conosciuti i grandi scultori e architetti? 9. Fa meraviglia che non li si conosca? 10. Che cosa
troverà chi va in Italia?

STRUCTURE

79. Present Subjunctive: Formation. The tenses studied
so far are called indicative because they indicate a period of time
when an action takes place. In Italian it is also necessary to

indicate the relation of one action to another in terms of the mood of the speaker, as well as other circumstances attending the action. This secondary type of relation is expressed by the subjunctive, divided into four tenses.

The forms of the present subjunctive for the regular conjugations are as follows:

I	II	III	
parl–**i**	vend–**a**	fin–**isca**	dɔrm–**a**
parl–**i**	vend–**a**	fin–**isca**	dɔrm–**a**
parl–**i**	vend–**a**	fin–**isca**	dɔrm–**a**
parl–**iamo**	vend–**iamo**	fin–**iamo**	dorm–**iamo**
parl–**iate**	vend–**iate**	fin–**iate**	dorm–**iate**
parl–**ino**	vend–**ano**	fin–**iscano**	dɔrm–**ano**

The present perfect subjunctive is formed by the present subjunctive of **essere** or **avere,** followed by the past participle of the verb conjugated. You will learn the forms in the next lesson.

For short cuts in learning the present subjunctive, notice that the three persons in the singular are always alike, and the third person plural simply adds –**no** to the singular form. The first person plural of regular verbs is the same as that of the present indicative, and the second person plural always ends in –**iate.**

80. Uses of the Subjunctive: Noun Clauses. The subjunctive, when used in subordinate clauses, denotes something uncertain, possible, or indeterminate. It shows that the idea represented by the clause is a wish, an opinion, a thought, or an expectation of the subject of the main clause. The subjunctive is used in clauses depending on:

1. Expressions of wish or desire.

Vɔglio che Lei impari tutto. *I want you to learn everything.*

2. Verbs of requesting, urging, advising, permitting, or commanding.

Digli che non faccia tardi. *Tell him not to be late.*

3. Expressions of fear or doubt.

Chi può dubitare che abbiano avuto ispirazione? *Who can doubt that they had inspiration?*

4. Expressions of belief, opinion, or supposition.

Credono che questi siano i soli compositori. *They think that these are the only composers.*

5. Expressions of surprise or emotion of any sort.

Non fa meraviglia che non li si conosca. *It is not surprising that one does not know them.*

81. Uses of the Subjunctive: Adjective Clauses. The subjunctive is used in the following types of adjective clauses:

1. A relative clause depending on an indefinite antecedent or expressing a characteristic of the antecedent not yet attained.

Vuole comporre musica che sia perfetta. *He wants to compose music which is perfect.*

2. A relative clause depending on an antecedent which is in the negative or the interrogative.

Non c'è nessuno che lo conosca. *There is no one who knows him.*

3. A relative clause depending on a superlative or its equivalent (such as **unico, solo, ultimo, primo**).

Non sono i soli grandi pittori che l'Italia abbia prodotti. *They are not the only great painters that Italy has produced.*
È la più bell'aria che io abbia sentita. *It is the most beautiful aria I have heard.*

82. Present Subjunctive of Irregular Verbs. The present subjunctive of common irregular verbs follows a set pattern. Once you have learned the first person singular, the rest of the forms follow the pattern of regular verbs.

Following is the present subjunctive of some of the most common irregular verbs:

avere   abbia, abbia, abbia, abbiamo, abbiate, abbiano
dare   dia, dia, dia, diamo, diate, diano

dire   dica, dica, dica, diciamo, diciate, dìcano
εssere sia, sia, sia, siamo, siate, sìano
fare   faccia, faccia, faccia, facciamo, facciate, facciano
piacere piaccia, piacciano
potere pɔssa, pɔssa, pɔssa, possiamo, possiate, pɔssano
sapere sappia, sappia, sappia, sappiamo, sappiate, sappiano
volere vɔglia, vɔglia, vɔglia, vogliamo, vogliate, vɔgliano

LANGUAGE PRACTICE

Si legga senza tradurre:

La serenata

La serenata è la musica che si suɔna di sera o di nɔtte in onore della fidanzata [1] o di una ragazza che piace molto. Il giovane che vuɔle onorare una giovane in questo mɔdo riunisce [2] un gruppo di tre o quattro amici; alcuni cantano ed alcuni suɔnano. Gli strumenti favoriti per la serenata sono mandolini e chitarre, ma si pɔssono usare anche violini, flauti,[3] e 5 altri strumenti soavi.[4] Non hɔ mai sentito parlare di una serenata con cornetta, trombone, tuba, o contrabasso,[5] ma forse altri paesi hanno altre usanze. La giovane ascolta e magari [6] lascia cadere [7] qualche fiore, se non qualche sospiro.[8] Se i genitori non vɔgliono il giovane, i musicanti corrono il perìcolo [9] di qualche doccia.[10] Ma l'usanza è bella e la gioventù 10 è la migliore età. Peccato che non pɔssa durare [11] per sempre.

Si risponda senza tradurre:

1. Che cɔsa è la serenata? 2. Che fa il giovane che vuɔle onorare una giovane in questo mɔdo? 3. Quali sono gli strumenti favoriti per la serenata? 4. Che cɔsa fa la ragazza? 5. Che perìcolo corronɔ i musicanti? 6. Qual è la migliore età?

ESERCIZI

I. Si dia la forma adatta del vεrbo tra parentesi e si traduca la proposizione (Give the proper form of the verb in parentheses and translate the sentence):

1. Vuɔle che io lo (fare) ɔggi? 2. Vɔgliono che tutti (imparare) questa melodia. 3. Sono contεnto che Lεi

---

[1] fiancée. [2] gathers. [3] flutes. [4] soft. [5] double bass. [6] perhaps. [7] drops. [8] sigh. [9] run the risk. [10] shower. [11] last.

(studiare) l'italiano. 4. È contento che io (essere) il professore? 5. Dubito che il professore (volere) venire. 6. Abbiamo paura che tu non lo (potere) trovare. 7. Gli dica che non (dimenticarsi). 8. Crede che questa (essere) musica italiana? 9. Diciamole che (portare) tutto il necessario. 10. Peccato che (essere) così piccolo. 11. Credete che essi (volere) accompagnarci? 12. Dubita che loro (conoscere) molti architetti famosi.

II. Si dia la forma adatta del verbo tra parentesi e si traduca:

1. Cerchiamo un'opera che (essere) interessante. 2. Come, non avete trovato nessuna opera che vi (piacere)? 3. Vuole comprare un libro che gli (piacere). 4. Non c'è nessuno che non lo (sapere). 5. Mi fa meraviglia che lui non ne (volere) sentire parlare. 6. Non gli fa meraviglia che vi (essere) tanti buoni compositori? 7. Cerco una nazione che (avere) più cultura. 8. Non c'è niente che le si (potere) paragonare. 9. È la più bella giovane che io (avere) vista. 10. Crede che (volere) accompagnarci al cinema? 11. Non credo che (potere) venire. 12. Vuole che lo (fare) venire?

III. Si facciano delle proposizioni originali con le seguenti parole (Form original sentences with the following words):

1. culla, belle, arti. 2. scultori, architetti, compositori. 3. meraviglia, conoscere, tutti. 4. compositore, musica, bellissima. 5. ispirazione, divina, comporre. 6. Michelangelo, Raffaello, pittori. 7. comporre, melodie, famose. 8. quadri, trovare, museo. 9. Donizetti, Mascagni, inimitabili. 10. paragonare, Italia, Germania.

IV. Si traduca in italiano:

1. I believe that no nation is as important as Italy in the fine arts. 2. Do you think that every composer has inspiration? 3. Who can doubt that good com-

posers may come from any (**qualsiasi**) country? 4. We have forgotten that we do not know anything about opera. 5. They are the greatest painters that Italy has produced. 6. He would like to find a melody that is more beautiful than this one. 7. There is no artist who does not have the ambition to study in Italy. 8. Architects are nevertheless very important in the history of art. 9. Do you think that Donatello and Giambologna are equally famous? 10. Now I understand that art is really a part of the Italian temperament.

WORD LIST

NOUNS

ambizione *f.* ambition
architetto *m.* architect
capolavoro *m.* masterpiece
compositore *m.* composer
culla *f.* cradle
eccezione *f.* exception
Germania *f.* Germany
ispirazione *f.* inspiration
melodia *f.* melody
meraviglia *f.* surprise, marvel
origine *f.* origin
parola *f.* word
pittore *m.* painter
pittura *f.* painting
pubblico *m.* public
scultore *m.* sculptor
spirito *m.* spirit, soul
temperamento *m.* temperament

ADJECTIVES

alcuni, –e some
importantissimo, –a very important
inimitabile inimitable
moderno, –a modern
nessuno, –a no, no one
solo, –a alone, only
vero, –a true, veritable

VERBS

comporre to compose (*see Appendix*)
paragonare to compare
produrre (*p.p.* **prodotto**) to produce (*see Appendix*)

OTHER WORDS

eppure and yet
i cui whose
nondimeno nevertheless
ugualmente equally

CURRENT USAGE

In salotto

— Buona sera, signor professore. Si accomodi! Siamo così lieti che sia venuto a visitarci. Avevamo proprio desiderio di vederla.

— Sono tanto gentili! Mi pare di essere a casa mia
5 quando vengo da Loro.

— Permetta un momento che apra le persiane e faccia entrare la luce. Si sta sempre al buio durante il giorno per stare più freschi.

— Infatti fa tanto caldo che sembra che non ci resti
10 nessuno in città. I Fiorentini vanno tutti in villeggiatura. Da noi fa caldo sì, ma non tanto.

— Eh sì, in America si sta bene per tante cose.

— Spero di non incomodare troppo. Ma sospetto che non abbiano finito ancora il pranzo. Vadano a terminare e non
15 facciano cerimonie. Nel frattempo io ascolto la radio o guardo la televisione, giacchè ce le hanno in casa. Ne sento la mancanza da quando sono in Italia.

— La televisione è recente in Italia; data soltanto dal 1953 (mille novecento cinquantatrè). Guardi con tutto il
20 comodo, ma l'assicuriamo che il pranzo è già terminato. Prenderà un caffè con noi? Lo prendiamo sempre in salotto, dopo il pranzo.

— Grazie, l'accetto con piacere. Che bella musica alla radio! Quel violinista è una meraviglia. Peccato che il
25 pezzo stia per finire.

— Sì, è il rondò del concerto per violino di Beethoven.

— Mi rammento bene che Lei è pianista, signorina.
Suonava divinamente all'università. Mi suoni qualche
pezzo al pianoforte, per favore. Gliene sarei così grato.

— È troppo gentile. Se vuole, Le suonerò l'*Appassionata* 5
di Beethoven, che Le piaceva tanto. Dovrà essere indulgente, però, perchè le dita non sono agili.

— Sono sicuro che suonerà a meraviglia. Mi rallegro
che mi abbiano invitato a passare una serata con Loro.

Useful Expressions

si accomodi come in, make yourself at home
mi pare di essere a casa mia I feel quite at home
avevamo proprio desiderio we were quite anxious
stare al buio to stay in the dark
non facciano cerimonie do not stand on ceremony
nel frattempo meanwhile
ne sento la mancanza I miss them
da quando sono in Italia since I have been in Italy
con tutto il comodo as much as you wish
stare per finire to be about to end
a meraviglia marvelously
dovrà essere indulgente you will have to bear with me

Questions. 1. Che cosa si dice quando arriva un amico?
2. Fa caldo a Firenze nell'estate? 3. Dove vanno tutti i Fiorentini? 4. Che cosa dice il professore agli amici? 5. È recente la
televisione in Italia? 6. Che si prende in salotto dopo il pranzo?
7. Che cosa suonavano alla radio? 8. Sono agili le dita quando
non si suona per lungo tempo? 9. Il professore perchè si
rallegra? 10. Lei suona il pianoforte?

STRUCTURE

83. Uses of the Subjunctive: Polite Commands. You
learned in Lesson 9 that the present subjunctive is used to express commands in the polite form (**Lei** and **Loro**). This is the
main use of the present subjunctive in independent clauses.

Permetta un momento. *Allow me for a moment.*
Vadano a terminare. *Go and finish.*

With these polite commands object pronouns come before the verb, just as they do before most of the verb forms.

Mi suoni qualche pezzo. *Play me a piece.*
Si accomodi! *Make yourself at home.*

84. Uses of the Subjunctive: Impersonal Expressions. An impersonal expression is one beginning with the word *it* followed by a form of the verb *to be* (it is necessary, it was true, etc.). The subjunctive is used in a clause depending on an impersonal verb, unless the expression denotes what is clear, evident, or a matter of fact.

Peccato che il pezzo stia per finire. *It's too bad that the piece is about over.*
Sembra che non ci resti nessuno. *It seems that no one is left.*
BUT   È chiaro che si sbaglia. *It is evident that he is mistaken.*

85. Present Perfect Subjunctive. The present perfect subjunctive is formed by the present subjunctive of **avere** or **essere** followed by the past participle of the verb to be conjugated. Following are model verbs:

---

parlare, *to speak;* **vendere,** *to sell;* **finire,** *to finish*

io	abbia	
tu	abbia	} parlato, venduto, finito
egli, essa, Lei	abbia	
noi	abbiamo	
voi	abbiate	} parlato, venduto, finito
essi, esse, Loro	abbiano	

andare, *to go;* **cadere,** *to fall;* **partire,** *to leave*

io	sia	andato(a)	caduto(a)	partito(a)
tu	sia	andato(a)	caduto(a)	partito(a)
egli, Lei	sia	andato	caduto	partito
essa, Lei	sia	andata	caduta	partita
noi	siamo	andati(e)	caduti(e)	partiti(e)
voi	siate	andati(e)	caduti(e)	partiti(e)
essi, Loro	siano	andati	caduti	partiti
esse, Loro	siano	andate	cadute	partite

The present perfect subjunctive is used, when the meaning so requires it, in a dependent clause which follows a verb in the present or future, or an expression which refers to the present time.

Mi rallegro che mi abbiano invitato. *I am glad you invited me.*
Siamo così lieti che sia venuto a visitarci. *We are so happy that you came to visit us.*
Sospetto che non abbiano finito ancora il pranzo. *I suspect you haven't finished dinner yet.*

86. The Infinitive with Expressions of Emotion. When the subject of the dependent clause is the same as that of the main clause, the infinitive is used instead of the subjunctive. This really corresponds to the English use of the infinitive.

Siamo così lieti di vederla. *We are so happy to see you.*
Spero di non incomodare troppo. *I hope I am not disturbing (you) too much.*

87. Reflexive for First Person Plural. In Tuscan usage the third person singular reflexive (with adjective in the plural) frequently takes the place of the first person plural of the verb.

Si sta sempre al buio durante il giorno. *We always stay in the dark during the day.*
Si sta più freschi. *We are cooler.*

88. Present Subjunctive of Irregular Verbs. Following are more of the common verbs irregular in the present subjunctive.

andare	vada, vada, vada, andiamo, andiate, vadano
venire	venga, venga, venga, veniamo, veniate, vengano
dovere	debba, debba, debba, dobbiamo, dobbiate, debbano
stare	stia, stia, stia, stiamo, stiate, stiano
porre	ponga, ponga, ponga, poniamo, poniate, pongano
rimanere	rimanga, rimanga, rimanga, rimaniamo, rimaniate, rimangano
uscire	esca, esca, esca, usciamo, usciate, escano

LANGUAGE PRACTICE

Si legga senza tradurre:

L'università di Bologna

L'università di Bologna è la più antica [1] e una delle più rinomate d'Italia. Ancora non si sa bene quale sia la più antica università del mondo, quella di Bologna o quella di Parigi, ma tutte e due hanno più di settecento anni. All'università di Bologna studiarono San Tommaso
5 d'Aquino, Dante, il Petrarca, e vi insegnarono [2] Carducci, Pascoli e molti altri scrittori famosi. Bologna è stata sempre rinomata per la sua facoltà [3] di legge,[4] ma ha anche varie altre facoltà importantissime, come lettere,[5] scienze, e medicina. Una laurea [6] dell'università di Bologna è riconosciuta [7] dappertutto.[8]
10 La città di Bologna è interessantissima. Ha avuto importanza storica per molti secoli e anche nei nostri giorni rimane uno dei centri più notevoli [9] dell'Italia settentrionale.[10] Le grandi ferrovie che vanno da Roma al nord passano quasi tutte per Bologna. Peccato che molti turisti che visitano Firenze, Venezia, e Milano non si fermino [11] in questa famosa città prima
15 di continuare per la loro destinazione.

Si risponda senza tradurre:

1. Qual è la più antica università italiana? 2. Quali sono alcuni degli scrittori famosi che studiarono o insegnarono a Bologna? 3. Qual è la più rinomata facoltà dell'università? 4. È riconosciuta una laurea dell'università di Bologna? 5. Perchè è importante Bologna nei nostri giorni? 6. Si fermano molti turisti a visitare questa famosa città?

ESERCIZI

I. Si dia la forma adatta del verbo tra parentesi e si traduca all'inglese:

1. (Venire-Lei) a vederci qualche giorno. 2. (Accomodarsi-Lei) qui, per favore. 3. (Fare-Lei) entrare la luce, perchè è buio. 4. La (aprire-Lei) un poco di più. 5. Mi sembra che si (stare) bene per tante cose. 6. Bisogna che loro (ascoltare) per capire. 7. Peccato che Lei non (avere) quel pezzo di musica. 8. Ci rallegriamo

---

[1] ancient. [2] taught. [3] faculty. [4] law. [5] liberal arts. [6] degree.
[7] recognized. [8] everywhere. [9] notable. [10] northern. [11] stop.

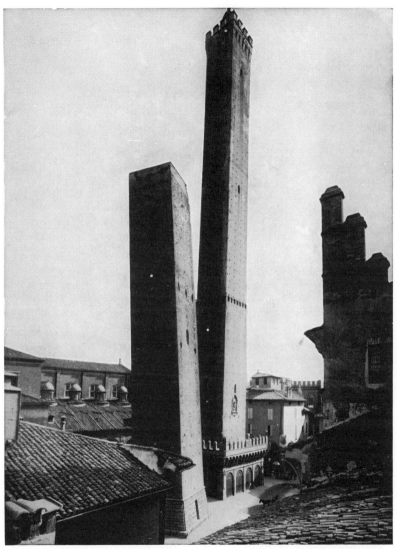

*The Torre degli Asinelli and the
Torre Garisenda have been leaning
in this peculiar way in Bologna
since before the time of Dante.*

che essa (suonare) così bene. 9. Speriamo che essi (aver finito) il pranzo. 10. È contento che tutti (essere arrivati)? 11. Sospetto che non gli (piacere) restare senza pranzo. 12. Spera che non (essere arrivato-io) troppo tardi. 13. (Andare-essi) tutti in villeggiatura. 14. Siamo contenti che Lei (volere) stare con noi.

II. Si traduca in italiano:

1. Come. 2. All (of) you come. 3. Do it. 4. Tell me. 5. Tell your brother. 6. Do not play. 7. Do not do it now. 8. Make yourself at home. 9. Do as you wish. 10. Do not stand on ceremony. 11. Listen to the radio. 12. Try it on the piano. 13. Do not play on that piano. 14. Listen, the music is beautiful. 15. Play us a piece. 16. We are happy in Florence (*reflexive*). 17. We sleep until eight o'clock (*reflexive*). 18. We always stay in the dark (*reflexive*). 19. It is about over. 20. Go and finish.

III. Si facciano delle proposizioni adoprando le seguenti frasi (Make up sentences using the following expressions):

1. lieto di vedere. 2. un po'. 3. stare al buio. 4. stare freschi. 5. Non ci resta nessuno. 6. in villeggiatura. 7. prendere un caffè. 8. così gentile. 9. essere a casa sua. 10. far cerimonie. 11. peccato che. 12. star per finire.

IV. Si traduca in italiano:

1. They are so happy to see us tonight because we like music. 2. It is so warm here in the summer that everybody goes on vacation. 3. It's a pity that there isn't a bit of good music on the radio. 4. He feels quite at home when he goes to their house. 5. We hope that our child has not inconvenienced you too much. 6. I think that they have not finished their dinner, but we cannot go away now. 7. He stays to listen to the radio and he does not stand on ceremony. 8. I remember that you play well. Why don't you play that concerto on the piano? 9. She used to play

a great deal when we were at the university. 10. You
will have to bear with me because my fingers are not
nimble.

WORD LIST

NOUNS

buio *m.* dark, darkness
cerimonia *f.* ceremony
concerto *m.* concert, concerto
dito *m.* (*pl.* **dita** *f.*) finger
luce *f.* light
mancanza *f.* lack
persiana *f.* shutter
pezzo *m.* piece, composition
pianista *m. or f.* pianist
pianoforte *m.* piano
radio *f.* radio
rondò *m.* rondo
televisione *f.* television
violino *m.* violin
visita *f.* visit

ADJECTIVES

agile nimble
lieto, –a happy

VERBS

accomodarsi to make oneself at home, sit down
ascoltare to listen (to)
assicurare to assure
incomodare to inconvenience
porre to put (*See Appendix*)
rammentarsi to remember
sospettare to suspect
sperare to hope
terminare to end, finish

OTHER WORDS

divinamente divinely
giacchè since
peccato (it's) too bad
stasera this evening

CURRENT USAGE

La geografia dell'Italia

Monti e valli e poche pianure — ecco la geografia generale dell'Italia. Al nord le Alpi circondano la penisola da un lato all'altro; poi gli Appennini l'attraversano da capo a piedi. L'Italia è quasi tutta montagne. La pianura mag-
5 giore e la più fertile è quella del Po, nell'Italia settentrionale; la seconda è nel Veneto, e la terza nelle Puglie, nel sud della penisola. Ci sono parecchie altre pianure, ma sono piccole.
I grandi fiumi d'Italia sono il Po, l'Adige, l'Arno, e il Tevere. Il Po è il più importante per l'industria e l'agricol-
10 tura. L'Adige è pittoresco, nella sua discesa dalle Alpi. L'Arno è famosissimo nella storia; sulle sue sponde sono vissuti i maggiori letterati e artisti dell'Italia. Il Tevere è il fiume del famoso impero romano.
Le grandi città hanno ciascuna la propria storia.
15 Nell'Italia settentrionale si trovano Genova, Torino, Milano, Mantova, Verona, Padova, Venezia. Nell'Italia centrale troviamo Bologna, Ravenna, Pisa, Firenze, Arezzo, Siena, Perugia, e Roma, la regina di tutte le città. Nell'Italia meridionale abbiamo Napoli, Bari, Taranto, Reggio Cala-
20 bria. Nelle isole poi ci sono Palermo, Messina, Catania, Siracusa, Cagliari, Sassari. In Italia ogni città ha le proprie caratteristiche che la distinguono dalle altre.
L'Italia è divisa in diciotto regioni e novantadue province. È inutile numerarle perchè non le ricordereste. Guardate
25 la carta geografica però, e cominciate a impararne alcune. Ricordate che quando scrivete in Italia bisogna indicare la

134

provincia e non la regione. Il miglior modo d'imparare la
geografia è di fare un viaggio. Speriamo che lo possiate fare
presto.

Useful Expressions

da un lato all'altro from one side to the other
da capo a piedi from head to foot
fare un viaggio to take a trip
l'Italia settentrionale northern Italy
l'Italia centrale central Italy
l'Italia meridionale southern Italy

Questions. 1. Quali montagne circondano l'Italia al nord?
2. Quali montagne attraversano la penisola? 3. Quali sono le tre
grandi pianure d'Italia? 4. Quali sono i grandi fiumi d'Italia?
5. Dove sono questi fiumi? 6. Perchè è famoso l'Arno? 7. Ricordi
alcune città dell'Italia settentrionale. 8. Conosce amici che vengono
dall'Italia meridionale? 9. Che caratteristiche hanno le
città d'Italia? 10. Quando si scrive a un amico in Italia, che
cosa bisogna indicare? 11. Qual è il miglior modo per imparare la
geografia?

STRUCTURE

89. Comparison of Adjectives (Cont.). In Lesson 11 you
learned some of the simple rules for the formation of the comparative
and superlative of adjectives. Now you can learn the rules
more completely.

The following common adjectives have irregular as well as
regular forms for the comparative and the superlative. Bear in
mind that there are two types of superlatives in Italian: the relative
superlative, which relates a quality to the rest of a group,
and the absolute superlative, which gives the highest quality irrespective
of any group.

POSITIVE	COMPARATIVE	RELATIVE SUPERLATIVE	ABSOLUTE SUPERLATIVE
buono, *good*	migliore	il migliore	ottimo
cattivo, *bad*	peggiore	il peggiore	pessimo
grande, *large*	maggiore	il maggiore	massimo
piccolo, *small*	minore	il minore	minimo
alto, *high*	superiore	il superiore	supremo
basso, *low*	inferiore	l'inferiore	infimo

La pianura maggiore è quella del Po.   *The largest plain is that
of the Po.*

I maggiori letterati e artisti.   *The greatest artists and literary
men.*

Although these adjectives have a regular comparison as well
as the irregular one, some of the forms are more common than
others.   The regular comparison frequently carries a different
connotation from the irregular one.   For example, the comparatives
maggiore and **minore** are used to mean *older* and *younger;*
superiore and **inferiore** are not used in a literal sense, but rather
in a figurative sense, with the meaning of *superior* and *inferior.*

90. Absolute Superlative.   The form which corresponds to
the English superlative is a relative superlative in Italian.   In
addition, Italian has an absolute superlative, which has no corresponding form in English and which can be translated only by
words such as *very, exceedingly,* or *enormously.*   This superlative
is formed by dropping the last vowel of an adjective and adding
–issimo.   The word then becomes a four-form adjective.

famoso   famos*i*ssimo
importante   important*i*ssimo

L'Arno è famos*i*ssimo nella storia.   *The Arno is most famous
in history.*

If the positive form of the adjective ends in **–co** or **–go,** an **h**
is added in the spelling before the **–issimo.**

ricco   ricch*i*ssimo
largo   largh*i*ssimo

91. Comparison of Equality.   The English *as . . . as* expresses
a comparison of equality;   it is translated by **tanto . . . quanto**
or **così . . . come.**

L'Arno è tanto pittoresco quanto l'Adige.   *The Arno is as
picturesque as the Adige.*

The correlatives *the more . . . the more* and *the more . . . the less*
are expressed by **quanto più . . . tanto più** and **quanto più . . .
tanto meno.**

Quanto più studiava, tanto più imparava. *The more he studied, the more he learned.*

Quanto più mi parla, tanto meno lo capisco. *The more he talks to me, the less I understand him.*

92. Comparison of Adverbs. The comparative of an adverb is formed by placing **più** or **meno** before the positive form.

giù, *down*   più giù, *further down*
presto, *quickly*   più presto, *faster*

Mangia più presto perchè è tardi. *Eat faster because it's late.*

The relative superlative of an adverb is formed by adding the word **possibile** after the adverb introduced by **il più**.

Venite il più presto possibile se volete vederlo. *Come as soon as possible if you want to see him.*

The following common adverbs have an irregular comparative:

molto, *very*   più, *more*
poco, *little*   meno, *less*
male, *badly*   peggio, *worse*
bene, *well*   meglio, *better*

93. Translation of "than" (Cont.). The word *than* is usually translated by **che** or **di**.

1. **Di** is used before nouns, pronouns, or numerals.

Il Po è più lungo del Tevere. *The Po is longer than the Tiber.*

2. **Che** is used before all other parts of speech.

Gli Appennini sono più lunghi che larghi. *The Apennines are longer than (they are) wide.*

3. If **di** is ambiguous, **che** is used instead.

Rosa è più gelosa di Maria che di Linda. *Rose is more jealous of Mary than of Linda.*
Rosa è più gelosa che Maria. *Rose is more jealous than Mary.*

4. *Than* introducing a clause is **di quel che** or **che non.**

Ricorda più di quel che dice. *He remembers more than he tells.*

LANGUAGE PRACTICE

Si legga senza tradurre:

Due Italiani in America

Nei nostri giorni abbiamo avuto l'onore di avere nel nostro paese due dei più grandi uomini che l'Italia abbia generati,[1] l'uno nel campo della musica e l'altro nella scienza. Alcuni li hanno conosciuti personalmente e hanno apprezzato [2] in loro la semplicità [3] del vero genio. Arturo Toscanini, considerato da molti il più grande genio musicale, faceva una vita di 5 continuo [4] lavoro in un ristretto [5] circolo di amici. Era così modesto che non appariva mai in pubblico se non attraverso [6] la sua musica. Enrico Fermi, il grande genio dell'era atomica, passava giorno e notte nel suo laboratorio. Ebbi l'onore di conoscerlo alle università di Columbia e di Cicago, e ogni volta entrava in conversazione come se fosse un semplice 10 compagno di scuola.

Gli uomini di vero genio non hanno bisogno di contare sulle apparenze [7] e di darsi un'aria [8] di grandi personaggi. Sono nobili perchè sono dotati [9] di un cuore [10] nobile, che è il vero segno [11] della loro superiorità.

Si risponda senza tradurre:

1. In che campi erano conosciuti i due grandi uomini di cui si parla? 2. Come è considerato da molti Arturo Toscanini? 3. Toscanini appariva spesso in pubblico? 4. In quali università americane lavorò Enrico Fermi? 5. Si danno molte arie gli uomini di vero genio? 6. Lei ha conosciuto personalmente Toscanini o Fermi?

ESERCIZI

I. Si dia la forma comparativa e la forma superlativa degli aggettivi seguenti (Give the comparative and the superlative forms of the following adjectives):

    1. generale   2. fertile   3. grande   4. pittoresco
5. buono   6. importante   7. famoso   8. piccolo
9. alto 10. bello 11. contento 12. lontano 13. agile
14. gentile 15. ricco

---

[1] produced. [2] have appreciated. [3] simplicity. [4] continual. [5] narrow, close. [6] through. [7] depend on appearances. [8] put on airs. [9] endowed. [10] heart. [11] mark.

II. Si traduca oralmente (Translate orally):

A. 1. The largest cities. 2. The smallest plain. 3. The highest mountain. 4. The most famous river. 5. The greatest artists. 6. The best industry. 7. The worst descent. 8. The most picturesque region. 9. The best way. 10. The easiest lesson.

B. 1. An extremely famous artist. 2. An extremely wide river. 3. An extremely rich nation. 4. An extremely important history. 5. A very large foot. 6. A very small empire. 7. A very beautiful mountain. 8. An extremely interesting city. 9. An extremely long train. 10. An extremely short lesson.

III. Si traducano le parole inglesi nelle seguenti proposizioni (Translate the English words in the following sentences):

1. (The more) la vedo (the more) mi piace. 2. (The less) cantano (the more) ci divertiamo. 3. Il Po è (longer than) il Tevere. 4. L'Arno è (more historical than) l'Adige. 5. Maria è (older than) sua sorella. 6. Roberto è (younger than) suo cugino. 7. Milano è (the most important city in) l'Italia settentrionale. 8. Angelina è (the most beautiful girl in) la classe. 9. Noi siamo (the best students in) la scuola. 10. Essi lavorano più presto (than we). 11. Essa impara più facilmente (than he). 12. Si sentono meglio (than you). 13. Partiremo da Verona (as soon as possible). 14. Farò il viaggio (easily). 15. L'agricoltura è (extremely good) in quella regione.

IV. Let one student ask a question and another answer it in round-robin fashion on the geography of Italy. Go around the class until all the geographical points taken up in this lesson are covered.

V. Si traduca in italiano:

1. There are many mountains and valleys, but very few plains in Italy. 2. The Alps divide Italy from the other countries of Europe and the Apennines cross the country from head to foot. 3. Do you know which is

the most fertile valley and which is the poorest region?
4. Industry and agriculture make (*rendere*) northern
Italy more wealthy than southern Italy. 5. The
rivers are extremely famous in history, but they are
most important in industry. 6. There are more large
cities in central Italy than in southern Italy. 7. It
would be useless to enumerate all the provinces, because no one would remember them. 8. I shall take a
trip soon because I want to learn my geography in the
best way. 9. When we look at the map we see that
Italy has many interesting cities. 10. Each city has
its own characteristics which distinguish it from other
cities.

WORD LIST

NOUNS

agricoltura *f.* agriculture
Alpi *f. pl.* Alps
Appennini *m. pl.* Apennines
capo *m.* head
caratteristica *f.* characteristic
carta geografica *f.* map
discesa *f.* descent
fiume *m.* river
geografia *f.* geography
impero *m.* empire
industria *f.* industry
lato *m.* side
letterato *m.* literary figure
modo *m.* way
monte *m.* mountain
nord *m.* north
penisola *f.* peninsula
pianura *f.* plain
provincia *f.* province
Puglie *f. pl. region of Italy,
in the southeast*
regina *f.* queen
regione *f.* region
sponda *f.* shore
sud *m.* south

Tevere *m.* Tiber
valle *f.* valley
Veneto *m. region of Italy, in
the northeast*

ADJECTIVES

fertile fertile
generale general
inutile useless
meridionale southern
parecchi, –ie several
pittoresco, –a picturesque
settentrionale northern

VERBS

attraversare to cross
circondare to surround
distinguere to distinguish
dividere (*p.p.* **diviso**) to divide
indicare to indicate
numerare to enumerate
ricordare to remember, mention

OTHER WORDS

ciascuno, –a each

CURRENT USAGE

L'arte e i musei

Eravamo venti alunni nel corso d'italiano. Era un bel gruppo, benchè non tutti fossero bravi studenti. Ci piaceva riunirci in classe e conversare. Il professore era buono e ci lasciava fare; bastava soltanto che non facessimo tanto
5 chiasso da disturbare le classi accanto

Il professore era affezionato all'arte perchè aveva studiato la pittura nella sua gioventù. Ci parlava spesso di musei e di artisti e voleva che trovassimo il tema interessante, ma noi non eravamo affatto d'accordo. Mentre egli parlava
10 gli studenti sbadigliavano; il brav'uomo faceva finta di non accorgersi e seguitava come se tutti lo ascoltassero.

Ci raccontava le sue visite ai grandi musei d'Italia e degli Stati Uniti. Ci diceva, per esempio, che il Museo Nazionale di Washington possiede una famosa collezione dei quadri
15 del Rinascimento italiano, e che il Museo d'Arte di New York è uno dei più grandi del mondo. Ci diceva che in Italia aveva visitato tutti i musei importanti, e voleva che gli facessimo domande sui grandi artisti italiani.

Noi invece, eravamo molto ignoranti. Chi mai aveva
20 sentito parlare degli Uffizi, del Palazzo Pitti, del Museo del Vaticano, ecc., ecc.? Alcuni avevano sentito parlare di Michelangelo, di Raffaello, e di Leonardo da Vinci, ma gli altri nomi erano sconosciuti. Non c'era nessuno che conoscesse Giotto, il Beato Angelico, Andrea del Sarto, Botticelli,

*The Annunciation, by Fra Filippo Lippi, and the Portrait of
a Youth, by Pintoricchio, are both in our National Gallery.*

Tiziano e tanti altri. Per noi i musei facevano parte del passato, e noi volevamo vivere nel presente e nel futuro.

Il professore però non disperava. Sapeva che qualche giorno ci sarebbe venuta la voglia di comprendere l'arte e
5 apprezzare le bellezze che può produrre il genio umano. Ora che siamo grandi comprendiamo che aveva ragione lui e non noi. Gli siamo grati che ci lasciasse sbadigliare e seguitasse a insegnare, colla speranza che un giorno arrivassimo ad apprezzare l'arte anche noi.

Useful Expressions

corso d'italiano Italian class, Italian course
le classi accanto the classes next door
ci lasciava fare he let us do as we wished
affezionato all'arte devoted to art
d'accordo in agreement
far finta di to make believe
museo d'arte art museum
far domande to ask questions
ci sarebbe venuta la voglia we would get the desire, we would feel like
aveva ragione he was right
arrivare ad apprezzare to get to appreciate

Questions. 1. Erano tutti bravi studenti nel gruppo? 2. Che cosa ci piaceva fare? 3. Ci lasciava fare il professore? 4. Il professore perchè era affezionato all'arte? 5. Noi trovavamo interessante il tema? 6. Che faceva il brav'uomo? 7. Cosa possiede il Museo Nazionale di Washington? 8. Quali artisti erano sconosciuti dagli studenti? 9. Che sapeva il professore? 10. Perchè gli siamo grati adesso?

STRUCTURE

94. The Imperfect Subjunctive. The imperfect subjunctive of any verb is formed by taking the second person singular of the past definite of the verb, dropping the **–sti,** and adding the following endings: **–ssi, –ssi, –sse, –ssimo, –ste, –ssero.** This rule holds true for all verbs, regular or irregular. Following are the forms of the imperfect subjunctive for the regular conjugations:

I	II	III
parlassi	vendessi	finissi
parlassi	vendessi	finissi
parlasse	vendesse	finisse
parlassimo	vendessimo	finissimo
parlaste	vendeste	finiste
parlassero	vendessero	finissero

Notice the imperfect subjunctive for some of the common irregular verbs:

INFINITIVE	2ND SING. PAST DEF.	IMPF. SUBJ.
avere	avesti	avessi, etc.
essere	fosti	fossi, etc.
dare	desti	dessi, etc.
dire	dicesti	dicessi, etc.
fare	facesti	facessi, etc.
stare	stesti	stessi, etc.

The imperfect subjunctive is generally used in the dependent clause when the verb in the main clause is in the past tense, but there are some exceptions. You will study the complete rules for the sequence of tenses in section **111.**

Voleva che trovassimo il tema interessante. *He wanted us to find the topic interesting.*

95. Subjunctive in Adverbial Clauses. The subjunctive is used in the following types of adverbial clauses:

1. Purpose: **perchè,** *so that;* **affinchè,** *in order that.*

Scrivemmo affinchè venissero a visitarci. *We wrote so that they would come to visit us.*

1. Time: **prima che,** *before* (also **finchè,** *until* but only when referring to future time).

Uscirono prima che li vedessi. *They went out before I saw them.*

3. Concession: **benchè,** or **sebbene,** *although;* **per quanto,** *no matter how much,* etc.

Benchè fossero soltanto copie, erano belle. *Although they were only copies, they were beautiful.*

4. Condition: **purchè,** *provided that;* **dato che,** *since;* **a meno che . . . non,** *unless;* **se mai, se pure,** *even if;* **a condizione che,** *on condition that,* etc.

L'accompagnerò purchè sia bella. *I'll accompany her provided she is beautiful.*

5. Negation: **senza che** or **che non,** *without.*

Non passa un mese senza che venga a visitarmi. *Not a month goes by without his coming to visit me.*

96. Table of Relative Pronouns

INVARIABLE
{
che, who, whom, which, that
cui, whom, which
chi, he who, she who, the one who, him who
}

VARIABLE
{
il quale, la quale, i quali, le quali, who, whom, which, that
il cui, la cui, i cui, le cui, whose
colui che, he who, the one who; **colei che,** she who, the one who; **coloro che,** they who, those who; **ciò che,** that which, what
}

97. Use of the Relative Pronouns.

You learned in Lesson 9 that **che** is the most common relative pronoun, used everywhere except after a preposition, where **cui** is used instead. Let us summarize all the relative pronouns here.

1. **Che** refers to both persons and things and may be used as the subject or direct object of a verb, but it is not used after prepositions. The relative pronoun may *not* be omitted in Italian, as it frequently is in English.

L'arte che studiarono . . . *The art (which) they studied . . .*

2. **Cui** may be used for persons or things in the singular or in the plural, but only after prepositions.

La giovane con cui parlava . . . *The girl with whom he spoke . . .*

3. **Cui** preceded by the article shows possession and corresponds to the English *whose.* The article agrees with the noun possessed.

La scuola i cui alunni . . . *The school whose students . . .*

4. **Il quale** in the appropriate form may be used as subject, direct object, or object of a preposition. It is used primarily for clearness or emphasis, especially when the relative pronoun does not come immediately after the antecedent. It agrees in gender and number with the antecedent.

Vidi il cugino di mia madre, il quale non vedevo da molti anni. *I saw mother's cousin, whom I had not seen for a long time.*

5. **Chi** as a relative pronoun can be used only in the singular. It contains its own antecedent and corresponds to **colui che** or **colɛi che.**

Chi ama l'arte ama i musɛi. *He who loves art loves museums.*

6. **Colui che, colɛi che,** and **coloro che** refer to persons only.

Coloro che vennero ɛrano studɛnti. *Those who came were students.*

7. **Ciɔ che** refers only to things or ideas.

Ciɔ che fa, lo fa per sè. *What he does, he does for himself.*

LANGUAGE PRACTICE

Si lɛgga senza tradurre:

Torino

Torino è il capoluɔgo [1] e la città più importante del Piemonte. Fu la prima capitale d'Italia nel 1861. Ha strade regolari, con palazzi modɛrni. La città è caratterìstica per [2] i suɔi pɔrtici [3] In un giorno di piɔggia [4] si può camminare per lunghi tratti [5] senza bagnarsi.[6] Torino è famosa per la Mɔle Antonelliana,[7] per il suo meraviglioso palazzo reale,[8] e per il suo museo d'antichità,[9] che è uno dei migliori del mondo. In questo musɛo si trɔvano tombe egiziane,[10] statue importantìssime dei primi sɛcoli delle dinastie dell'Egitto e famosi papiri che conservano i ricɔrdi di quella civiltà.

Torino conserva [11] molti ricɔrdi della famìglia reale di Savɔia, famìglia che governò l'Italia dal 1861 fino alla seconda guɛrra mondiale.[12] La città è famosa per le sue indɯstrie automobilìstiche e meccɑniche. Infatti Torino è la sɛde della FIAT (Fɑbbrica [13] Italiana Automɔbili Torino). Torino è famosa soprattutto per i suɔi bɛi negɔzi, dove si trɔvano le ɯltime novità [14] della mɔda femminile.

[1] capital (*of a region*). [2] on account of. [3] porticos. [4] rainy day.
[5] stretches. [6] getting wet. [7] *the highest building in Italy.* [8] royal palace.
[9] antiquities. [10] Egyptian tombs. [11] preserves. [12] Second World War.
[13] factory. [14] novelties.

Si risponda senza tradurre:

1. Perchè è importante la città di Torino nella storia d'Italia? 2. Qual è la caratterìstica di Torino? 3. C'è un musɛo importantìssimo a Torino? 4. Per quale ragione è così importante questo musɛo? 5. Ci sono industrie a Torino? 6. Ci sono bɛi negozi a Torino?

ESERCIZI

I. Si dia la forma adatta del vɛrbo dato all'infinito e si traduca nel presɛnte o nel passato (Supply the correct form of the verb given in the infinitive and translate in the present or the imperfect):

1. Benchè (ɛssere) pochi, volɛvano fare la gita. 2. Li vedemmo prima che (partire). 3. Gli parlarono affinchè li (lasciare) andare. 4. Basta che non (fare) troppo chiasso, può venire anche lui. 5. Per quanto (ɛssere) tutti bravi amici, nessuno voleva ɛssere il primo. 6. Benchè il gruppo vi (andare) ogni anno, sembrava sɛmpre una cosa nuova. 7. Partimmo tutti in autobus, senza che nessuno vi (mancare). 8. Ci lasciò andare a condizione che (tornare) tutti alle dodici. 9. Benchè (ɛssere) pochi, si divertirono molto. 10. Non voleva che noi (disturbare) le classi accanto. 11. È possìbile che lɛi (venire) a trovarci. 12. È impossìbile che loro non lo (sapere).

II. Si dia la forma adatta del pronome relativo e si completi la proposizione (Supply the correct form of the relative pronoun and complete the sentence):

1. Gli amici (with whom) conversiamo... 2. Il professore (with whom) studio l'arte... 3. Il fratɛllo della ragazza (of whom) parlavamo... 4. Le classi (which) non volevamo disturbare... 5. Il chiasso (which) fanno gli alunni... 6. La scuola (to which) andiamo... 7. L'autobus (in which) viaggiarono... 8. La bellezza dei quadri (which) vìdero... 9. I nomi degli artisti (whom) conosco... 10. La giovane (whose) bellezza ammirava... 11. Il professore (whose) classe andò al musɛo... 12. Ci sono cinquanta alunni (of whom) trenta...

III. Si traduca oralmente:

1. It was we. 2. It is they. 3. It is he. 4. It is she. 5. We saw him. 6. She called me. 7. I called her. 8. He wants them. 9. You want us. 10. We leave them. 11. I tell him. 12. You tell her. 13. Will you find them? 14. Will he find you? 15. I admire them. 16. He admires us. 17. They took it. 18. She did not take it. 19. He sent it (*m.*) to them. 20. We sent them (*f.*) to her.

IV. (*Optional*) Three students, A, B, and C, tell about a trip to the museum.

A wants to know who went on the trip.
B tells who went there and tells about the museum.
C describes some of the things which they saw.
A likes the Italian painters.
B prefers the works of sculpture.
C does not care for either.

The conversation continues in this fashion with simple questions and answers.

V. Si traduca in italiano:

1. Although they were all good students, they wanted to talk all the time (*sempre*). 2. The teacher let us do as we wished, but he did not like it that we made so much noise. 3. I would like to go to the museum and see the beautiful paintings. 4. The students yawned, but the teacher kept on as if they were all listening. 5. Although he told us about his visits to the great museums, we did not find the subject interesting. 6. He wanted them to ask questions about the great artists and Italian art. 7. There was no one who knew all the paintings of which he spoke. 8. We want to live in the present and not in the past. 9. The paintings seemed extremely beautiful to us and we admired them a great deal. 10. We understand now that he was right and some day we shall get to appreciate art.

WORD LIST

NOUNS

accordo *m.* agreement
alunno *m.* pupil
bellezza *f.* beauty
chiasso *m.* noise
collezione *f.* collection
conversazione *f.* conversation
corso *m.* course, class
esempio *m.* example
futuro *m.* future
nome *m.* name
Palazzo Pitti *one of the most important museums in Florence*
presente *m.* present
Rinascimento *m.* Renaissance
speranza *f.* hope
Stati Uniti *m. pl.* United States
tema *m.* subject, theme
Uffizi *the largest museum in Florence*
voglia *f.* desire

ADJECTIVES

affezionato, –a devoted
grato, –a grateful
ignorante ignorant
nazionale national
sconosciuto, –a unknown

VERBS

accorgersi to notice
apprezzare to appreciate
comprendere to understand
conversare to converse, talk
disperare to despair
disturbare to disturb
possedere to possess
riunirsi to get together
sbadigliare to yawn
seguitare to continue

OTHER WORDS

benchè although
da from, as to

CURRENT USAGE

Lɛttera a una compagna di scuɔla

Napoli, 4 agosto, 1964

Car*i*ssima Lucia,

ɛccoci finalmente nella città dei tuɔi genitori. Arrivammo da Roma quattro giorni fa. Mi ɛro promessa di scr*i*verti il giorno dell'arrivo a N*a*poli, ma è passato così prɛsto il tɛmpo! Stasera hɔ dec*i*so di non andare a lɛtto se prima non avrɔ̀ finito la tua lɛttera. Sono sicura che tu avresti fatto lo stesso.

La città di Napoli è più incantevole di quanto immagi- nassi. Per noi che siamo abituati ai colori grigi delle nɔstre città americane, questo panorama italiano è fant*a*stico. Soltanto quando avrai fatto anche tu il v*i*aggio potrai comprɛndere la bellezza di questo paese.

Iɛri l'altro andammo al pɔrto a ricevere gli amici Donati, che arriv*a*vano sul *Leonardo da Vinci.* Sul mɔlo c'era una grande confu*s*ione e non si poteva trovare nessuno. Sapɛndo che dovevano sɛmpre passar la dogana, andammo ad aspettarli lì, e ci incontrammo senza nessuna difficoltà. Ci d*i*ssero che allo scɛndere dal pirɔscafo non ci av*e*vano visti e perciɔ̀ av*e*vano chiamato un facchino ed ɛrano andati in dogana a prɛndere le valige.

Anche loro ɛrano rimasti a bocca apɛrta dalla merav*i*glia nel vedere il golfo di N*a*poli. Prɔprio non trov*a*vano le parɔle per espr*i*mere la loro giɔia. Mentre il pirɔscafo ap- prodava av*e*vano ammirato il Ves*u*vio, le *i*sole di Capri e

5

10

15

20

25

151

d'*I*schia, le belle città di Sorrento e di Castellammare di
Stabia, e la bell*i*ssima Napoli. Era un incanto che non si
vede nemmeno nelle pell*i*cole di Hollywood.

Siamo tutti nello stesso albergo. Che veduta ideale che si
5 gode di qu*i* in Via Caracciolo, col panorama di Pos*i*llipo e
la baia di Santa Lucia! Quando facciamo colazione sulla
terrazza ci sembra che la natura abbia fatto qu*i* il suo
capolavoro.

Ma adesso mi sento stanca; ti scriverò più a lungo fra
10 poco. Ho incontrato un giovane alto e biondo che mi fa
da guida e domattina non lo voglio far aspettare. Tanti
affettuosi saluti a tutti.

La tua aff.ma

Beatrice

Useful Expressions

il giorno dell'arrivo on the day of arrival
di quanto immaginassi than I imagined
quando avrai fatto il viaggio when you take the trip
passar la dogana to go through customs
allo scendere on coming down, when they got off
erano andati in dogana they had gone to the customhouse
a bocca aperta gaping, with mouths wide open
ti scriverò più a lungo I'll write you a longer letter
fra poco soon
mi fa da guida acts as my guide

Questions. 1. Beatrice che cosa si era promessa? 2. Quando
andrà a letto? 3. È incantevole il golfo di Napoli? 4. Lucia
quando potrà comprendere la bellezza del paese? 5. Chi arrivava
sul *Leonardo da Vinci?* 6. Dove andammo ad aspettarli? 7. Che
cosa avevano fatto allo scendere dal piroscafo? 8. Che cosa
avevano ammirato mentre il piroscafo approdava? 9. Dove si
trova l'albergo? 10. Quale impressione abbiamo quando facciamo colazione sulla terrazza? 11. Beatrice chi ha incontrato?
12. Quando scriverà più a lungo?

STRUCTURE

98. Compound Tenses of the Indicative. In Lesson 6
you learned the present perfect, which is formed by the present

What a grand city Pompeii must have been if it retains so much beauty in ruins.

of the auxiliary and the past participle of the verb to be conjugated. The present perfect is one of the various compound tenses of the indicative. Every simple tense can be joined with a past participle to form a compound tense. The imperfect indicative, followed by a past participle, forms the first pluperfect. The past definite, followed by the past participle, forms the second pluperfect. The future, followed by a past participle, forms the future perfect. And the conditional, followed by a past participle, forms the conditional perfect.

99. Compound Tenses of Verbs with *avere*. Following is the indicative of regular verbs conjugated with **avere**:

PRESENT PERFECT		FIRST PLUPERFECT		SECOND PLUPERFECT	
hɔ		avevo		ɛbbi	
hai		avevi		avesti	
ha	parlato	aveva	parlato	ɛbbe	parlato
abbiamo	venduto	avevamo	venduto	avemmo	venduto
avete	finito	avevate	finito	aveste	finito
hanno		avevano		ɛbbero	

FUTURE PERFECT		CONDITIONAL PERFECT	
avrɔ		avrɛi	
avrai		avresti	
avrà	parlato	avrɛbbe	parlato
avremo	venduto	avremmo	venduto
avrete	finito	avreste	finito
avranno		avrɛbbero	

100. Compound Tenses of Verbs with *ɛssere*. Following is the indicative of regular verbs conjugated with **ɛssere**:

PRESENT PERFECT		FIRST PLUPERFECT		SECOND PLUPERFECT	
sono	andato (a)	ɛro	andato (a)	fui	andato (a)
sɛi	caduto (a)	ɛri	caduto (a)	fosti	caduto (a)
è	partito (a)	ɛra	partito (a)	fu	partito (a)
siamo	andati (e)	eravamo	andati (e)	fummo	andati (e)
siɛte	caduti (e)	eravate	caduti (e)	foste	caduti (e)
sono	partiti (e)	ɛrano	partiti (e)	furono	partiti (e)

FUTURE PERFECT	CONDITIONAL PERFECT
sarò ⎫ andato (a)	sarei ⎫ andato (a)
sarai ⎬ caduto (a)	saresti ⎬ caduto (a)
sarà ⎭ partito (a)	sarebbe ⎭ partito (a)
saremo ⎫ andati (e)	saremmo ⎫ andati (e)
sarete ⎬ caduti (e)	sareste ⎬ caduti (e)
saranno ⎭ partiti (e)	sarebbero ⎭ partiti (e)

101. Auxiliary with Reflexive Verbs. When a verb becomes reflexive it is conjugated with **essere.**

Aveva promesso di venire presto. *He had promised to come soon.*
Mi ero promessa di scriverti. *I had promised myself to write to you.*

102. Uses of the Compound Tenses of the Indicative. The compound tenses correspond, in general, to their equivalent tenses in English. Notice the meanings for the verb **parlare:**

PRES. PERF.	ho parlato	I *have spoken*
FIRST PLUP.	avevo parlato	I *had spoken*
SECOND PLUP.	ebbi parlato	I *had spoken*
FUTURE PERF.	avrò parlato	I *shall have spoken*
COND. PERF.	avrei parlato	I *should (would) have spoken*

The only difficulty comes between the first and second pluperfect. Remember that the second pluperfect is used only after conjunctions of time such as: **quando,** *when;* **appena che** or **tosto che,** *as soon as;* **dopo che,** *after.*

Quando tutto fu terminato . . . *When everything was over . . .*

103. *Sapere* and *conoscere.* There are two verbs which mean *to know:*

1. **Sapere** means to know a fact, to know something through acquired knowledge.

Sappiamo che gli piace Napoli. *We know he likes Naples.*

2. **Conoscere** means to know people, to be acquainted with people, or to know things through natural instinct.

Conosce la mia amica Rosina? *Do you know my friend Rose?*
Conosce bene quel paese. *He knows that country well.*

3. **Sapere,** when followed by an infinitive, means *to know how to.*

Sa suonare il pianoforte. *He knows how to play the piano.*

LANGUAGE PRACTICE

Si legga senza tradurre:

Il Boccaccio

Il Boccaccio fu il vero iniziatore [1] della prosa italiana. Nacque a Parigi di padre italiano e madre francese, ma fu portato presto in Italia e ivi [2] passò la maggior parte della sua vita. Scrisse molti libri in latino e in italiano. Era uomo molto colto [3] ed erudito,[4] come si vede soprattutto
5 nelle opere latine. Fu grande ammiratore di Dante; ci ha lasciato non soltanto una delle più importanti biografie del Poeta, ma anche uno dei migliori commenti sui primi diciassette canti dell'Inferno. La sua opera [5] più conosciuta è il *Decameron,* una raccolta [6] di cento novelle che non è mai stata sorpassata [7] in qualsiasi lingua. Il Boccaccio fu lo scrittore che
10 portò a perfezione l'arte di raccontare novelle per puro diletto.[8] Ebbe imitatori in tutte le lingue principali d'Europa, specialmente in inglese e in francese. Anche ora, dopo sei secoli, le sue novelle servono di ispirazione ai grandi novellieri dei nostri giorni.

Si risponda senza tradurre:

1. Chi fu il vero iniziatore della prosa italiana? 2. Dove passò la maggior parte della sua vita il Boccaccio? 3. Come sappiamo che fu grande ammiratore di Dante? 4. Che cosa è il *Decameron*? 5. Che arte portò a perfezione il Boccaccio? 6. Ci sono stati molti imitatori del Boccaccio?

ESERCIZI

I. Si traduca in italiano e si facciano proposizioni complete (Translate into Italian and use in complete sentences):

1. We had arrived. 2. After we had arrived. 3. He had promised. 4. When he had promised. 5. We have promised ourselves. 6. He will not have finished.

---

[1] initiator.   [2] there.   [3] cultured.   [4] learned.   [5] work.   [6] collection.
[7] surpassed.   [8] pleasure, delight.

7. He would have finished. 8. You will have made.
9. They had called. 10. I had put them (*f.*).

II. Si facciano proposizioni complete coi seguenti gruppi di parole
(Form original sentences containing the following groups of words):

1. giovane, aspettare, domattina. 2. scrivere, lungo,
fra poco. 3. sentirsi, stanco, dormire. 4. colazione,
terrazza, incantevole. 5. prendere, valige, albergo.
6. facchino, dogana, andare. 7. piroscafo, approdare,
ammirare. 8. bocca, meraviglia, golfo. 9. comprendere, bellezza, paese. 10. panorama, fantastico, Italia.
11. colori, grigi, città. 12. sicuro, fare, lo stesso.

III. Si dia un pronome o una particella pronominale al posto
delle parole in corsivo (Substitute an object pronoun or a particle
for the italicized words):

1. Arrivammo *a Roma* due giorni fa. 2. Avevo
promesso molte cose *a Lucia*. 3. Quando avremo finito
la lettera, spediremo *la lettera*. 4. Siamo abituati *ai
colori grigi*. 5. Potrà comprendere *la difficoltà*. 6. Fecero approdare *il piroscafo*. 7. Conoscono bene *il
paese*. 8. Lei sa *la lezione?* 9. Conoscete *i facchini?*
10. Andammo a prendere *le valige* in dogana. 11. Aveva
insegnato l'italiano *ai ragazzi*. 12. Hanno preso *un
tassì* e sono andati *all'albergo*. 13. Scriverai *a tuo
fratello* quando arriverai? 14. Hanno lasciato *Antonio* a bocca aperta. 15. Quando chiuderà *la bocca?*

IV. One student asks another a question in Italian about his
arrival in Naples. The second student answers that question
and asks a third student another question on the hotel. Go
around the class in this fashion until each student has asked and
answered at least one question.

V. Si traduca in italiano:

1. The time has gone by so fast that I have not had
time to write the letter which I had promised you.
2. Do you think I can go to bed without first finishing
that letter? 3. Since they are accustomed to the gray

colors of their city, they find the view really enchanting.
4. While the ship was docking we could enjoy the gulf
of Naples. 5. We had not seen islands like these even
in Hollywood films. 6. As they came (*translate* On
coming) down from the ship they could not find a porter
and they had to wait. 7. Who had taken the bags and
carried them from the ship? 8. What an ideal view
from the terrace, especially when breakfast is ready
and the coffee is hot! 9. Will you write although you
are tired or will you rest before you write? 10. She
had met a tall, blond young man and she did not
want to keep him waiting.

WORD LIST

NOUNS

arrivo *m.* arrival
baia *f.* bay
Beatrice Beatrice
bocca *f.* mouth
confusione *f.* confusion
difficoltà *f.* difficulty
dogana *f.* custom-house
facchino *m.* porter
gioia *f.* joy
golfo *m.* bay, gulf
guida *f.* guide
incanto *m.* enchantment
letto *m.* bed
meraviglia *f.* amazement
molo *m.* wharf
panorama *m.* view, panorama
pellicola *f.* film
piroscafo *m.* ship, ocean liner
porto *m.* harbor
terrazza *f.* terrace
valigia *f.* bag, suitcase

ADJECTIVES

affettuoso, –a affectionate
aff.ma = **affezionatissima**
most affectionate
biondo, –a blond
carissimo, –a dearest
fantastico, –a fantastic
grigio, –a gray
sicuro, –a sure
stanco, –a tired

VERBS

approdare to dock
esprimere to express
godere to enjoy
immaginare to imagine
promettere (*p.p.* **promesso**) to promise
scendere to come down (takes **essere**)
sentirsi to feel

OTHER WORDS

domattina tomorrow morning
ieri l'altro the day before yesterday

CURRENT USAGE

Una passeggiata

L'altro giorno vɔlli fare una passeggiata prima di colazione. Ɛra una bellɪssima giornata di primavɛra, che
faceva venɪr la vɔglia di uscire all'aria apɛrta. Mio fratɛllo
mi domandɔ a che ora sarɛi tornato; gli risposi che tornavo
fra una mezz'oretta. Mi chiɛse di comprargli delle sigarette 5
dal tabaccaio.

Pɔco lontano da casa incontrai l'amico Giannini, che
usciva anche lui, e decidemmo di fare due passi insiɛme.
Giannini è un bravo meccanico che lavora in un'autorimessa
in Piazza Cavour. Mi domandɔ se volessi accompagnarlo 10
alla mostra industriale che si teneva pɔco lontano dalla sua
casa. Vi andammo insiɛme per vedere gli ultimi modɛlli
della meccanica.

C'ɛrano delle bɛlle FIAT di varie grandezze, dalla piccola
seicɛnto alle macchine di gran lusso. A me piacque soprat- 15
tutto la mille e cɛnto, nella quale pɔssono viaggiare comodamente quattro persone. C'ɛrano delle Lancia e delle
bellɪssime Alfa Romɛo, rinomate automɔbili da corsa.

Inoltre vedemmo gli ultimi apparecchi di radio e di televisione. Oramai la radio si trɔva in quasi ogni casa, e la 20
televisione è assai diffusa. È curioso trovare gli ultimi
apparecchi in case che datano dal medioɛvo, ma l'Italia
non è più la nazione del passato; dopo le guɛrre è diventata
la nazione del futuro.

Passai un paio d'ore passeggiando con l'amico. Quando finalmente guardammo l'orologio erano già passate le dodici e mezzo. Dovemmo salutarci in fretta e prendere ognuno la sua strada. Quando giunsi a casa trovai alcuni amici
5 che mi aspettavano da parecchio tempo. Feci le mie scuse e mi misi a conversare con loro delle solite cose che si dicono sempre e che non interessano mai.

Useful Expressions

faceva venir la voglia made one feel like
all'aria aperta in the open air
una mezz'oretta about half an hour
poco lontano not far
fare due passi to take a stroll
la seicento the small FIAT
la mille e cento the medium FIAT sedan
macchina di gran lusso f. very luxurious model
automobile da corsa f. racing car
è assai diffusa is quite popular
in fretta hurriedly
prendere la sua strada to go one's way
feci le mie scuse I made my apologies
mi misi a conversare I started to talk

Questions. 1. Che cosa volle fare Lei l'altro giorno prima di colazione? 2. Che voglia faceva venire la giornata di primavera? 3. Cosa le chiese Suo fratello? 4. Chi incontrò poco lontano da casa? 5. Sa che cosa è una mostra industriale? 6. Ha mai visto una mille e cento? 7. Si trova in molte case la radio in Italia adesso? 8. L'Italia è sempre la nazione del passato? 9. Che ora era quando guardammo l'orologio? 10. Che fece Lei quando trovò gli amici in casa?

STRUCTURE

104. Irregular Verbs: Past Definite. All verbs (except essere) which are irregular in the past definite may be formed from the 1st and 2nd persons singular of this tense as follows:

1. Take the 1st person singular, drop the **–i,** and add **–e** for the 3rd person singular and **–ero** for the 3rd person plural.

venn**i**, venn**e**, venn**ero**

2. Take the 2nd person singular, drop the –sti, and add –mmo for the 1st person plural and -ste for the 2nd person plural.

venisti, venimmo, veniste

Notice how this formula works with some of the common verbs and notice the forms of ɛssere:

dire   dissi, dicesti, disse, dicemmo, diceste, dissero
fare   feci, facesti, fece, facemmo, faceste, fecero
scrivere scrissi, scrivesti, scrisse, scrivemmo, scriveste, scrissero
ɛssere   fui, fosti, fu, fummo, foste, furono

You can now derive the past definite of all the following common irregular verbs, and learn their irregular past participles at the same time. The verbs with an asterisk (*) are conjugated with ɛssere.

INFINITIVE	PAST DEFINITE	PAST PARTICIPLE
bere, *to drink*	bevvi, bevesti, etc.	bevuto
cadere, *to fall*	caddi, cadesti, etc.	*caduto
chiɛdere, *to ask*	chiɛsi, chiedesti, etc.	chiɛsto
chiudere, *to close*	chiusi, chiudesti, etc.	chiuso
conoscere, *to know*	conobbi, conoscesti, etc.	conosciuto
correre, *to run*	corsi, corresti, etc.	*corso (also with avere)
dare, *to give*	diɛdi, desti, etc.	dato
decidere, to decide	decisi, decidesti, etc.	deciso
giungere, *to reach*	giunsi, giungesti, etc.	*giunto
lɛggere, *to read*	lɛssi, leggesti, etc.	lɛtto
mettere, *to put*	misi, mettesti, etc.	messo
porre, *to put*	posi, ponesti, etc.	posto
prɛndere, *to take*	presi, prendesti, etc.	preso
rimanere, *to remain*	rimasi, rimanesti, etc.	*rimasto
rispondere, *to answer*	risposi, rispondesti, etc.	risposto
sapere, *to know*	sɛppi, sapesti, etc.	saputo
scendere, *to go down*	scesi, scendesti, etc.	*sceso
stare, *to be, stay*	stɛtti, stesti, etc.	*stato
tradurre, *to translate*	tradussi, traducesti, etc.	tradotto
vedere, *to see*	vidi, vedesti, etc.	visto
volere, *to want*	vɔlli, volesti, etc.	voluto

105. Distinction between Present Perfect, Past Definite, and Imperfect. All three of these tenses express an action which took place in past time, and frequently all three are translated the same way in English. However, they are not interchangeable in Italian because each tense expresses a specific shade of meaning.

The present perfect expresses an action or event which has taken place recently in the past and is connected mentally with the present by the speaker. If the speaker refers to events of the same day or specifically qualifies the period of time by the word *this* (*this week, this month*), the tense to be used is the present perfect.

> Ha visto la mostra industriale? *Have you seen the industrial show (recently)?*

The past definite expresses an action which took place at a definite time in the past and is now completely over. It is used to express historical events. With verbs implying mental action, the past definite signifies that a decision was made.

> L'altro giorno volli fare una passeggiata. *The other day I decided to take a walk.*

The imperfect expresses a continued, customary, or repeated action in the past. If a certain action was continued and the end of the action is not implied, the imperfect is used.

> Gli amici mi aspettavano. *The friends were waiting for me.*

If an action took place repeatedly in the past as a matter of custom, the verb is in the imperfect.

> Uscivamo con loro. *We used to go out with them.*

If a verb implies a state of mind in the past, the imperfect tense is used.

> Voleva accompagnarci. *He wanted to accompany us.*

If an action in the past comes to interrupt another action which was going on, the former is in the past definite and the latter in the imperfect.

> Incontrai l'amico Giannini, che usciva anche lui. *I met my friend Giannini, who was going out, too.*

106. Uses of the Gerund. What is commonly referred to as a present participle is grammatically a gerund. The form ends in **–ndo,** is invariable, and may be used either in the present or in the past.

	I	II	III
PRESENT	parlando, *speaking*	vendendo, *selling*	finendo, *finishing*
PAST	avendo parlato, *having spoken*	avendo venduto, *having sold*	avendo finito, *having finished*

If a verb is conjugated with **essere** the gerund is **essendo** and the past participle agrees with the subject, as for example, **essendo arrivata, essendo partiti,** etc.

1. The gerund is frequently used to express the manner in which an action is done.

Studiando s'imparano molte cose. *By studying one learns many things.*

2. The gerund, being a verb, may take an object.

Vedendolo, lo comprai subito. *When I saw it, I bought it immediately.*

3. The gerund, used with the verb **stare,** expresses an action in progress.

Stavamo conversando quando arrivò. *We were conversing when he arrived.*

LANGUAGE PRACTICE

Si legga senza tradurre:

Galileo Galilei

Galileo Galilei fu uno dei maggiori scienziati del mondo. Era sommo matematico,[1] fisico,[2] astronomo, e filosofo. Scoprì,[3] fra molte altre cose, la legge del pendolo,[4] che è poi divenuta così importante nella fisica moderna.

[1] mathematician. [2] physicist. [3] He discovered. [4] pendulum.

The Leaning Tower of Pisa reminds us primarily of Galileo's scientific discoveries. Yet the Tower is quite beautiful, even though it tips a bit.

Si racconta che una volta alcuni operai [1] che lavoravano a una fontana vennero a chiedergli consiglio. Il problema consisteva nel fatto che non potevano far salire [2] l'acqua in un tubo al di sopra di [3] una certa altezza.[4]

— Eppure — dicevano — la natura aborre dal vuoto.[5]

— Sì — disse il grande scienziato, — ma aborre dal vuoto soltanto fino all'altezza di trentatrè metri.* 5

L'allievo [6] Torricelli continuò gli studi sulla pressione atmosferica [7] e arrivò all'invenzione del barometro.

Si risponda senza tradurre:

1. Che legge scoprì Galileo Galilei? 2. A che cosa lavoravano alcuni operai? 3. Che vuol dire che la natura aborre dal vuoto? 4. Quali studi continuò l'allievo Torricelli? 5. È importante la legge del pendolo?

ESERCIZI

I. Si dia la forma adatta del passato remoto dei verbi fra parentesi (Supply the correct form of the past definite of the verbs in parentheses):

1. Egli (volere, rispondere, fare, decidere).
2. Noi (dire, stare, chiedere, vedere).
3. Essi (sapere, leggere, prendere, rimanere).
4. Io (scrivere, volere, conoscere, divenire).
5. Tu (bere, cadere, chiudere, porre).

II. Si adopri il passato prossimo, imperfetto, o passato remoto, secondo il significato (Use the present perfect, imperfect, or past definite, according to the sense):

1. (We wanted to) fare una passeggiata, ma (we did not have) il tempo. 2. (They went out) stamattina e (they wanted to) visitare un museo. 3. (I asked him) perchè (he could not) venire a fare due passi. 4. (She has gone) via perchè non le piace quel che Lei (have said). 5. Chi (has seen) la mostra industriale che (was) nella nostra città? 6. L'altro giorno (they stopped) a vedere le automobili ed ora (they have al-

---

[1] workmen. [2] raise. [3] above. [4] height. [5] abhors a vacuum. [6] pupil.
[7] atmospheric pressure.

* Whoever made up this story forgot that the meter did not come into being until a century and a half after Galileo's death.

ready bought) la loro nuova macchina. 7. (We saw) gli *u*ltimi apparecchi di televisione e ne (bought) uno. 8. (I could not) paragonare le automobili perchè (there was) soltanto una. 9. Quando (he arrived) tutti lo (were waiting). 10. Ne (they remained) contenti e (they accepted) l'invito.

III. Si traduca oralmente:

1. While buying. 2. By taking. 3. Having waited. 4. Having arrived. 5. By accepting them. 6. By asking. 7. Upon meeting her. 8. While going out from the house. 9. Having remained. 10. Having decided.

11. They told him. 12. She asked us. 13. We asked her. 14. You spoke to me. 15. You invited him. 16. You (*fam. pl.*) saw them. 17. Will you accept it? 18. Will they take them? 19. I answered her. 20. He answered them.

IV. One student invites another to go for a walk. They discuss the places they want to visit and what they want to do. Both students are interested in cars, television, radio, and similar subjects and they bring them into the conversation.

V. Si traduca in italiano:

1. He wanted me to take a walk with him before dinner, but I was too tired. 2. Not far from the school they met the professor and they took a walk together. 3. If you are not well, why don't you go home instead of going to the exhibition? 4. Shall we go there together and see the latest models? 5. She stopped to see the new hats because she wanted to compare them with those of last year. 6. Television is new and many still think that it is not worth while to buy a set. 7. Look at your watch and tell me what time it is, please. 8. When it is late we do not stop to talk with our friends. 9. She had been waiting for him for some time when he finally arrived. 10. We began to converse with them about the usual things, but they do not interest me.

WORD LIST

NOUNS

Alfa Romeo *make of car*
apparecchio *m.* set
autorimessa *f.* garage
corsa *f.* race
grandezza *f.* size
guerra *f.* war
Lancia *make of car*
macchina *f.* car
meccanica *f.* mechanics
meccanico *m.* mechanic
medioevo *m.* Middle Ages
mostra *f.* show, exhibition
orologio *m.* watch, clock
passeggiata *f.* walk, stroll
passo *m.* step
scusa *f.* excuse, apology
sigaretta *f.* cigarette
tabaccaio *m.* tobacco vendor, tobacco store

ADJECTIVES

curioso, –a curious, odd
industriale industrial

rinomato, –a famous
solito, –a usual

VERBS

aspettare to wait for
datare (da) to date back to
decidere di to decide to
diffondersi (p.p. **diffuso**) to become popular
diventare to become (takes **essere**)
giungere to reach, arrive at (takes **essere**)
salutarsi to say good-by; greet
tornare to get back (takes **essere**)

OTHER WORDS

comodamente comfortably
inoltre moreover
ognuno each one
oramai now, nowadays

CURRENT USAGE

Nella pensione

In una pensione di famiglia si sta bene e si spende meno che in un albergo. Parecchi anni fa la pensione accettava

soltanto ospiti che stessero a mese, o almeno a settimane intere, ma adesso li accettano anche per un giorno solo. In pensione non solo si dorme, ma si prendono tutti i pasti del giorno; mentre in un albergo generalmente si va soltanto
5 per dormire.

Quando ero in pensione facevo una bella vita. Appena sveglio chiamavo la cameriera e mi facevo portare il caffè e latte. A casa mia posso chiamare quanto voglio, che nessuno me lo porta. Avrei preferito una buona colazione con
10 spremuta d'arancia e due uova fritte, ma in Italia bisogna contentarsi di panini con burro.

C'erano in pensione due altri Americani che erano venuti a studiare in Italia. Appena vestiti ci riunivamo in salotto per fare i piani per la giornata. Andavamo a visitare le
15 chiese, i musei, ed i quartieri storici della città. Non ci mancava mai qualche cosa da fare. Verso la mezza tornavamo alla pensione.

Facevamo colazione all'una, o alle tredici, come si dice ora in Italia. Ce la servivano nella sala da pranzo, dove
20 tutti ci riunivamo per scambiare le notizie del giorno o le impressioni della città. Gl'Italiani che abitavano in pensione preferivano discorrere dei fatti del giorno, mentre noi turisti parlavamo di capolavori d'arte o delle compre che avevamo fatte. Queste conversazioni erano la parte più
25 interessante della nostra giornata. Verso le due e mezzo o le tre andavamo tutti a fare un sonnellino, secondo l'usanza del paese. È bello riposare un poco dopo il pranzo e fa bene alla salute. Verso le quattro si andava di nuovo a visitare qualche museo o qualche chiesa, o a fare delle compre.
30 Si tornava alla pensione verso le sette (o le diciannove), pronti per la cena, che non si faceva prima delle otto. Dopo la cena facevamo un giro in piazza, dove ci fermavamo a prendere un caffè e a sentire la musica. Era bella la vita in pensione, senza pensieri e senza lavoro. Peccato che durasse
35 soltanto per le vacanze.

Lago Maggiore offers many enchanting views such as Pallanza, seen from Isola Madre.

Open air markets are characteristic of Italian cities. Here is the main market in Bolzano, near the Austrian border.

Useful Expressions

a mese by the month
facevo una bɛlla vita I led a nice life
caffὲ e latte coffee with milk
quanto vɔglio all I want
spremuta d'arancia orange juice
qualche cɔsa da fare something to do
fatti del giorno happenings of the day, events of the day
fare un sonnellino to take a nap
fa bɛne alla salute it's good for the health
far delle compre to go shopping
far un giro to take a walk around

Questions. 1. Come si sta in una pensione? 2. In una pensione accɛttano ɔspiti per pɔchi giorni? 3. Quando chiedeva il caffὲ e latte, chi glielo portava? 4. Cɔsa preferisce Lɛi per la colazione? 5. C'erano altri Americani in pensione? 6. Quali ɛrano i piani per la giornata? 7. A che ora si faceva colazione? 8. Dove gliela servɪvano? 9. Di che cɔsa parlavano gl'Italiani? 10. Di che cɔsa parlavano i turisti? 11. Qual ὲ l'usanza dopo il pranzo? 12. Che cɔsa si faceva dopo cena?

STRUCTURE

107. Double Object Pronouns (Cont.). As you learned in Lesson 12, when two object pronouns depend on the same verb, the indirect always comes before the direct and they are both placed where one pronoun object would be placed.

Sᴜbito me lo pɔrta. *She brings it to me immediately.*

1. Before another object pronoun **mi, ti, ci, vi, si** change the **i** to **e** and become **me, te, ce, ve, se.**

Ce la servɪvano nella sala da pranzo. *They used to serve it to us in the dining room.*

2. **Gli** and **le** (indirect objects) both become **glie** before a direct object pronoun and the two pronouns are joined.

La camerɪera glielo pɔrta lì. *The maid brings it to her there.*

3. The pronoun **loro** generally comes after the verb. If a direct object pronoun comes after the verb together with **loro,** then **loro** is introduced by the preposition **a.**

Lo abbiamo portato loro stamattina. *We took it to them this morning.*

Portalo a loro. *Take it to them.*

108. Optative Subjunctive. The present subjunctive is used in an independent clause to express a wish possible of fulfillment or a curse.

Dio ti salvi ! *May God save you !*

Maledetto sia quel giorno ! *Cursed be that day !*

The imperfect subjunctive in an independent clause denotes an action which one wishes were complete, regardless of whether it is possible or not.

Non la vedessi mai più ! *I wish that I would never see her again!*

109. Formation of Adverbs. Many adverbs may be derived from the adjectives by adding −**mente** to the feminine form.

solo, *alone* sola (*f.*) solamente, *only*
vivo, *lively* viva (*f.*) vivamente, *in a lively fashion*

Adjectives ending in −**le** or −**re** generally drop the final vowel before adding −**mente.**

difficile (*m.* or *f.*) difficilmente
regolare (*m.* or *f.*) regolarmente

110. Metric System. For weights and measures Italian uses the metric system, which is used for scientific measurements throughout the world. The most common units are:

metro, *meter* = 39.37 inches
chilometro, *kilometer* = 1000 meters ($\frac{5}{8}$ of a mile)
centimetro, *centimeter* = $\frac{1}{100}$ of a meter (1 inch = 2.34 centimeters)
grammo, *gram*, unit of small weight
chilogrammo, *kilogram* = 1000 grams ($2\frac{1}{5}$ lbs.)
litro, *liter* = about 1 quart (1.026 quart)

LANGUAGE PRACTICE

Si legga senza tradurre:

Piccolo dialogo

Alla stazione di rifornimento[1]

— Buona sera, signore. In che posso servirla?[2]

— Buona sera, buona sera. Venti litri di super, per favore.

5 — Subito, signore. Mi favorisca[3] la chiave.[4]

— O scusi. Mi ero dimenticato che qui le macchine hanno la chiave per la benzina.[5]

10 — Sì, sì, il tappo[6] è sempre chiuso a chiave. Perchè, Lei di dov'è, signore?

— Siamo degli Stati Uniti. La macchina è noleggiata[7] per 15 mezzo[8] dell'Associazione Automobilística in America. Ci è stata portata all'albergo quando siamo arrivati.

— Be'[9] quando c'è il denaro si fa 20 tutto. Ecco i venti litri di super. Vuole che controlli[10] l'olio?

— Sì, per favore; mi controlli l'olio e l'acqua.

— Mi apra il cofano,[11] per piacere. La leva[12] del cofano è lì dentro.[13]

— Sì, eccola qui. Non c'è mica pericolo[14] che mi portino via il motore.

— Meglio proteggere[15] bene, altrimenti[16] qualche monello[17] può danneggiare[18] la macchina mentre è in parcheggio.[19]

— Ha molta ragione.

— Le piace la FIAT?

— È una gran bella macchina. Mi piacerebbe portarla in America. Mi sarebbe economica. Quanto Le devo?

— Sono duemila e trecento, per favore.

— Ecco, signore. È stato molto gentile. Grazie.

— Grazie a Lei. Si figuri![20] Buon viaggio! Si divertano bene in Italia!

ESERCIZI

I. Substitute the proper conjunctive pronouns for the nouns in italics or for those given in English. Notice that each sentence contains two object pronouns.

1. Ha parlato (of it) *a suo padre*. 2. Porteranno *il caffè alla mamma*. 3. Faccio portare *la cena* (to me).

[1] gas station. [2] What can I do for you? [3] Please hand me. [4] key. [5] gasoline. [6] cover, top. [7] rented. [8] through. [9] Well. [10] check. [11] hood. [12] lever. [13] inside. [14] danger. [15] protect. [16] otherwise. [17] rascal. [18] damage. [19] parked. [20] My pleasure.

4. Spedirete *le lettere a Roberto* domattina? 5. Serviranno *la colazione* (to him) in camera. 6. Scambiamo *le notizie* (with them) al pranzo. 7. Scriverai *la lettera* (to them) quando arriverai? 8. Abbiamo dato *le uova* (to you, *fam. pl.*) stamattina. 9. Non posso dire *il fatto ad Alberto* perchè non mi capirebbe. 10. Portate *il pranzo* (to us) subito, per favore!

II. Si traduca, adoprando pronomi personali (Translate, using conjunctive object pronouns):

A. 1. We bring it to you (*pol.*). 2. They send it to us. 3. I shall speak of it to her. 4. She gives it (*m.*) to them. 5. We have brought them to him. 6. They have written it to me. 7. They will bring it to you (*fam.*). 8. I have given it (*f.*) to her. 9. I speak of it to you. 10. She was sending it to him.

B. (*Familiar*) 1. Speak to me; do not speak to him. 2. Give the book to us; do not give it to them. 3. Learn the lesson, boys; learn it well. 4. Understand me well. 5. Speak of it to us tomorrow; do not speak of it to us today.

III. Si traduca oralmente e si facciano proposizioni complete (Translate orally and use in complete original sentences):

1. My sister. 2. His dad. 3. Her grandfather. 4. Our grandmother. 5. Your (*fam.*) mother. 6. Your (*fam.*) mama. 7. Their brothers. 8. Their sister. 9. Their parents. 10. Your (*fam. pl.*) cousin. 11. Your (*fam. pl.*) cousins. 12. Our dear brother. 13. Your dear sister. 14. His young cousin. 15. Her young aunt. 16. His good wife. 17. My sisters. 18. Their dad. 19. Your grandfather. 20. My dear father.

IV. Ask questions using each of the following idioms and have someone else answer the questions:

1. fare un sonnellino. 2. fare un giro. 3. caffè e latte. 4. far delle compre. 5. fra poco tempo. 6. fare da guida. 7. lasciare a bocca aperta. 8. far bene alla salute. 9. valer la pena. 10. in fretta.

V. Si traduca in italiano:

1. If you want to spend less than in a hotel, you should go to a "pensione." 2. We take all our daily meals there and we lead a fine life. 3. I want my breakfast, but I don't know if they will bring it to my room. 4. They will bring it to you because that is the custom. 5. When you are at home no one brings it to you in your room; you go in the kitchen, like everybody else (*tutti gli altri*). 6. Italians prefer to discuss the events of the day, while tourists talk about purchases which they have made. 7. Which is longer, a meter or a yard?[1] Which is larger, a liter or a quart?[1] 8. We all go (*use reflexive*) to take a nap in the afternoon, although we are not sleepy. 9. My grandfather and my grandmother go to bed at about eight o'clock. 10. When we are at the table, we exchange the news of the day during dinner.

WORD LIST

NOUNS

bɛne *m.* good
burro *m.* butter
cameriera *f.* maid
cena *f.* supper
impressione *f.* impression
mɛzza *f.* half-past twelve
ɔspite *m.* guest
panino *m.* bun, roll
pasto *m.* meal
pensiɛro *m.* worry
pensione di famiglia *f.* family-style boarding house
piano *m.* plan
piazza *f.* square
quartiɛre *m.* quarter, section
sonnellino *m.* nap

spremuta d'arancia *f.* orange juice
tavola *f.* table; **a tavola** at the table
tredici thirteen; **alle tredici** at one in the afternoon
uɔvo *m.* (*pl.* uɔva *f.*) egg
vacanze *f. pl.* vacation

ADJECTIVES

americano, –a American
fritto, –a fried
intero, –a whole
pronto, –a ready
solo, –a single
sveglio, –a awake
vestito, –a (*p.p.*) dressed

---

[1] Do not translate *yard* or *quart*.

VERBS

alzarsi to get up
bere to drink
contentarsi to be satisfied
discorrere to discuss
dormire to sleep
durare to last, take (takes **ɛssere**)

riposare to rest
riunirsi to get together
scambiare to exchange

OTHER WORDS

chè (= **perchè**) for, because
generalmente generally
vɛrso toward, about

CURRENT USAGE

Una gita a Castɛl Gandɔlfo

Eravamo stati parecchie vɔlte a Roma, ma non avevamo mai fatto una gita a Castɛl Gandɔlfo, sɛde estiva del Papa. Una domenica mattina ci decidemmo a fare il viaggio e chiedemmo all'albɛrgo dove si prendesse l'autobus per Castɛl Gandɔlfo. Il gerɛnte ci disse di andare alla Stazione 5 Tɛrmini, dove a dɛstra dell'entrata principale avremmo trovato l'autobus che faceva quel servizio.

Infatti lo trovammo senza difficoltà. Domandammo quanto durasse la gita e ci dissero che in meno di due ore saremmo arrivati. Domandammo anche a che ora saremmo 10 potuti tornare e se ci fossero autobus di ritorno tutto il pomeriggio. Dovevamo sɛmpre assicurarci del ritorno perchè avevamo il nɔstro piccino di sɛtte anni, il quale spesso si stancava e voleva tornare all'albɛrgo, che per lui ɛra casa sua. 15

Manuscript room in the Vatican Library.

Vatican City has a Post Office of its own.

La gita fu incantevole. L'autobus lasciò la pianura di
Roma e cominciò a salire la cresta degli Appennini. Ogni
svolta ci offriva un nuovo panorama della Città Eterna. I
pini lungo l'autostrada ci rammentavano la musica dei
« Pini di Roma », di Ottorino Respighi. Al piccino, però, il   5
viaggio gli rammentava che sentiva appetito, e voleva
sapere quando si facesse colazione.

Finalmente l'autobus arrivò alla piccola piazza del villaggio chiamato Castel Gandolfo. Sembrava un mondo in cui
il tempo si fosse fermato molti secoli fa. Il castello del   10
Papa mostrava la grandiosa bellezza di una vecchia signora
dell'alta aristocrazia. E noi, coll'apparecchio cinematografico, giravamo pellicole per poi mostrare agli amici in
America l'incanto di quel paesello nelle montagne.

Useful Expressions

ci decidemmo a we decided to
a destra dell'entrata to the right of the entrance
faceva quel servizio made that run
(gli) autobus di ritorno return busses
sentiva appetito he felt hungry
apparecchio cinematografico movie camera
giravamo pellicole we made movies

Questions. 1. Qual è la sede estiva del Papa? 2. Dove si
prende l'autobus per andare a Castel Gandolfo? 3. Che cosa
fa il gerente di un albergo? 4. Quanto dura la gita da Roma a
Castel Gandolfo? 5. Perchè dovevamo assicurarci del ritorno?
6. È nella pianura o nelle montagne il Castello? 7. Ha mai
sentito la musica dei « Pini di Roma », di Respighi? 8. Sente
appetito Lei quando viaggia per lungo tempo in autobus? 9. A
che cosa può paragonare la bellezza del Castello? 10. Lei ha un
apparecchio cinematografico?

STRUCTURE

111. Sequence of Tenses. The sequence of tenses determines
only the tense of the subjunctive that is to be used in subordinate
clauses.

1. If the main verb is in the present or the future indicative or in the imperative, the subjunctive verb is in the present or present perfect.

Vuole che tutti lo sappiano. *He wants everybody to know it.*
Mi dispiace che non sia arrivato. *I am sorry he has not arrived.*

2. If the main verb is in any other tense of the indicative (except the present perfect), the subjunctive verb is in the imperfect or pluperfect.

Domandammo quanto durasse la gita. *We asked how long the trip might last.*
Non sapeva che essa fosse stata qui. *He did not know that she had been here.*

3. If the main verb is in the present perfect indicative, the subjunctive verb may be in the present, present perfect, or imperfect subjunctive, according to the sense. Sometimes even a verb in the present tense is followed by the imperfect subjunctive.

Ha creduto che l'affare non sia serio. *He thought the matter was not serious (Now or at any time).*
Non abbiamo capito perchè non sia arrivato. *We did not understand why he did not arrive (Recently).*
Non hanno permesso che lui partisse. *They did not allow him to leave (Some time ago).*
Siamo lieti che ci lasciasse sbadigliare. *We are glad he let us yawn.*

112. Compound Tenses of the Subjunctive. You learned in Lesson 17 how to form the present perfect subjunctive. The pluperfect subjunctive is formed by the imperfect of the auxiliary followed by the past participle. These two are the only compound tenses of the subjunctive in Italian.

Verbs Conjugated with **avere**

PRESENT PERFECT SUBJUNCTIVE		PLUPERFECT SUBJUNCTIVE	
abbia		avessi	
abbia		avessi	
abbia	comprato	avesse	comprato
abbiamo	venduto	avessimo	venduto
abbiate	finito	aveste	finito
abbiano		avessero	

Verbs Conjugated with εssere

sia ⎤	andato (a)	fossi ⎤	andato (a)
sia ⎬	caduto (a)	fossi ⎬	caduto (a)
sia ⎦	partito (a)	fosse ⎦	partito (a)

siamo ⎤	andati (e)	fossimo ⎤	andati (e)
siate ⎬	caduti (e)	foste ⎬	caduti (e)
siano ⎦	partiti (e)	fossero ⎦	partiti (e)

The present perfect subjunctive is used in the same way as the corresponding tense of the indicative, but in clauses requiring the subjunctive, of course.

Non sappiamo se la pellicola sia arrivata o no. *We don't know whether the film has arrived or not.*

The pluperfect subjunctive corresponds to either the first or the second pluperfect of the indicative, because there is no second pluperfect in the subjunctive.

Non si ricordava se avesse fatto colazione. *He did not remember whether he had had breakfast.*

113. Subjunctive in Indirect Questions. An indirect question is a subordinate clause introduced by an interrogative word. The most common interrogative words are: **se,** *whether;* **chi,** *who;* **che, che cosa,** or **cosa,** *what;* **quale,** *what;* **quando,** *when;* **come,** *how.*

1. An indirect question takes the subjunctive if the subordinate clause precedes the main clause.

Quale fosse la sua sorpresa, non si può immaginare. *One cannot imagine his surprise.*

2. An indirect question takes the subjunctive when there is uncertainty or a tendency to believe the contrary.

Mi domandò se potesse venire. *He asked me whether he might come.*

NOTE. In other cases an indirect question takes the indicative.

114. Subjunctive with Indefinite Words. The subjunctive may be used after certain indefinite words or phrases such as

chiunque, *whoever;* **qualunque,** *whichever;* **dovunque,** *wherever;* **comunque,** *however;* **per quanto,** *no matter how much;* etc.

Chiunque venga, non sono in casa. *Whoever comes, I am not at home.*

115. Summary of Plural of Nouns. Besides the plurals taken up in Lesson 2, there are additional forms which do not follow the general rules.

1. Masculine nouns other than those ending in an accented vowel or in a consonant normally end in an **i** in the plural, regardless of the ending in the singular.

l'artista *m.*, gli artisti (l'artista *f.*, le artiste)

2. Nouns ending in **co, go, ca, ga** normally add an **h** before the **i** or **e** of the plural (exceptions: **amici, medici, nemici, porci. teologi, Greci, Magi,** and several others).

il tabacco, i tabacchi   la strega (*witch*), le streghe

3. Many nouns are masculine in the singular and feminine in the plural. Many of these have also a masculine plural form, which is slightly different in meaning from the normal, feminine plural.

il braccio, *the arm*	le braccia	(bracci)
il centinaio. *the hundred*	le centinaia	
il dito, *the finger*	le dita	(diti)
il ginocchio, *the knee*	le ginocchia	(ginocchi)
il grido, *the cry*	le grida	(gridi)
il labbro, *the lip*	le labbra	(labbri)
il lenzuolo, *the (bed) sheet*	le lenzuola	(lenzuoli)
il membro, *the limb*	le membra	(membri)
il migliaio, *the thousand*	le migliaia	
il miglio, *the mile*	le miglia	
il muro, *the wall (outside)*	le mura	(muri)
l'osso, *the bone*	le ossa	(ossi)
l'uovo, *the egg*	le uova	

When the above words refer to parts of the body, the feminine plural refers to parts belonging to the same person.

Giulia aveva le labbra tinte. *Julia had painted lips.*

LANGUAGE PRACTICE

Si legga senza tradurre:

La Città del Vaticano

La Città del Vaticano è la sede del Papa. È una piccola città indipendente al centro della grande città di Roma. Il suo governo [1] dipende direttamente dalla Chiesa e non dal governo italiano. Ha la propria ferrovia, il proprio ufficio postale,[2] le proprie guardie, e le proprie funzioni. Quel che c'è di più bello sono i suoi giardini.　　　　　　　　5

Le guardie della Città del Vaticano sono svizzere; sono completamente fedeli [3] alla Chiesa e guardano la piccola città con uno zelo [4] straordinario. Hanno i propri costumi, che sono caratteristici e pittoreschi. Una volta l'anno, con una funzione speciale, le nuove guardie vengono ammesse [5] alla guardia regolare. In questa funzione solenne prestano giuramento [6] 10 di essere fedeli alla loro missione. D'allora in poi [7] restano nella guardia del Vaticano, la maggior parte per tutta la vita. La Città del Vaticano è simbolo dell'Impero della Chiesa sulla terra.

Si risponda senza tradurre:

1. Da quale governo dipende la Città del Vaticano? 2. Che cosa ha la Città del Vaticano? 3. Sono belli i giardini del Vaticano? 4. Portano costumi speciali le guardie del Vaticano? 5. Che funzione c'è una volta l'anno? 6. Che giuramento prestano le nuove guardie?

ESERCIZI

I. Si adoperi la forma adatta dell'indicativo o del congiuntivo nelle seguenti proposizioni e si dicano ad alta voce (Use the correct form of the indicative or the subjunctive in the following sentences and say aloud):

1. (They asked) al gerente dove (they might find) un albergo migliore. 2. Il gerente (was not) contento che essi (wanted to) andar via. 3. (He wanted to) sapere come (he had arrived) così presto. 4. (He asked) a che ora (they had breakfast) in quella pensione. 5. (It seems impossible) che Lei (have never been) a Castel Gandolfo. 6. (We asked) quanto (would last) il viaggio da Napoli a Roma. 7. (It seemed)

---

[1] government.　[2] post office.　[3] faithful.　[4] zeal.　[5] are admitted.　[6] they take an oath.　[7] from then on.

curioso che tutti (were) americani. 8. (It will seem) che tutti (want to) essere i primi a partire. 9. (She wanted) un marito che (would know how to) preparare un bel pranzo. 10. Dite a Roberto che (he should not forget) che noi l'aspettiamo.

II. Si dia il plurale delle seguenti frasi e si adoperino in proposizioni complete (Give the plural of the following expressions and use in complete sentences):

1. l'apparecchio cinematografico. 2. il medico greco. 3. il labbro rosso. 4. il dito lungo. 5. il mio ginocchio. 6. il suo nemico. 7. il migliaio di dollari. 8. il lenzuolo bianco. 9. l'osso grande. 10. il grido forte. 11. l'artista italiano. 12. il tabacco greco. 13. il viaggio lungo. 14. lo zio povero. 15. il negozio di abiti. 16. il nostro amico. 17. la nostra amica. 18. la lunga gita. 19. il braccio buono. 20. l'uovo giallo.

III. Si traduca in italiano:

1. Whoever comes. 2. Wherever they go. 3. No matter how he says it. (However he may say it.) 4. They wanted us to leave. 5. He wishes you to stay. 6. I want you to speak. 7. Provided they sell. 8. In order that you learn. 9. Although she finishes. 10. Without his knowing it. 11. Without his knowing him. 12. Before you (*fam. pl.*) return. 13. He wanted us to think. 14. We were looking for a man who knew how to cook. 15. They wanted a maid who knew French.

IV. Write a composition of about a hundred words on a trip which you have taken recently. The teacher will have the compositions read and discussed in class.

V. Si traduca in italiano:

1. Although we had been to Rome several times, we had never taken a trip to the Pope's summer residence. 2. After we had decided to take the trip, we had to ask where we might get the bus. 3. The man-

ager told us to go to the Termini station, because almost all the busses leave from there. 4. There were hundreds of cars and thousands of people near the entrance. 5. They wanted to assure themselves of the return trip because their little boy got tired easily. 6. Too bad there wasn't more time so that we could spend a few days in that little town. 7. Every turn offered a beautiful view of the crest of the Apennines. 8. The trip reminded me that I felt hungry and I wanted to know when I could eat. 9. It seems like a world where time stopped several centuries ago. 10. When you have a movie camera you can put on film the charm of that panorama.

WORD LIST

NOUNS

apparecchio *m.* set, camera
aristocrazia *f.* aristocracy
autostrada *f.* highway
castello (castel) *m.* castle; **Castel Gandolfo** *the Papal summer residence*
cresta *f.* crest
gerente *m.* manager
paesello *m.* little town
Papa *m.* Pope
pino *m.* pine
ritorno *m.* return
sede *f.* residence
servizio *m.* service
svolta *f.* turn
villaggio *m.* village

ADJECTIVE

estivo, –a summer *adj.*

VERBS

decidersi (a) to decide (to)
girare to turn
offrire to offer
salire to go up (takes **essere**)
stancarsi to get tired

OTHER WORDS

destra: a destra to the right
poi afterwards
quanto how long

CURRENT USAGE

Il pranzo

È veramente un'arte apparecchiare la tavola. Nel disporre i posti degli invitati bisogna tener conto delle loro amicizie e simpatie, ma io mi occuperò soltanto della tavola stessa.

5 Prima di stendere la tovaglia bisogna mettere un feltro sulla tavola. Poi si mettono le posate: il coltello, i cucchiai ed i cucchiaini, a destra del piatto e le forchette a sinistra. Il tovagliolo va a sinistra del piatto o anche sul piatto stesso; poi quando si comincia, ogni invitato lo mette sulle ginocchia.
10 I bicchieri si mettono davanti al piatto, uno per l'acqua e l'altro per il vino, poichè in Italia non si pranza senza vino.

Per una colazione o un pranzo modesto, ecco alcune pietanze: prima viene una minestra, che può essere pasta asciutta al sugo di pomodoro, pasta in brodo, spaghetti al
15 burro, o qualche minestrone. Poi si serve un piatto di carne, come ad esempio pollo arrosto con patatine fritte, vitello arrosto con spinaci, agnello al forno, o manzo ai ferri. Il pranzo si può servire con verdura o con una buona insalata di lattuga o di pomodori. Poi c'è sempre del formaggio:
20 bel paese, romano, svizzero, parmigiano, gorgonzola, provolone, ecc. Alla fine c'è frutta e caffè espresso, senza i quali nessun pranzo può essere completo.

Per un pranzo di lusso potete scegliere voi stessi le pietanze che vi piacciono. Eccone un lungo elenco:

Cibi e Bevande — Foods and Drinks

JUICES:
- **spremuta d'arancia** *f.* orange juice
- **spremuta d'ananasso** *f.* pineapple juice
- **spremuta di limone** *f.* lemon juice
- **spremuta di pomodoro** *f.* tomato juice

FRUIT:

albicocca *f.* apricot	**pera** *f.* pear
ananasso *m.* pineapple	**pesca** *f.* peach
ciliegia *f.* cherry	**pompelmo** *m.* grapefruit
fico *m.* fig	**popone (melone)** *m.* melon
fragola *f.* strawberry	**uva** *f.* grapes
mela *f.* apple	

SOUPS:
- **brodo** *m.* broth
- **brodo ristretto** *m.* consommé
- **minestra di cipolla** *f.* onion soup
- **minestra di fagioli** *f.* bean soup
- **minestra di piselli** *f.* pea soup
- **minestra di pollo** *f.* chicken soup
- **minestrone** *m.* thick vegetable soup

FISH:

anguilla *f.* eel	**salmone** *m.* salmon
aragosta *f.* lobster	**tonno** *m.* tuna fish
merluzzo *m.* cod	**trota** *f.* trout

MEATS:
- **agnello** *m.* lamb
- **coscia d'agnello** *f.* leg of lamb
- **costoletta di vitello** *f.* veal cutlet *or* chop
- **manzo ai ferri** *m.* (*or* **bistecca** *f.*) broiled steak
- **pollo arrosto** *m.* roast chicken
- **polpetta** *f.* meat ball
- **rosbiffe** *m.* roast beef
- **salsiccia** *f.* sausage
- **scaloppine** *f. pl.* small veal cutlets

VEGETABLES:
- **carciofo** *m.* artichoke
- **carota** *f.* carrot
- **cavolfiore** *m.* cauliflower
- **fagiolini** *m. pl.* string beans
- **granturco** *m.* corn
- **lattuga** *f.* lettuce
- **melanzana** *f.* eggplant
- **patata lessa** *f.* boiled potato
- **patate al forno** *f. pl.* oven baked potatoes
- **patatine fritte** *f. pl.* French fried potatoes
- **purè di patate** *m.* mashed potatoes
- **peperone** *m.* pepper
- **piselli** *m. pl.* peas
- **pomodoro** *m.* tomato

	spinaci *m. pl.* spinach
	zucchini *m. pl.* Italian squash
SALADS:	**insalata mista** *f.* mixed salad
	insalata di cicoria *f.* chicory salad
	insalata di lattuga *f.* lettuce salad
	insalata di pomodori *f.* tomato salad
DRINKS:	**acqua minerale** *f.* mineral water
	birra *f.* beer
	caffè *m.* coffee
	caffè con panna *m.* coffee with cream
	caffè espresso *m.* strong black coffee
	caffè nero *m.* black coffee
	cioccolata *f.* chocolate
	latte *m.* milk
	tè *m.* tea
DESSERTS:	**gelato di cioccolata** *m.* chocolate ice cream
	gelato di crema *m.* vanilla ice cream
	gelato di fragole *m.* strawberry ice cream
	gelato di pesche *m.* peach ice cream
	spumone *m.* spumone ice cream
	torta *f.* cake
	torta di frutta *f.* fruit pie
EGGS:	**frittata** *f.* omelette
	uova affogate *f. pl.* poached eggs
	uova fritte *f. pl.* fried eggs
	uova strapazzate *f. pl.* scrambled eggs
	uovo bazzotto *m.* soft-boiled egg
	uovo sodo *m.* hard-boiled egg
BREAD:	**pane** *m.* bread
	pane di granturco *m.* corn bread
	pane di segale *m.* rye bread
	pane fresco *m.* fresh bread
	pane raffermo *m.* stale bread
	panino *m.* roll
WINES:	**vino bianco** *m.* white wine
	vino forte *m.* strong-bodied wine
	vino leggiero *m.* light wine
	vino moscato *m.* muscatel
	vino rosso (nero) *m.* red wine
	vino spumante *m.* sparkling wine

STRUCTURE

116. Compound Tenses of Verbs Followed by the Infinitive. To form the compound tenses of a verb followed by an

The family group is the center of Italian life, whether working in the vineyard or sitting down to dinner at home.

infinitive you use the auxiliary which the verb in the infinitive
would normally take.

> Non ha voluto lavorare.   *He did not want to (would not) work.*
> Siamo dovuti partire alle sette.   *We had to leave at seven.*

117. The Infinitive as a Substantive.   An infinitive may
be used as a noun, that is, as subject, object, or predicate nominative. When used as subject or object the infinitive normally
takes the definite article.

> L'apparecchiare una tavola è facile.   *Setting a table is easy.*
> Amiamo il cucinare.   *We love cooking.*

When used as a predicate nominative, the infinitive takes no
article.

> È facile sbagliarsi.   *It's easy to be mistaken.*

118. The Infinitive with Prepositions.   After prepositions
Italian uses an infinitive, whereas English uses a gerund (*–ing*).

> Nel disporre le posate . . .   *In setting the places . . .*

119. The Infinitive with Adjectives.   When an infinitive
depends on an adjective it is usually preceded by **a** (unless the
infinitive is a predicate nominative).

> Fu il primo a venire.   *He was the first to come.*
> BUT → È necessario partire.   *It's necessary to leave.*

120. The Infinitive with Nouns.   When an infinitive depends on a noun it is preceded by **da** if the infinitive expresses the
purpose or intention for which the object in question serves;
otherwise **di** is used.

> acqua da bere, *drinking water (water for drinking)*
> BUT → la gioia di vederla, *the joy of seeing you*

121. Complementary Infinitives

Common verbs which govern an infinitive without a preposition:

bastare (*impers.*), *to suffice*	potere, *to be able*
bisognare (*impers.*), *to need*	preferire, *to prefer*

desiderare, *to desire*

dovere, *to owe, ought*

fare, *to make*

lasciare, *to allow*

piacere (*impers.*), *to please*

sapere, *to know how to*

sembrare, *to seem*

sentire, *to hear*

udire, *to hear, feel*

vedere, *to see*

volere, *to want*

Common verbs which take **a** before a following infinitive:

aiutare, *to help*

andare, *to go*

cominciare, *to begin*

imparare, *to learn*

incoraggiare, *to encourage*

insegnare, *to teach*

mandare, *to send*

mettersi, *to begin, start*

prendere, *to begin*

seguitare, *to continue*

stare, *to stand*

Common verbs which take **di** before a following infinitive:

comandare, *to command*

credere, *to think, believe*

dire, *to tell*

finire, *to finish*

importare (*impers.*), *to be of importance*

permettere, *to permit*

pregare, *to beg*

proibire, *to prohibit*

promettere, *to promise*

stabilire, *to resolve*

toccare (*impers.*), *to be one's turn*

LANGUAGE PRACTICE

Si legga senza tradurre:

Leonardo da Vinci

Una volta nel corso della storia la natura ha voluto raccogliere [1] in un solo uomo tutte le facoltà che formano il genio umano — risultato: [2] Leonardo da Vinci. L'uomo può essere ben proporzionato e di forza [3] straordinaria: Leonardo da Vinci era bello, alto, e fortissimo. L'uomo può essere artista: Leonardo era sommo pittore e scultore. L'uomo può costruire [4] bellissimi edifici: Leonardo era architetto. L'uomo può conoscere le leggi della matematica: Leonardo era gran matematico. L'uomo può conoscere le leggi della meccanica: Leonardo era sommo ingegnere. L'uomo può conoscere la natura del corpo umano: [5] Leonardo

---

[1] gather.   [2] result.   [3] strength.   [4] construct.   [5] human body.

fece profondi [1] studi di anatomia. Arrivò finanche [2] a studiare le leggi del volo [3] quattrocento anni prima dell'aviazione.

Come mai questo prodigio? La natura non ci svela [4] i suoi segreti. Ogni essere [5] umano è dotato [6] delle sue facoltà, chi [7] più e chi [7] meno. 5 In questa gradazione [8] ci fu un essere che ebbe più facoltà di qualsiasi altro nella storia. Ammiriamolo per il suo genio e contentiamoci di essere individualmente dotati di qualche facoltà che ci distingue dagli altri.

Si risponda senza tradurre:

1. Aveva molte grandi facoltà Leonardo da Vinci? 2. Era alto, forte, e bello? 3. Conosce qualche quadro famoso di Leonardo? 4. Leonardo conobbe le leggi della matematica e della meccanica? 5. Che studi fece Leonardo sull'aviazione? 6. Sa Lei in che secolo visse Leonardo da Vinci?

ESERCIZI

I. Si traduca oralmente:

A. 1. Learning is difficult. 2. Teaching is still more difficult. 3. I prefer sleeping to working. 4. Knowledge (use infinitive) is good for the mind. 5. Studying grammar is easy. 6. To get up early is important. 7. To speak Italian is a pleasure. 8. Setting a table is easy. 9. I told her to leave. 10. He promised to come.

B. 1. That apple is good to eat. 2. He was the first to enter. 3. Were you the last to arrive? 4. I have a great deal to do. 5. This is drinking water. 6. Have you work to do? 7. Has she potatoes to sell? 8. We have a dinner to serve. 9. This is a cup for drinking. 10. You have some books to read.

II. Ask questions using the following expressions and have someone else answer the questions:

1. pasta asciutta al sugo di pomodoro. 2. minestrone. 3. spaghetti al burro. 4. piatto di carne. 5. pollo arrosto. 6. patatine fritte. 7. vitello ar-

---

[1] deep. [2] even. [3] flight. [4] reveal. [5] being. [6] endowed. [7] some. [8] gradation.

rɔsto. 8. agnello al forno. 9. manzo ai ferri. 10. formaggio bel paese. 11. formaggio parmigiano. 12. caffè espresso. 13. pasta in brɔdo. 14. acqua e vino. 15. frutta fresca.

III. Si risponda in italiano:

1. È facile apparecchiare la tavola per un pranzo?
2. Di che cɔsa si deve tener conto quando si apparecchia? 3. Come si mettono pɔi le posate? 4. Dove si mette il tovagliɔlo quando si comincia a mangiare?
5. Quanti bicchieri si mettono a tavola e dove si mettono? 6. Con che pietanza si comincia un pranzo italiano? 7. Che carne piace di più a Lei? 8. Conosce Lei molti formaggi? 9. Che cɔsa ci vuɔle per fare un pranzo completo?

IV. Let each student prepare a dinner menu, including juices, soups, meat or fish, vegetables, fruit, drink, and dessert. Let the students ask each other in Italian what they have included at every point in their menus.

V. Si traduca in italiano:

1. When one sets a table, one has to keep in mind the friendships and likings of the guests. 2. In setting the places one should put the knife and spoons on the right of the plate and the forks on the left. 3. Put the napkin on your knees when the dinner begins. 4. Did you know that in Italy they do not dine without wine?
5. For fruit I like strawberries, peaches, and pears; I do not like pineapple or apricots. 6. For a meat course (**piatto**), do you prefer lamb, broiled steak, or roast chicken? 7 What vegetables do you wish, corn, string beans, spinach, or eggplant? 8. What does the little fellow want, oven baked potatoes, mashed potatoes, a boiled potato, or French fried potatoes? 9. It is not easy to choose between veal chops, small veal cutlets, sausage, and roast beef. Isn't there any lamb?
10. I don't know (my) wines; I know only white wine, red wine, light wine, and strong-bodied wine.

WORD LIST

NOUNS

agnɛllo al forno *m.* roast lamb

amicizia *f.* friendship

bɛl paese *m. a type of cheese*

bicchiɛre *m.* glass

caffè esprɛsso *m.* strong, black coffee; demi-tasse

carne *f.* meat

coltɛllo *m.* knife

conto *m.* account; **tener conto di** to keep in mind

cucchiaino *m.* teaspoon

cucchiaio *m.* spoon

elɛnco *m.* list

feltro *m.* pad

forchetta *f.* fork

ginɔcchio *m.* (*pl.* **ginɔcchia** *f.*) knee

gorgonzɔla *m. a type of blue cheese*

invitato *m.* guest (*at dinner*)

manzo ai fɛrri *m.* (broiled) steak

minɛstra *f.* soup, first course

minestrone *m.* thick vegetable soup

parmigiano *m.* Parmesan, *a type of cheese*

pasta asciutta *f.* macaroni

pasta in brɔdo *f.* soup with noodles (macaroni)

patatine fritte *f. pl.* French fried potatoes

piatto *m.* plate, dish

pietanza *f.* course

pollo arrɔsto *m.* roast chicken

posata *f.* place setting (*for a table*)

posto *m.* place

provolone *m. a type of cheese*

romano *m. a type of cheese*

simpatia *f.* liking

spaghetti al burro *m. pl.* spaghetti with butter

spinaci *m. pl.* spinach

sugo *m.* sauce; **sugo di pomodɔro** tomato sauce

svizzero *m.* Swiss, *a type of cheese*

tovaglia *f.* tablecloth

tovagliɔlo *m.* napkin

verdura *f.* vegetables

vitɛllo arrɔsto *m.* roast veal

ADJECTIVE

complɛto, –a complete

VERBS

apparecchiare to set (*a table*)

disporre to set (*places*)

occuparsi di to deal with

stɛndere to lay

OTHER WORDS

davanti a in front of

poichè since

sinistra: a sinistra, to the left

CURRENT USAGE

A zonzo per la città

— Siamo molto stanchi stasera. Abbiamo girato dappertutto perchè ci occorrevano molte cose. Arrivati alla fine
del viaggio volevamo comprare ricordi per i nostri amici.
Prima, però, abbiamo dovuto cercare parecchi articoli che
ci servivano per la toletta.   5

— Dimmi un po'? Se si vuol comprare del profumo, dove
si può trovare?

— Si può trovare in una profumeria. Ne abbiamo trovato
di una qualità eccellente all'angolo di Via Calzaiuoli e Via
degli Speziali. Se cercassi in tutta Firenze, non ne troveresti 10
di qualità migliore. Hanno anche ciprie di tutti i tipi e
di tutti i colori. Se avessimo avuto più denaro con noi,
avremmo comprato dei profumi ottimi, ma costavano un
occhio.

— Che altro avete comprato oggi?   15

— Di oggetti personali abbiamo comprato degli spazzolini da denti e del dentifricio. Il nostro piccino aveva
adoperato i nostri spazzolini per pulirsi le scarpe e il dentifricio per decorare i mobili.

— Bravo piccino! E che regali?   20

— In un negozio vicino al Ponte Vecchio abbiamo trovato
delle borsette di cuoio fiorentino. Ne abbiamo comprato
sei di vari colori; sono ottime come regali perchè non prendono molto spazio nelle valige. C'erano anche delle belle

spille in filigrana, e ne abbiamo comprate sei. Poi anche
una mezza dozzina di portagioielli, che sono così apprezzati
come ricordi.

— Avete molti amici?

5   — Sì, molti. Fatto sta che se fossi ricca avrei comprato
il negozio intero. Bisogna limitarsi quando si comprano
regali, altrimenti non ci resta denaro per il ritorno.

— Se io potessi, resterei per sempre qui a Firenze. Ma
il nostro lavoro è in America e, finite le vacanze, bisogna
10 riprendere le nostre occupazioni. Beato chi può viaggiare
sempre, senza preoccuparsi del lavoro.

Useful Expressions

a zonzo at random
ci occorrevano molte cose we needed many things
ci servivano we needed
dimmi un po' tell me
costavano un occhio they cost a fortune
spazzolino da denti toothbrush
fatto sta the fact is
per sempre forever

Questions.   1. Se Lei avesse molto denaro, comprerebbe
ricordi per tutti gli amici? 2. Se Le servissero articoli per la
toletta, in che negozio andrebbe? 3. Dove si possono comprare
profumi e ciprie? 4. Perchè non si possono comprare molti ottimi
profumi? 5. Che oggetti personali avete comprato? 6. Se il
piccino adoperasse lo spazzolino da denti per pulirsi le scarpe,
cosa direbbe la madre? 7. Se Lei trovasse delle borsette di cuoio
fiorentino, ne comprerebbe una dozzina? 8. Se Sua sorella volesse
un portagioielli, dove lo comprerebbe? 9. Se fossimo ricchi,
viaggeremmo molto? 10. Se Lei potesse, resterebbe per sempre
a Firenze?

STRUCTURE

122. Contrary-to-fact and Should-would Sentences. A
contrary-to-fact sentence assumes a condition which cannot be
true under the circumstances and draws a conclusion from it.

In Italian the if-clause takes the imperfect or pluperfect sub-junctive and the result clause takes the conditional or the conditional perfect.

Se io potessi, resterei per sempre qui a Firenze. *If I could, I would remain forever here in Florence.*

Notice that in the above sentence the simple tenses are used when referring to the present. When referring to past time the compound tenses are used, as in the following sentence:

Se avessimo avuto più denaro con noi, avremmo comprato dei profumi ottimi. *If we had had more money with us, we would have bought some excellent perfumes.*

The simple and compound tenses can be used together if the sense so requires.

Se fossi ricca, avrei comprato il negozio intero. *If I were rich, I would have bought out the store.*

A should-would sentence implies that if certain conditions were true in the future, certain results would follow. This type is treated like a contrary-to-fact sentence.

Se venisse presto, andremmo insieme. *If he should come early, we would go together.*

123. Past Participle. The past participle may be used alone in an absolute construction. It agrees with the word it modifies and may be translated by a participial phrase or by a clause.

Arrivati alla fine del viaggio . . . *Having reached the end of our trip . . .*
Finite le vacanze . . . *Since the vacation was over . . .*

124. Object Pronouns with Participles. When a pronoun depends on a participle (past or present) used independently in an absolute construction, it is attached to the participle.

Trovatili in casa, li salutò. *Having found them at home, he greeted them.*
Invitandolo, gli farai onore. *By inviting him you will honor him.*

*Picturesque Taormina lies at the foot of Mt. Etna, of which
we give you a glimpse. This is Sicily in its splendor.*

LANGUAGE PRACTICE

Si legga senza tradurre:

La Conca d'Oro [1]

Palermo è il capoluogo della Sicilia e la sua città principale. Ha un porto importante per l'industria e il commercio dell'Italia. La città è situata in una delle valli più fertili, dove si coltivano olivi, aranci, limoni, fichi, e tanti altri alberi da frutta.[2] In questa valle ci sono vigne [3] che producono un vino famoso, chiamato Marsala. La valle è così fertile che 5 si chiama Conca d'Oro.

Palermo però, è rinomata non solo per il suo clima e i prodotti agricoli, ma per l'importanza storica. Fin dai tempi greci e romani, Palermo fu una delle città più importanti del Mediterraneo. Nel secolo decimoterzo [4] la città fu sede del famoso impero di Federico II. Nella sua corte cominciò 10 a svilupparsi la letteratura italiana, che poi continuò in Toscana. Senza la Scuola Poetica Siciliana forse l'italiano non sarebbe mai arrivato alla perfezione che raggiunse [5] coi poeti del Dolce Stil Nuovo.

Si risponda senza tradurre:

1. Che importanza ha Palermo per l'Italia? 2. Quali sono alcuni dei prodotti agricoli della Conca d'Oro? 3. Ha importanza storica la città di Palermo? 4. In che secolo fu l'impero di Federico II? 5. Dove cominiciò a svilupparsi la letteratura italiana? 6. In che secolo e dove raggiunse la più alta perfezione la letteratura italiana?

ESERCIZI

I. Si dia la forma adatta del verbo fra parentesi e si dica ad alta voce (Give the proper forms of the verbs in parentheses and say aloud):

1. Se noi non (essere) stanchi, non (potere) dormire stasera. 2. Se non (avere avuto) bisogno di parecchie cose, non (aver girato) dappertutto. 3. Se Lei (volere) comprare dei ricordi, ne (trovare) molti in quel negozio. 4. Se essi (cercare) in tutta Roma, non ne (potere) trovare di migliore qualità. 5. Se io (desiderare) ciprie di tutti i tipi, ne (comprare) nella profumeria all'angolo di questa strada. 6. Se i portagioielli (costare) meno,

---

[1] gold bowl. [2] fruit trees. [3] vineyards. [4] thirteenth. [5] reached.

ne (prendere) per tutti. 7. Se noi (aver comprato) uno spazzolino da denti, ora ne (avere) due. 8. Se il dentifricio (essere) buono, (pulire) i denti. 9. Se Lei (comprare) delle spille in filigrana, tutte le amiche ne (volere). 10. Lei (restare) a Firenze se (potere)?

II. Si traduca oralmente:

1. Having finished the work. 2. Having seen the city. 3. Having done many things. 4. The vacation being over. 5. The letter having been written. 6. Having read everything. 7. Having entered the house. 8. Having come out of the theater. 9. Having produced the wine. 10. Having sold the products. 11. Having arrived there. 12. Having found him at home. 13. Having bought the shoes. 14. Having limited himself. 15. Having worried for a long time.

III. Si facciano delle proposizioni complete adoperando i seguenti gruppi di parole (Form complete sentences in Italian using the following groups of words):

1. riprendere, occupazioni, dovere. 2. profumo, cipria, profumeria. 3. profumo, occhio, costare. 4. regalo, borsetta, cuoio. 5. valigia, spazio, poco. 6. portagioielli, apprezzare, ricordo. 7. valige, molte, viaggiare. 8. altrimenti, restare, denaro. 9. negozio, angolo, strada. 10. mobili, decorare, dentifricio.

IV. Two students stage a conversation in which one is a clerk in a store and the other is a customer. Vary the type of store and discuss the many different articles which may be bought in an Italian city.

V. Si traduca in italiano:

1. Having reached the end of our trip, we want to buy souvenirs for our friends in the United States. 2. The articles which we needed for our toilette are sold in different stores. 3. If we wanted to buy everything, we would have to go around everywhere. 4. At the corner of our street we found some articles of excellent

quality. 5. We would have bought more personal objects if we had not used up our money. 6. If he had wanted to clean his shoes, he could have used something else. 7. Do these filigree pins take up too much room in your bags? Can we buy a dozen of them? 8. These Florentine leather handbags cost a fortune, but they are really beautiful, otherwise we would not buy them. 9. Do you have many friends? It would seem so, because you are buying many souvenirs. 10. When the vacation is over, we shall be glad to take up our duties again.

WORD LIST

NOUNS

angolo *m.* corner
articolo *m.* article
cipria *f.* face powder
cuoio *m.* leather
dentifricio *m.* toothpaste
filigrana *f.* filigree
mobili *m. pl.* furniture
occhio *m.* eye
oggetto *m.* object
occupazione *f.* occupation, job
portagioielli *m.* (*invar.*) jewel box
profumeria *f.* perfume shop
profumo *m.* perfume
qualità *f.* quality
regalo *m.* gift

ricordo *m.* souvenir
scarpa *f.* shoe
spazio *m.* space
spilla *f.* pin
tipo *m.* type, kind
toletta *f.* toilette

ADJECTIVES

eccellente excellent
fiorentino, –a Florentine
ottimo, –a excellent
personale personal

VERBS

adoperare to use
decorare to decorate
riprendere to take up again

CURRENT USAGE

In ferrovia

Stiamo per lasciare la nostra cara Italia. Siamo sul direttissimo Milano-Zurigo, il quale ci porterà oltre le Alpi. Il treno fila rapidamente. Io ed Angelina stiamo lì a guardare da un finestrino dello scompartimento di seconda classe. Il
5 nostro piccino dorme placidamente sul sedile, perchè siamo soltanto noi tre nello scompartimento. Lontano lontano, sulle montagne, si vedono tante casette circondate da alberetti. A noi che siamo lontani sembrano alberini di Natale, ma da vicino saranno alberoni altissimi.
10 Passando accanto a un'autostrada vediamo automobili che sembrano indietreggiare invece di andare avanti. Quando passiamo per qualche villaggio, vediamo giovanotti che passeggiano a braccetto delle fidanzate, donnette che portano ragazzini per la mano, ometti che sembrano così buffi con
15 quei baffoni che coprono le guance. Ora passiamo lungo un ruscelletto con un bel ponticello. Poi si vedono dei villini così graziosi, e delle casacce da far paura. Alle stazioni dove il direttissimo non si ferma ci sono sempre tanti a guardare il treno: bambini, ragazzini, signorine, giovanotti, vecchietti,
20 tutti a guardare il treno e salutare i viaggiatori.

Però non vediamo l'ora di arrivare alla nostra destinazione. Abbiamo due amici che ci aspettano a Zurigo, una mia segretaria col marito svizzero. Non li vediamo da un anno

200

perchè vennero in Europa subito dopo sposati. Abbiamo spedito un bigliettino per annunziare il nostro arrivo e siamo sicuri che ci aspetteranno a braccia aperte, perchè vogliamo loro molto bene. Così il nostro viaggio finirà con una visita ai nostri cari amici.   5

Useful Expressions

in ferrovia on the train
lontano lontano far away
da vicino from nearby
a braccetto di arm in arm with
portano per la mano lead by the hand
da far paura frightful
non vediamo l'ora di we are very anxious to
a braccia aperte with open arms
vogliamo loro molto bene we like them very much

Questions. 1. Dove ci porterà il direttissimo Milano-Zurigo? 2. Che cosa facciamo tutti e tre nello scompartimento di seconda classe? 3. Che cosa si vede lontano lontano? 4. Saranno grandi gli alberi che vediamo? 5. Che sembrano fare le automobili che vediamo? 6. Che vediamo quando passiamo per qualche villaggio? 7. Sono buffi gli uomini che hanno baffoni? 8. Che altro si vede dal treno? 9. Ci sono molti alle stazioni dove il direttissimo non si ferma? 10. Ci sembra lungo il viaggio? 11. Chi ci aspetta a Zurigo? 12. Come finirà il nostro viaggio?

STRUCTURE

125. Suffixes. Italian can express many different shades of the meaning of a noun (and less commonly of an adjective) by means of suffixes. The proper use of these suffixes is one of the most delicate points in the language. The student should not use any suffix without first finding that particular form of the word in the text, or in a good Italian dictionary such as Petrocchi, Zingarelli, or Cappuccini-Migliorini. In adding the suffix, the final vowel of the word is dropped; if that vowel is preceded by a *c* or *g* sound, the original sound must be retained.

quadro + etto = quadretto, *small picture*
buco + ino = buchino, *small hole*

*Cortina d'Ampezzo, in the Dolomites, is
a luxurious summer and winter resort.
Don't be surprised if your funds give out.*

126. Augmentatives. The following suffixes convey the idea of increase in size or quality.

1. **–one, –ona** denotes extraordinary size.

> uno stradone, *a very large street*

2. **–otto, –otta** denotes something halfway between large and small.

> un ragazzotto, *a sturdy young man*

3. **–accio, –accia** conveys a strong disparaging or disdaining tone.

> un tempaccio, *some terrible weather*
> un ragazzaccio, *a terrible youngster*

4. **–astro, –astra** conveys the idea of something that doesn't quite succeed in being what it wants to be.

> un poetastro, *a poetaster, a would-be poet*
> giallastro, *yellowish*

127. Diminutives. The following suffixes denote smallness of size or quality.

1. **–ino, –ina; –ello, –ella; –etto, –etta** denote smallness and grace.

> una stanzina, *a pretty little room*
> una vecchietta, *a neat old lady*

2. **–uccio, –uccia; –uzzo, –uzza** denote smallness and endearment, but sometimes also disparagement.

> un monelluccio, *a cute little rascal*

3. Nouns may take more than one suffix at a time.

> casa — casetta — casettina — casettuccia

128. Suffixes with Adjectives. Adjectives as well as nouns may take suffixes.

> grande, *large*   grandetto, *somewhat large*
> bello, *beautiful*   bellino, *rather cute*

LANGUAGE PRACTICE

Read the following sonnet aloud and memorize it.

Sonetto di Petrarca (LXI)*

Benedetto sia 'l[1] giorno e 'l mese e l'anno
E la stagione e 'l tempo e l'ora e 'l punto
E 'l bel paese e 'l loco[2] ov'io[3] fui giunto
Da duo[4] begli occhi che legato m'hanno;
5   E benedetto il primo dolce affanno
Ch'i'[5] ebbi ad esser con Amor congiunto,
E l'arco e le saette ond'io fui punto
E le piaghe che 'n[6] fin al cor mi vanno.
Benedette le voci tante ch'io
10   Chiamando ii nome di mia donna ho sparte,
E i sospiri e le lagrime e 'l disio;
E benedette sian tutte le carte
Ov'io fama le acquisto, e 'l pensier mio
Ch'è sol di lei sí ch'altra[7] non v'ha[8] parte.

ESERCIZI

I. Si traduca oralmente, adoperando suffissi (Translate orally, using suffixes):

1. A little-boy. 2. A little-girl. 3. A little-book. 4. A little-table. 5. A neat-little-woman. 6. A pretty-little-child. 7. A pretty-little-brook. 8. A cute-little-house. 9. A cute-little-room. 10. A sturdy-young-man. 11. An enormous-tree. 12. An enormous-mustache. 13. Some tiny-trees. 14. A dirty-old-house. 15. An awful-boy. 16. Greenish. 17. Yellowish. 18. A would-be-poet. 19. Some little-old-men. 20. A neat-little-note.

II. Si spieghi mediante aggettivi il significato delle seguenti parole con suffissi (Explain with adjectives in Italian the approximate meaning of the following words with suffixes):

[1] 'l = il. [2] loco = luogo. [3] ov'io = dove io. [4] duo = due. [5] Ch'i' = Che io. [6] 'n = in. [7] ch'altra = che altra. [8] v'ha = vi ha.

* This sonnet is printed without phonetic symbols.

1. Un trenino. 2. Un finestrone. 3. Un villaggetto.
4. La manina. 5. Le guanciacce. 6. Un ponticell*uc*-
cio. 7. Due amiconi. 8. Un viaggetto. 9. Un ragazzino. 10. Un articoletto. 11. Verdastro. 12. Un
regal*uccio*. 13. Uno spillone. 14. Una visitina.
15. Un lavoretto. 16. Dei pensieracci. 17. Il col-
tellino. 18. Il bicchierino. 19. Un ponticello. 20. Un
poetastro.

III. Si traduca oralmente:

1. We did not see them. 2. They were waiting for
him. 3. I like her very much. 4. Will you greet him?
5. Will he stop? 6. They cover them. 7. She leads
them by the hand. 8. Let's look at him. 9. We are
leaving it (*f.*) 10. Can he carry it? 11. Look at it
well (*fam.*). 12. They were about to leave. 13. Take
it (*m.*) now. 14. Did you send it (*f.*)? 15. He would
send them. 16. Announce me (*fam. pl.*). 17. They
had announced them. 18. Stop (*fam. pl.*). 19. Let's
end it (*f.*). 20. Write it (*f.*) immediately.

IV. Write a composition of about one hundred words on a train
trip, describing what you saw from the train. The teacher will
have the compositions read in class and let other students ask
questions on the topics.

V. Si traduca in italiano:

1. We are about to leave the country and the express
from Milano to Zurich is speeding along. 2. The compartment has two windows from which we can see the
mountains far away. 3. There are so many pretty-
little-houses surrounded by enormous-trees which look
like tiny-little-trees. 4. Can you see those cars which
seem to be going backwards because the train is speeding so rapidly? 5. If those sturdy-young-men are
strolling arm in arm with their fiancées they must be
very happy. 6. Those neat-little-women who are leading the little-children by the hand are going toward the
school. 7. When we were passing alongside the pretty-

little-stream I saw a beautiful little-bridge which I liked
very much. 8. Have you ever seen any really frightful
houses when you were traveling through Italy? 9. If
everybody stopped to watch the train, nobody would
be left at home. 10. Our trip ends with a visit to our
friends and our book ends with greetings to all.

WORD LIST

NOUNS

alberetto *m.* tiny tree
alberino *m.* little tree
alberone *m.* great big tree
baffoni *m. pl.* big mustache
bigliettino *m.* little note
braccio *m.* (*pl.* **braccia** *f.*) arm
casaccia *f.* awful house
casetta *f.* tiny house
destinazione *f.* destination
direttissimo *m.* express train
donnetta *f.* neat little woman
ferrovia *f.* railway
fidanzata *f.* fiancée
finestrino *m.* car window
giovanotto *m.* sturdy young man
guancia *f.* cheek
ometto *m.* little man
paura *f.* fear
ponticello *m.* neat little bridge
ragazzino *m.* little boy, child
ruscelletto *m.* pretty little brook

scompartimento *m.* compartment
segretaria *f.* secretary
sedile *m.* seat
vecchietto *m.* nice little old man
viaggiatore *m.* traveler
villino *m.* neat little house
zurigo Zurich

ADJECTIVES

buffo, –a funny
svizzero, –a Swiss

VERBS

annunziare to announce
coprire to cover
filare to speed along
indietreggiare to go backwards (takes **essere**)
spedire to send
sposarsi (con) to get married (to)

OTHER WORDS

avanti forwards
oltre beyond
placidamente peacefully
rapidamente rapidly

PATTERN DRILLS

Lesson One

I. Repeat after the speaker, paying special attention to the stressed vowel sounds.

Anna, italiana, padre, madre, abita, città
e, perchè, le, tre, fresco
Enzo, fratello, sorella, bella, è
famiglia, marito, Gina, figlio, figlia, medicina
sono, ora, Roma, molto, professore, lavoro, lavorano
scuola, storia, buon, comodo, salotto, povero, Vittorio
studia, studiano, studio, saluti, uno, una

II. A. When the speaker cues in a word, repeat the word with the appropriate article **il** or **la**.

MODEL: famiglia RESPONSE: la famiglia

1. padre, madre, figlio, figlia, fratello, sorella, marito, moglie, ballo, città
2. madre, padre, moglie, marito, figlia, figlio, sorella, fratello, storia, lavoro

B. Now repeat the same exercise, supplying the appropriate indefinite article **un** or **una**.

III. The speaker will give the beginning of a question and then cue in a word which completes the question. Complete the question in the pause.

MODEL: Lavora molto? CUE: il padre RESPONSE: Lavora molto il padre?

1. Lavora a Roma?   il padre, il marito, il figlio, il fratello, il professore
2. Studia molto?   la madre, la moglie, la sorella, la figlia, il figlio di Anna
3. È felice?   il marito di Anna, la moglie di Carlo, il fratello di Gina, la sorella di Enzo
4. Lavorano molto?   Carlo e Anna, Enzo e Gina, il marito e la moglie, il fratello e la sorella, il professore e la famiglia

207

IV. When the speaker gives a sentence, repeat it in the negative.

MODEL: Il figlio abita a Roma. RESPONSE: Il figlio non abita a Roma.

1. Enzo studia medicina. 2. La famiglia abita a Roma.
3. Il fratello è professore di storia. 4. Gina va a scuola di ballo. 5. La città è bella. 6. La moglie fa il lavoro di casa.
7. Il padre lavora a Roma. 8. La figlia studia a Roma.
9. La famiglia è felice. 10. La moglie è italiana.

Lesson Two

I. Repeat after the speaker, paying special attention to the consonant sounds represented by **gli, gn, r,** and **rr.**

1. la famiglia, il figlio, la figlia, la moglie, gli amici, gli studi, gli zii
2. il bagno, ogni, il bisogno, consegna, Segni
3. grande, il pranzo, primo, il lavoro, il marito, la sorella
4. a Roma, arrivederla, il pianterreno, corre, arrivederci

II. A. As the speaker cues in each word, repeat the word with the appropriate definite article, as indicated.

MODEL: **la** or **le** — stanza RESPONSE: la stanza M: stanze
R: le stanze

1. **il** or **i**	piano, piani; salotto, salotti; bagno, bagni; professore, professori; giardino, giardini
2. **l'** or **gli**	amico, amici; anno, anni; animale, animali
3. **lo** or **gli**	studio, studi; zio, zii; studente, studenti
4. **i** or **gli**	salotti, studi, giardini, studenti, professori, amici, zii
5. **la** or **le**	casa, case; cucina, cucine; sala, sale; camera, camere; figlia, figlie; famiglia, famiglie

B. In this set supply the appropriate indefinite article as indicated.

1. **un** or **uno**	amico, studio, salotto, zio, letto, straniero, bagno, studente, giardino
2. **un'** or **una**	aria, madre, amica, figlia, ora, camera, opera, stanza, artista, sala

III. A. When the speaker cues in a word, repeat the word and add the adjective **grande.**

> MODEL: la fam*i*glia RESPONSE: la fam*i*glia grande M: le fam*i*glie R: le fam*i*glie grandi
>
> la casa, le case; la stanza, le stanze; la *c*amera, le *c*amere; la via, le vie; la scu*ɔ*la, le scu*ɔ*le

B. Now repeat the following words, but add the adjective **p*i*ccolo:**

> il giardino, i giardini; il fiore, i fiori; lo st*u*dio, gli studi; il parco, i parchi; il libro, i libri; il sal*ɔ*tto, i sal*ɔ*tti

C. Now repeat the following words, but add the adjective **c*ɔ*modo:**

> la casa, le case; la stanza, le stanze; la *c*amera, le *c*amere; la città, le città; la cucina, le cucine

IV. When the speaker cues in a word, repeat it, supplying the appropriate contraction which is indicated.

> MODEL: **al** or **alla** — giardino RESPONSE: al giardino M: cucina R: alla cucina

1. **al** or **alla**   sal*ɔ*tto, scu*ɔ*la, pianterreno, fam*i*glia, parco, via, caffè, *c*amera, professore, casa, ballo
2. **ai** or **alle**   figli, f*i*glie; padri, madri; frat*ɛ*lli, sor*ɛ*lle; fiori, fam*i*glie, giardini, stanze, case
3. **allo** or **agli**   st*u*dio, studi; zio, zii; stud*ɛ*nte, stud*ɛ*nti
4. **all'** or **allo**   amico, st*u*dio, anno, zio, animale, stud*ɛ*nte

Lesson Three

I. Repeat after the speaker, paying special attention to the characteristic sounds represented by t + vowel, i + vowel, u + vowel.

1. mercato, distante, tre, sarto, *a*bito, tutto, molto, et*ɛ*rno
2. grazioso, piano, fiore, barbi*ɛ*re, calzol*a*io, più, neg*ɔ*zio
3. bu*ɔ*n, quattro, due, qua*s*i, vu*ɔ*le, suo, scu*ɔ*la

II. When the speaker cues in a verb form the first time, repeat it and add the words **una casa;** when he repeats it the second time, add the words **i fiori.**

MODEL: trɔvo   RESPONSE: Trɔvo una casa.   M: trɔvo
       R: Trɔvo i fiori.

1. io compro, Lɛi compra, egli compra, tu compri, noi compriamo, essi comprano
2. essi vɛndono, noi vendiamo, Lɛi vende, io vendo, voi vendete
3. io hɔ, noi abbiamo, tu hai, voi avete, Lɛi ha, Loro hanno

III. The speaker will give a verb form; then when he cues in an expression, repeat the verb form together with the expression.

      MODEL: essi *a*bitano   CUE: in It*a*lia   RESPONSE: Essi *a*bitano in It*a*lia.

1. noi abitiamo	a Roma, in It*a*lia, in una casa grande, in una casa bɛlla
2. Lɛi compra	una casa, un edif*i*cio, un fiore, un libro, una medicina
3. io sono	sarto, barbiɛre, modista, calzol*a*io, pizzi*ca*gnolo
4. essi hanno	un negɔzio di *a*biti, un caffè, un giardino, una stanza da bagno, un salɔtto

IV. The speaker will give a word; then when he cues in an adjective, repeat the word with the adjective. When he cues in the plural of the noun, repeat it with the plural of the adjective.

      MODEL: la casa   CUE: grande   RESPONSE: la casa grande
        M: le case   R: le case grandi

1. la *ca*mera, le *ca*mere	grande, cɔmoda, fresca, bɛlla, p*i*ccola
2. il professore, i professori	famoso, italiano, pɔvero, p*i*ccolo, felice
3. il negɔzio, i negɔzi	p*i*ccolo, grande, bɛllo, italiano, distante
4. la chiɛsa, le chiɛse	famosa, p*i*ccola, graziosa, etɛrna, grande

V. The speaker will give an expression; then when he cues in a second expression, repeat both expressions together.

MODEL: la camera   CUE: del padre   RESPONSE: la camera del
padre

1. la casa   del professore, dello studente, dello zio, della
                  famiglia, dei barbieri
2. voi siete   nel mercato, nella chiesa, nella cucina, nel
                  negozio, negli studi
3. Gina va   al parco, al mercato, alla sala da pranzo, al
                  negozio di abiti
4. essi abitano   a Roma, vicino al mercato, nella strada
                  commerciale, vicino alla chiesa

Lesson Four

I. Repeat after the speaker, paying special attention to the
sound indicated by him.

voiceless s	sì, casa, sono, spesso, sabato, passa, famoso
voiced *s*	bisogno, chiesa, visita, musei, scusi
close e	fresco, spesso, felice, centrale, vedono, consegna
open ɛ	Firenze, fratello, sorella, centro, straniero, chiesa
close o	giorno, sono, ogni, molto, compro, mondo
open ɔ	donne, trovano, negozi, Giotto, poco, storia, però

II. The speaker will give an expression; then when he cues in a
second expression, repeat both expressions together.

MODEL: voi avete CUE: del pane RESPONSE: Voi avete del pane.

1. noi vogliamo   del pane, della medicina, degli amici, dei
                  fiori, del denaro
2. il padre   è professore, è sarto, è barbiere, è artista,
                  è calzolaio
3. tu finisci   il lavoro, l'opera d'arte, il viaggio, il pranzo,
                  lo studio
4. essi partono   il lunedì, il mercoledì, il sabato, la dome-
                  nica, il venerdì
5. potete voi?   visitare la chiesa, comprare il pane, ripo-
                  sare all'albergo, consegnare il denaro, an-
                  dare in Italia

III. The speaker will give the end of a sentence; then he will
cue in appropriate expressions to begin the sentence. Repeat the
expressions together.

MODEL: andare a scuola   CUE: io voglio   RESPONSE: Io voglio
andare a scuola.

1. parlare italiano   io voglio, noi possiamo, voi potete,
                             essi vogliono
2. alla scuola di ballo   esse vanno, Lei va, voi andate, noi
                             non andiamo, perchè non vai?
3. partire domenica   vuole Lei? io non posso, egli pre-
                             ferisce, noi vogliamo, possono essi?
4. abitare a Firenze   i genitori non possono, gli stranieri
                             preferiscono, Lei vuole, voi potete,
                             volete voi?
5. comprare del pane   egli può, essa non vuole, noi andiamo
                             a, io voglio, la moglie preferisce

IV. The speaker will cue in two phrases. Repeat them together to form a sentence.

MODEL: gli stranieri vanno   CUE: in Italia   RESPONSE: Gli
stranieri vanno in Italia.

1. arriva a Roma — di sera
   arrivano a Firenze — nel pomeriggio
   vanno in chiesa — la domenica
   vanno all'albergo — a riposare
   passiamo un giorno — coi genitori

2. partono da Roma — il mercoledì mattina
   gli stranieri visitano — le chiese e i musei
   troviamo molti — negozi di lusso
   ogni città ha — molta importanza storica
   potete comprare — della medicina
   Firenze è famosa — nella storia e nell'arte

Lesson Five

I. Repeat after the speaker the following pairs of contrasting
words, English and Italian, paying special attention to the slight
differences in sound.

fits — Uffizi	dots — dazio	maids — mezzo
goats — negozio	pots — pazzo	roads — rozzo
lots — Lazio	cots — palazzo	pounds — pranzo
boats — bozze	oats — ozio	sounds — zonzo

II. The speaker will give a phrase and then cue in different expressions which can be used before that phrase. Combine both expressions in the pause.

> MODEL: chiɛdere informazioni CUE: dove pɔsso RESPONSE: Dove pɔsso chiɛdere informazioni?

1. alle nɔve meno un quarto	essi vɛngono; noi veniamo; io vɛngo; essa viɛne; voi venite.
2. molte domande	Lɛi fa; noi non facciamo; essi fanno; perchè non fate? sɛmpre *f*accio.
3. a mezzogiorno	chi arriva? che cɔsa fate? dove andiamo? che cɔsa fin*i*scono? vogliamo partire?
4. passare l'estate in It*a*lia	l'impiegato viɛne a; Riccardo va a; gli straniɛri prefer*i*scono; noi non possiamo; perchè non vuɔi?

III. The speaker will give a word or a phrase and then cue in possessive adjectives. Combine the two in the pause.

> MODEL: classe d'italiano CUE: la mia RESPONSE: la mia classe d'italiano

1. professore di stɔria	il mio, il nɔstro, il Suo, il Loro, il tuo
2. fam*i*glia	la nɔstra, la Sua, la vɔstra, la Loro, la mia
3. fratɛlli e sorɛlle	i nɔstri, i loro, i suɔi, i tuɔi, i vɔstri
4. sale d'aspɛtto	le nɔstre, le Sue, le loro, le mie, le tue
5. padre	mio, suo, vɔstro, nɔstro, il loro

IV. The speaker will cue in two phrases, one after the other. In the pause, repeat the first phrase as it is, but change the second one to the plural.

> MODEL: vado a incontrare CUE: il mio professore RESPONSE: Vado a incontrare i miɛi professori.

1. vogliamo conɔscere — la sua classe
2. non vɔgliono vɛndere — la loro casa
3. volete visitare — la nɔstra chiɛsa?
4. possiamo comprare — il vɔstro gioiɛllo?
5. non pɔssono trovare — il suo ristorante
6. andiamo tutti — alla nɔstra casa
7. non rispondono bɛne — alla nɔstra domanda

8. arrivano alle sedici — alla loro stazione
9. parla spesso — al suo studente
10. ricevono informazioni — al vostro ufficio

Lesson Six

I. The speaker will give a phrase. Complete it with every expression that he cues in.

> MODEL: i miei genitori   CUE: sono usciti stamattina   RESPONSE: I miei genitori sono usciti stamattina.

1. Enzo e Riccardo   hanno capito; hanno parlato; hanno finito; hanno trovato alloggio; hanno venduto i libri.
2. i due studenti   sono usciti presto; sono venuti a Roma; sono arrivati a casa; sono caduti; sono partiti.
3. i suoi genitori   non hanno fatto colazione; non sono arrivati; non hanno preso la camera; non sono usciti; non sono tornati.
4. mio fratello   è caduto stamattina; è partito coll'autobus; è tornato da Firenze; è uscito presto; è venuto all'albergo.

II. Repeat the following sentences after the speaker, changing the month to the one following the one that is given.

> MODEL: Siete andati a Roma in dicembre. RESPONSE: Siete andati a Roma in gennaio.

1. Noi partiamo in febbraio. 2. Sono arrivati in aprile. 3. Siete partiti in luglio. 4. È venuto in settembre. 5. Vogliono arrivare in gennaio. 6. Faccio il viaggio in agosto.

III. The speaker will give a short sentence. First repeat it as it stands and then repeat it with a pronoun object instead of the noun object.

> MODEL: Vediamo spesso Enzo. RESPONSE: Vediamo spesso Enzo. Lo vediamo spesso.

1. Vediamo spesso la signora.
   Vediamo spesso gli studenti.
   Vediamo spesso l'Americano.
   Vediamo spesso le classi.

2. Voi comprate le borsette nei negozi.
 Voi comprate i gioielli nei negozi.
 Voi comprate il pranzo nei negozi.
 Voi comprate la medicina nei negozi.
3. Prendo subito il treno.
 Prendo subito gli autobus.
 Prendo subito le camere.
 Prendo subito la stanza.
4. Vendono il ristorante agli stranieri.
 Vendono gli edifici agli stranieri.
 Vendono l'opera d'arte agli stranieri.
 Vendono le borsette agli stranieri.

IV. The speaker will cue in two parts of a sentence. In the pause that follows, combine them to form a question.

 MODEL: Il signore è uscito CUE: presto stamattina RE-
 SPONSE: È uscito presto stamattina il signore?

1. dove prendono — l'autobus per Firenze
2. Enzo è venuto a Roma — per studiare
3. Lei ha preso — la camera con pensione
4. voi avete imparato bene — il passato prossimo
5. l'Inglese abita coi genitori — nella loro casa
6. l'amico ha preso — il treno per Roma
7. vogliamo fare un viaggio — nell'autunno
8. ci sono molti ristoranti — vicino all'albergo
9. la camera costa — duemila lire il giorno
10. essa ha fatto colazione — nella sala da pranzo

Lesson Seven

I. The speaker will give a phrase. When he cues in a verb, re-peat the phrase with the verb.

 MODEL: a visitare i musei CUE: andranno RESPONSE: Andranno a visitare i musei.

1. a Venezia nel pomeriggio arriveremo, arriverai, Lei arriverà, arriverete, arriverò
2. il treno delle sette prenderò, essa prenderà, prenderanno, prenderemo, pren-
 derai

3. la settimana prɔssima   partirà Lɛi? partiremo? partirete? partirai? partiranno?

4. il viaggio in tassì   farɔ, Lɛi farà, Loro faranno, non faremo, non potete fare

II. The speaker will give an expression and then cue in a second expression denoting the weather. Combine the two expressions in the pause.

> MODEL: ɔggi non fa   CUE: molto caldo   RESPONSE: Ɔggi non fa molto caldo.

1. a Roma fa   caldo, molto caldo, freddo, molto freddo, cattivo tɛmpo.

2. qui non fa   freddo, fresco, bɛl tɛmpo, cattivo tɛmpo, molto freddo.

3. non sɔ se fa   bɛl tɛmpo, cattivo tɛmpo, molto fresco, caldo, freddo.

4. verremo con voi se   non fa caldo, non fa freddo, non fa bɛl tɛmpo, non fa cattivo tɛmpo.

III. COMBINED PATTERN REPLACEMENT DRILL. Repeat the sentence after the speaker. Then every time he cues in a change, repeat the last form of the sentence that was given.

> MODEL: Vedrɔ la città nel pomeriggio. CUE: la RESPONSE: La vedrɔ nel pomeriggio. CUE: la settimana prɔssima R: La vedrɔ la settimana prɔssima.

1. Vedremo il Campanile quando faremo il viaggio.
   a. Vedrɔ — — — — — —.
   b. Lo — — — — — —.
   c. — vedrai — — — —.
   d. — — — farai — —.
   e. — — — lo —.
2. Prenderanno il trɛno delle diɛci a Venɛzia.
   a. — l'autobus — — — —.
   b. — — delle diciannɔve — —.
   c. — — — — — Roma.
   d. — — alle ɔtto — —.
   e. Lo — — — — —.

IV. The speaker will give an incomplete sentence. Complete the sentence with each pronoun that is cued in.

MODEL: troveranno in casa   CUE: lo   RESPONSE: Lo troveranno in casa.

1. Vedranno la settimana prossima.   mi, lo, la, ci, vi, ti
2. Finiremo subito.   lo, la, li, le
3. Capisce bene.   mi, ci, La, vi, Le
4. Perchè non chiamano?   mi, ti, lo, la, La

Lesson Eight

I. Repeat after the speaker, paying special attention to the diphthongs.

1. stazione, lezione, impressione, posizione, relazione
2. Tiziano, veneziano, Adriatico, Rialto, cordialità, Venezia
3. insieme, dieci, pazienza, miei, impiegato, chiedere
4. automobile, autobus, aula, Aurelio, Augusto
5. gennaio, febbraio, calzolaio, fornaio
6. duomo, buono, vuole, può, puoi, suo, scuola

II. The speaker will give a sentence. Repeat it. Then when he supplies a past participle, repeat the sentence with this new form.

MODEL: Io sono andato a Murano. CUE: arrivato RESPONSE: Io sono arrivato a Murano.

1. Noi siamo venuti oggi. — arrivati, andati, rimasti, partiti, usciti
2. Lei è uscito stamattina. — caduto, venuto, partito, andato, tornato
3. Esse sono tornate con le sorelle. — partite, rimaste, uscite, state, arrivate
4. Voi avete parlato molto. — detto, scritto, visto, fatto, preso
5. Essi li hanno comprati insieme. — visti, scritti, fatti, presi, venduti

III. Domandi a un altro studente (Ask another student):

1. se è uscito presto stamattina.
2. se ha visto il museo d'arte.
3. se ha scritto una lettera a suo padre.
4. se ci sono bei vetri a Murano.

5. se è rimasto contento alla pensione.
6. se è stato a Venezia nell'estate.
7. se il viaggio è stato lungo.
8. se i vaporetti sono veloci.

IV. The speaker will give a sentence. Repeat it. Then when he repeats the sentence and cues in a pronoun, repeat the sentence including the pronoun.

> MODEL: Scrivono la lettera prima del pranzo. CUE: gli RE-SPONSE: Gli scrivono la lettera prima del pranzo.

1. Hanno scritto una bella lettera.   mi, vi, ti, Le, gli
2. Parlano sempre di Venezia.   ci, vi, gli, le, loro
3. Abbiamo venduto dei bei quadri.   gli, le, vi, ti, loro
4. Scriverai quando sarai in Italia?   mi, ci, gli, le, loro

V. Combine into a question the two parts of a sentence which the speaker cues in separately.

> MODEL: Flora è venuta CUE: a incontrarli. RESPONSE: È venuta Flora a incontrarli?

1. abbiamo trovato — un bello studio a Roma
2. le ha dato — una bella camera per riposare
3. ci sono dei bei quadri — di artisti veneziani
4. potrete fare — un bel viaggio in Italia
5. troviamo dei begli amici — quando usciamo
6. nell'estate ci sono — molte belle giornate

Lesson Nine

I. The speaker will give each of the following words twice. Keep your books closed and, in the pause, write the words in your notebook.

1. scuola, scala, fresco, motoscafo, preferisco
2. freschi, fresche, Schipa, tasche, boschi
3. lascio, lasci, preferisce, finisci, usciamo
4. Ischia, fischia, schiudo, schiodo, schiavo

II. **A.** Dica a un compagno di (Ask a fellow student to):

> MODEL: tornare presto RESPONSE: Torna presto.

1. cominciare la lezione.   2. parlare col fratello.   3. dimenticare l'invito.   4. fare una domanda.   5. finire il compito.

B. Dica al professore di (Ask the teacher to):

MODEL: scrivere la parola   RESPONSE: Scriva la parola.

1. fare molte domande.   2. venire a visitare la famiglia.
3. prendersi un po' di riposo.   4. fare un lungo viaggio.
5. raccontare una storia.

C. Dica a un gruppo di amici insieme con Lei di (Suggest to a group of friends and yourself to):

MODEL: finire il compito   RESPONSE: Finiamo il compito.

1. partire nel pomeriggio.   2. ascoltare bene in classe.
3. scrivere spesso ai genitori.   4. non sprecare il tempo nell'aula.   5. fare i compiti ogni giorno.

III. When the speaker cues in the following commands, change them to the negative.

MODEL: Lascia la gondola.   RESPONSE: Non lasciare la gondola.

1. Finisci tutto quel lavoro.
2. Chiedi il denaro.
3. Compra il quadro.
4. Prendete il prossimo treno.
5. Portate i bambini.
6. Cominciate il riposo
7. Dimentichi il consiglio.
8. Venga ogni domenica.
9. Raccontiamo tutto.
10. Visitiamo Murano.

IV. TRANSLATION DRILL. Supply in the pause the Italian for the English phrase that is given.

1. The invitation which I write.
   The rest which I take.
   The health which I have.
   The phrase which I say.
   The doctor whom I call.
2. The teacher to whom he speaks.
   The student to whom he writes.
   The theater to which he goes.
   The girls to whom he has written.
   The cousin to whom he has spoken.

Lesson Ten

I. Repeat the following pairs of words, paying special attention to the quality of the stressed vowel sounds.

Pompei — spesso
duecento — invece
cielo — piacevole
venti — venti
secoli — secco
treno — vetro
proverbio — segreto

comodo — come
oggi — ogni
poco — rispondo
storia — onore
automobile — incontro
scuola — solo
Flora — loro

II. COMBINED PATTERN REPLACEMENT DRILL. Repeat the last form of the sentence each time, changing the word that is cued in.

A. 1. Quest'anno siamo andati ad Amalfi.
  2. — mese — — — —.
  3. — — sono — — —.
  4. — — — — in villeggiatura.
  5. Questa settimana — — — —.
  6. — — andremo — —.
B. 1. Quegli alberi e quelle case sono belli.
  2. — — — — montagne — —.
  3. — — — quel cielo — —.
  4. Quel mare — — — — —.
  5. — — — — — — incantevoli.
  6. — — — quelle spiagge — —.

III. Repeat the sentence with the proper form of the verb every time the speaker cues in a subject.

1. Io mi lavo la faccia ogni mattina.	tu, Lei, essa, noi, voi
2. Egli si riposa nel pomeriggio.	essa, tu, io, essi, Loro
3. Noi ci siamo fermati a guardare.	essi, esse, voi, i ragazzi, gli stranieri
4. Essa si è divertita alla spiaggia.	Lei, la signorina, Gina, quella ragazza
5. Voi vi siete meravigliati della veduta.	noi, essi, gli amici, Enzo e Gina, i genitori

IV. Repeat the sentence every time the speaker cues in a new number.

1. Ci sono seicento curve lungo il giro.

quattrocento, settecento, novecento, quaranta, cinquantasei

2. L'autobus è partito alle nove.

sedici, quindici, tredici, sette, dodici

3. Hanno passato ventun giorni in villeggiatura.

trentatrè, ventotto, trentun, trentotto, quarantadue

4. Nel salotto abbiamo duecento libri.

mille, duemila, quattromila, diciannove, novantatrè

Lesson Eleven

I. Repeat the sentence with the proper verb form every time the speaker cues in a new word, but do not repeat pronouns.

> MODEL: Vissero molti anni in Francia.   CUE: io   RESPONSE: Vissi molti anni in Francia.

1. Non ci trovai nessuno in casa.   noi, voi, tu, essi, Lei
2. Ebbero un grande influsso sulla storia.   egli, esse, i poeti, il Petrarca, Dante
3. Passai i primi anni in Toscana.   egli, voi, tu, noi, essi
4. Viaggiarono dappertutto molti anni fa.   noi, Lei, io, essa, voi

II. Repeat the sentence every time, substituting the form that is cued in.

> MODEL: Questo secolo è più importante di quello.   CUE: più interessante   RESPONSE: Questo secolo è più interessante di quello.

1. Questa scuola è migliore di quella.

più grande, più bella, più importante, più piccola, più grandiosa

2. Quegli umanisti furono più famosi di questi.

più importanti, più rinomati, più stupendi, migliori, maggiori

3. Quelle vedute sono più incantevoli di queste.	più grandiose, più belle, più stupende, più meravigliose, migliori
4. Questo libro è meno interessante di questo.	meno importante, meno necessario, meno rinomato, meno lungo, meno storico

III. The speaker will give a subject and then cue in a predicate in the infinitive form. Repeat the subject and give the predicate in the past definite.

> MODEL: il Petrarca CUE: vivere in Francia RESPONSE: Il Petrarca visse in Francia.

1. Dante	nascere a Firenze; abitare in varie città; viaggiare molto; morire a Ravenna.
2. Il Boccaccio	essere grande novelliere; ammirare molto Dante; commentare parte della Divina Commedia; avere un grande influsso.
3. I due scrittori	essere famosi; avere ammiratori; studiare molto; morire giovani.
4. Mio padre e io	viaggiare per molte città; comprare molte cose; finire tutti gli studi; studiare la letteratura del Trecento.

Lesson Twelve

I. The speaker will supply a verb form and then cue in different words to complete the sentence. Repeat each complete sentence in the pause.

> MODEL: Compravano CUE: tutto il necessario RESPONSE: Compravano tutto il necessario.

1. Andavamo	nei negozi, dal pizzicagnolo, dal fruttivendolo, dal vinaio, dal fornaio.
2. Compravamo	mortadella, prosciutto, salsiccia, tonno in scatola, acciughe.
3. Vendeva	arance, pesche, uva, pane e biscotti, formaggio.
4. Tornavo	all'albergo, al vecchio ristorante, alla Fontana di Trevi, alle sei di sera; quando avevo finito.

II. The speaker will give a short sentence with one pronoun and one noun. Repeat it, using two pronouns.

MODEL: Mi mandava il denaro.   RESPONSE: Me lo mandava.

1. Gli portava il pranzo.
2. Ci raccontava la storia.
3. Vi vendeva la frutta.
4. Le scriveva la lettera.
5. Gli scriveva la lettera.

6. Ti porto la colazione.
7. Vende loro la mortadella.
8. Gli serve il formaggio.
9. Ci prepara qualche cosa.
10. Ti lascio gli scritti.

III. The speaker will begin a sentence, stop at a preposition, and then cue in a noun. In the pause, give the full sentence with the proper contraction.

MODEL: Andavamo a comprare il vino da   CUE: il vinaio.
RESPONSE: Andavamo a comprare il vino dal vinaio.

1. Questo pomeriggio siamo andati in — i negozi, la scuola, la sala da pranzo, lo studio, il ristorante.
2. Nella sala da pranzo ho parlato a — il cameriere, il piccino, i fruttivendoli, le signore, lo straniero.
3. Dopo la colazione sono stati da — il vinaio, il pizzicagnolo, il fornaio, il calzolaio, il dottore.
4. Questa è la casa di — il professore, i ragazzi, gli amici, lo zio, le compagne di Flora.

Lesson Thirteen

I. FIXED INCREMENT DRILL. Add to the fixed form the phrase which is cued in.

MODEL: Potrei   CUE: fare un bel mestiere   RESPONSE: Potrei fare un bel mestiere.

1. Potrei — fare il barbiere; fare il falegname; comprare una bottega; lavorare per conto mio; guadagnare molto.
2. Bisognerebbe — andare all'università; studiare molto; fare la vita di studente; riposare poco; lavorare molto.
3. Dovresti — fare un mestiere; esercitare una professione; lavorare giorno e notte; fare una vita modesta.

4. Avremmo   la nostra automobile; molto riposo; una bella casa; una bella clientela; una buona professione.

II. In this exercise the fixed part of the sentence is given first, and then different expressions are cued in as a beginning for that fixed part. Add the fixed part to each beginning that is cued in.

MODEL: la professione   CUE: mi piace   RESPONSE: Mi piace la professione.

1. lavorare giorno e notte   ci piace; vi piace? non mi piace; Le piace; piace loro.
2. i giorni di riposo   ti piacciono? vi piacciono? ci piacciono; mi piacciono; Le piacciono.
3. fare un mestiere   vi piacerebbe? piacerebbe loro? ti piace? non mi piace; non ci piace.
4. la lezione di musica   non ci è piaciuta; mi è piaciuta molto; ti è piaciuta? Le è piaciuta? non è piaciuta loro.

III. The speaker will give a phrase and then cue in different expressions to complete it. Repeat the whole sentence with every cue.

MODEL: quella professione proprio non è   CUE: per me
RESPONSE: Quella professione proprio non è per me.

1. Siamo state in villeggiatura   con loro, con voi, con lui, con lei, con te.
2. Dici che vorresti parlare   a me? a lui? a noi? a loro? a lei?
3. Mi hanno detto che vogliono te, non   me, noi, lui, lei, voi.
4. Certo dovrebbe lavorare   per noi, per loro, per voi, per lei, per lui.
5. Quando ti chiedono chi è arrivato, dirai che   sono io, è lui, è lei, sono loro, siamo noi.

IV. The speaker will give an incomplete sentence and various expressions to complete it. Connect the two parts every time an expression is cued in.

1. Vorrei imparare

a fare un mestiere; a guada-- gnare bene; a insegnare l'ita- liano; a fare il medico; a esercitare una professione.

2. Che altro di meglio

si potrebbe desiderare? po- treste fare? potrebbero tro- vare? potremmo volere? potrei vedere?

3. Per me preferirei

avere orario fisso; fare l'av- vocato; la professione dell'in- gegnere; il mestiere di mura- tore; la vita di studente.

4. Si sono rassegnati

a lavorare giorno e notte; a fare una vita modesta; a guadagnare poco; all'orario lungo; a vendere l'appa- recchio.

5. Ci hanno detto stamattina che

andrebbero tutti; sarebbero pochi; vedrebbero Tommaso; verrebbero insieme; vorreb- bero viaggiare.

Lesson Fourteen

I. Repeat the following dialogue, first sentence by sentence in the pauses, and then listen to it without pauses.

— Vuoi venire a passeggio, Alberto?
— Verrei con piacere, Roberto, ma fa troppo freddo.
— Certo che fa freddo, specialmente in maniche di camicia.
— Hai ragione. Vado a prendere la giacca.
— Sì, vai. Potresti prendere un raffreddore.
— Infatti tira vento. E poi, non porto cappello.
— Eh sì. Tutti i giovani vanno senza cappello.
— Così è la moda.
— Certo, bisogna sempre seguir la moda. Così è la vita.

II. VOCABULARY DRILL. Repeat the following sentences, changing only the noun as cued in.

1. Questi negozi sono più grandi   (abiti, cappelli, fazzoletti,
    di quelli.   vestiti, parasoli)

2. Quegli amici sono migliori di questi.   (*alberi*, apparecchi, elettricisti, scrittori, studenti)

3. Quelle cravatte sono più eleganti di queste.   (cam*i*cie, giacche, mostre, mode, automobili)

4. Quei bottoni sono più p*i*ccoli di questi.   (fazzoletti, muratori, campanelli, paesi, bambini)

5. Quella signorina è più bella di questa.   (foglia, bottega, fontana, mela, pesca)

III. Repeat the following sentences. Then when the speaker cues in a particle or a pronoun, repeat the sentences with that word.

    MODEL: Vado a casa con gli amici. CUE: ci RESPONSE: Ci vado con gli amici.

1. Andiamo a teatro spesso. — ci
2. Torneranno a Firenze l'anno prossimo. — vi
3. Andrei con piacere a passeggio. — vi
4. Ha passato due settimane sulla spiaggia. — ci
5. Sono tornati subito dal negozio. — ne
6. Compreremo molte delle cravatte. — ne
7. Hanno messo in mostra il nuovo abito. — lo
8. Manderanno tutto al cugino. — gli
9. Perchè non parlate al professore? — gli
10. Non posso dire questo al dottore. — gli

Lesson Fifteen

I. SUBSTITUTION DRILL. Repeat the following sentences. Then when the speaker cues in a pronoun, repeat the complete sentence with the pronoun. (The exclamation point indicates a command)·

    MODEL: Accompagnate gli amici al teatro! CUE: li RESPONSE: Accompagnateli al teatro.

1. Facciamo la compra in quel negozio! — la
2. Domandate alla signora qual è il prezzo! — le
3. Di' al giovane di tornare presto! — gli
4. Non lasciare i bambini qu*i* soli! — li
5. Compriamo le borsette adesso! — le
6. Scriva agli zii una lunga lettera! — loro
7. Vuoi cominciare il compito domani? — lo
8. Può dire a noi quanto costa tutto? — ci
9. Mostri alla signora quella borsetta in vetrina! — le
10. Ecco il lavoro pronto. — lo

II. When the speaker gives a sentence, repeat it, changing everything to the plural.

> MODEL: La mia scarpa e la tua sono qui.   RESPONSE: Le mie
> scarpe e le tue sono qui.

1. La Sua borsetta e la mia sono eleganti.
2. La loro compra e la nostra sono care.
3. La vostra scarpa e la nostra sono piccole.
4. Il tuo cappello e il suo sono neri.
5. Il tuo guanto e il loro sono nuovi.
6. La nostra giacca e la vostra sono corte.
7. La tua mano e la sua sono rosse.
8. Il loro taschino e il tuo sono piccoli.
9. La Sua camera e la mia non bastano.
10. Il vostro prezzo e il loro sono alti.

III. A. Domanda a un compagno se (Ask a friend if)

1. andrebbe a una serata di gala.   2. avrà un paio di scarpe nuove per la serata.   3. può pagare dodicimila lire. 4. ha trovato una camicia che gli piace.   5. vuole accompagnarti al teatro.

B. Domandi al professore se

1. gli piace andare a passeggio nel pomeriggio.   2. gli pare necessario di seguire la moda.   3. va spesso senza cappello. 4. ha preso un raffreddore nell'inverno.   5. gli piace girare per i negozi con sua moglie.

C. Dica a due compagni di

1. venire a fare una visita qualche giorno.   2. far venire subito il dottore.   3. accompagnare il nuovo studente all'aula.   4. far entrare le signorine in salotto.   5. tornare presto un'altra volta.

Lesson Sixteen

I. Repeat the following sentences.   Then when the speaker cues in a pronoun, repeat the sentence using that pronoun in the subordinate clause.

> MODEL: Crede che io voglia partire domani.   CUE: voi RE-
> SPONSE: Crede che voi vogliate partire domani.

1. Vuole che io lo faccia oggi?   (noi, essi, tu, voi, esse)

2. Desideriamo che tu conosca   (Lei, essa, voi, essi, esse)
i compositori.

3. Credete che noi possiamo   (io, egli, essa, esse, essi)
imparare tanto?

4. Mi fa meraviglia che voi non   (egli, essi, tu, esse, essa)
sappiate la storia.

5. Chi può dubitare che abbiano   (tu, Lei, noi, voi, essi)
avuto grande ispirazione?

6. Permette che io Le faccia   (voi, noi, essi, esse, tu)
una domanda?

II. The speaker will make a statement. He will then begin a sentence which restates the idea as a subordinate clause. You complete the statement in the pause.

> MODEL: Nessuno sa scrivere bene. — Non c'è nessuno che... RESPONSE: Non c'è nessuno che sappia scrivere bene.

1. Nessuno parla l'inglese.   Non c'è nessuno che...

2. Conoscono la musica.   Sono i soli studenti che...

3. Ho sentito la più bella melodia.   È la più bella melodia che...

4. Il libro che vogliamo comprare   Vogliamo comprare un
è interessante.   libro che...

5. Nessuno conosce questi   Non mi fa meraviglia
compositori.   che...

6. Nessuna nazione le si può   Non c'è nazione che...
paragonare.

7. La musica che vuole comporre   Vuole comporre una
è perfetta.   musica che...

8. Ci avete accompagnati   Siamo contenti che...
e siamo contenti.

9. Diciamo all'amico di venire   Diciamo all'amico che
a visitarci.   ...

10. Ogni artista vuole studiare   Non c'è artista che
in Italia.   non...

III. Answer the following questions affirmatively or negatively, as indicated, but restate the complete sentence.

MODEL: Furono grandi artisti Michelangelo e Raffaello?
CUE: Sì... RESPONSE: Sì, Michelangelo e Raffaello furono grandi artisti.

1. Furono compositori Michelangelo, Leonardo da Vinci, e Raffaello? — No...
2. È importante nella musica la Germania? — Sì...
3. Furono grandi compositori Verdi, Puccini, e Mascagni? — Sì...
4. Fecero molti capolavori Giotto, Botticelli, e Tiziano? — Sì...
5. Sono ben conosciuti gli architetti importanti? — No...
6. Era un grande artista Benvenuto Cellini? — Sì...
7. Crede Lei che ogni città sia un vero museo? — Sì...
8. Ci sono molti artisti che non vogliono studiare in Italia? — No...
9. L'arte fa parte del temperamento italiano? — Sì...
10. Le fa meraviglia che il professore abbia viaggiato in Italia? — No...

Lesson Seventeen

I. The speaker will give two short sentences. Connect them in the pause that follows, making one dependent on the other.

MODEL: Infatti è possibile. — Viene a visitarci. RESPONSE: Infatti è possibile che venga a visitarci.

1. Mi sembra davvero. — Non c'è nessuno in città.
2. Permettete un momento. — Faccio entrare la luce.
3. È veramente peccato. — Il pezzo sta per finire.
4. È proprio necessario. — Vanno in villeggiatura.
5. Non ci sembra possibile. — Lei è partito.
6. Siamo così lieti. — Siete venuti da noi.
7. Si sono tutti rallegrati. — Lei sta bene adesso.
8. Nessuno può dubitare. — Essi conoscono l'Italia.
9. Non vogliamo affatto. — Lei si rassegna.
10. Mi fa molta meraviglia. — Essa non è rimasta.

II. When the speaker gives the following sentences, change each one to a command.

MODEL: Lei apre la persiana. RESPONSE: Apra la persiana.

1. Lei viene a passare una serata con noi.

2. Lei non mi fa aspettare.
3. Loro vengono a pranzo da noi.
4. Lei mi suona il concerto.
5. Loro non fanno cerimonie.
6. Lei non si incomoda troppo.
7. Loro guardano la televisione.
8. Lei rimane per parecchi giorni.
9. Loro ascoltano la radio.
10. Lei è indulgente con me.

III. COMPLETION DRILL. The speaker will give a phrase and then cue in various ways of completing it. Do so in the pause.

1. Si accomodi	(in salotto; vicino alla radio; dirimpetto a noi; qui accanto a me).
2. Siamo al buio	(per stare freschi; perchè fa caldo; perchè non c'è luce; per riposarci; per guardare la televisione).
3. Nel frattempo	(suoni qualche pezzo; vada a riposare; finisca il pranzo; non si incomodi troppo; prenda il caffè).
4. Ho proprio desiderio	(di andare in villeggiatura; di sentire un concerto; di sprecare denaro; di studiare la musica).
5. Ne sente la mancanza	(da quando è partito; da molti anni; dal suo ultimo viaggio; da parecchi mesi).
6. Non faccia cerimonie	(con noi; con me; coi miei genitori; con gli amici italiani).
7. Sia indulgente	(con lui; con lei; con loro; con noi; con me).
8. Non gli piace affatto	(che abbia parlato; che sia caduto; che siano partiti; che abbiano venduto tutto; che non siano usciti presto).

Lesson Eighteen

I. Domandi a uno studente o a una studentessa

1. quali due fiumi d'Italia sono famosissimi nella storia.
2. in che città vissero i maggiori letterati e artisti italiani.

3. dove si trovano le maggiori pianure. 4. quali città sono important*i*ssime nell'Italia centrale. 5. quale stagione è peggiore, l'autunno o l'inverno. 6. chi è maggiore, lui (lei) o suo fratello. 7. chi è minore, lui (lei) o sua sorella. 8. se ha amici che sono ricch*i*ssimi. 9. se ha visto fiumi che sono largh*i*ssimi. 10. se ha visto pianure che sono fertil*i*ssime.

II. The speaker will give two separate short sentences. Combine them to form one complete sentence in the pause.

> MODEL: Il Monte Rosa è alto. Il Monte Bianco è più alto.
> RESPONSE: Il Monte Bianco è più alto del Monte Rosa.

1. L'Arno è pittoresco. L'*A*dige è più pittoresco.
2. L'estate è bella. La primavera è più bella.
3. Il Pò è un fiume famoso. Il T*e*vere è più famoso.
4. *N*apoli è una grande città. Roma è più grande.
5. L'agricoltura è importante. L'ind*u*stria è più impor-tante.
6. Noi facciamo un viaggio lungo. Voi fate un viaggio più lungo.
7. Essi mangiano presto. Noi mangiamo più presto.
8. Io mi sento male. Lei si sente peggio.
9. Tu lavori bene. Egli lavora meglio.
10. Maria mangia poco. Anna mangia meno.

III. The speaker will give a sentence. When he cues in new key words, repeat the sentence using these words.

> MODEL: Quanto più vedono, tanto più imparano. CUE: com-prano — spendono RESPONSE: Quanto più com-prano, tanto più spendono.

1. Quanto più studiamo, tanto più impariamo.
   (ascoltate — capite; legge — impara; scrivo — ricordo; lavora — guadagna; vedono — amm*i*rano)

2. Quanto meno compra, tanto meno spende.
   (esce — vede; lavorate — gua-dagnate; studiano — impa-rano; canto — mi diverto; ascoltiamo — ci rammentiamo)

3. Quanto più abbiamo,   (pensano — dicono; studiate —
tanto più vogliamo.   ricordate; lavora — si diverte;
mangio — ho appetito)

Lesson Nineteen

I. COMPLETION DRILL. Repeat the first part of the sentence every time and add the dependent clauses as they are cued in.

1. Uscimmo prima che   (arrivassero; venissero a disturbarci; cominciassero a sbadigliare; ci facesse delle domande).

2. Ero contento che   (mi lasciasse fare; fosse d'accordo; avessero ragione; tutti apprezzassero l'arte).

3. Ci parlava affinchè   (comprendessimo il tema; seguitassimo a studiare; non ci disperassimo; fossimo contenti).

4. Non passava un mese senza che   (venisse a visitarmi; ci scrivesse una lettera; viaggiasse; visitasse i musei).

II. Connect the two short sentences and in each pause make one complete sentence containing a relative clause.

MODEL: L'autobus è grandissimo. Viaggiamo nell'autobus.
RESPONSE: L'autobus nel quale viaggiamo è grandissimo.

1. L'aula è troppo piccola. Studiano nell'aula.
2. I quadri sono belli. Li abbiamo visti nel museo.
3. La città è interessante. Abita nella città.
4. Il palazzo è famoso. Abbiamo visto il palazzo.
5. I ragazzi fanno chiasso. I ragazzi sono in classe.
6. Il professore conosce bene l'arte. Parlo al professore.
7. Le domande erano difficili. Essa faceva le domande.
8. La classe era grande. Ci riunivamo nella classe.
9. Nel corso abbiamo trenta alunni. Sono americani.
10. La collezione è famosissima. Si trova nel museo nazionale.

III. When the speaker gives a sentence, repeat it first in the negative and then in the interrogative form.

MODEL: Siamo tutti affezionati all'arte. RESPONSE: Non siamo tutti affezionati all'arte. Siamo tutti affezionati all'arte?

1. Ci è venuta la voglia di conversare.
2. Sono arrivati ad apprezzare l'arte italiana.
3. Fanno finta di ascoltare in classe.
4. L'alunno faceva finta di dormire.
5. La signorina era d'accordo col professore.
6. Ci lascerà fare quel che vogliamo.
7. I genitori mi lascerebbero fare tutto.
8. Le viene la voglia di partire subito.
9. Gli siamo grati che ci abbia insegnato tanto.
10. Hai sempre ragione quando parli.

Lesson Twenty

I. PERSON-NUMBER SUBSTITUTION DRILL. The speaker will give a sentence. Then when he cues in a subject, repeat the sentence with the new subject.

1. Avevamo promesso di scrivere presto. (io, Lei, egli, voi, essi)

2. Avevano fatto il viaggio parecchie volte. (Beatrice, gli amici Donati, io, noi, Gina e sua madre)

3. Avevi chiamato ancora un facchino? (voi, essa, Lei, la guida, essi)

4. Eravamo rimasti a bocca aperta. (essi, io, i miei amici, la nostra mamma, tu)

5. Non mi ero immaginato questo panorama. (egli, voi, tu, i miei genitori, nessuno)

II. COMPLETION DRILL. The speaker will give the beginning of a sentence and then cue in various ways of completing it. Complete the sentence in each pause.

1. Ci eravamo promessi di (scendere presto dal piroscafo, incontrarli in dogana; passare la dogana insieme; prendere un tassì; visitare varie città).

2. Quando furono partiti   (potei tornare all'albergo; potemmo fare colazione; potesie godere il panorama; si potè andar a letto).

3. Sapevano che   (tu li avevi incontrati; avevi chiamato il facchino; avevamo preso le valige; avevate passato la dogana; eravate andati all'albergo).

4. Non sapevo quando   (avrei fatto un altro viaggio; sarei andato col piroscafo; mi sarei sentito stanco; avrei scritto).

III. COMBINATION DRILL. Combine into a single sentence the two short sentences cued in by the speaker, supplying an appropriate connecting word.

> MODEL: Ho promesso a mio padre. Studierò ogni giorno.
> RESPONSE: Ho promesso a mio padre che studierò ogni giorno.

1. Stamattina abbiamo deciso. Faremo due passi insieme.
2. Comprenderai la bellezza del paese. Farai un viaggio.
3. Andarono al porto. Volevano ricevere gli amici.
4. Rimase a bocca aperta. Vide il golfo di Napoli.
5. Ammiravano l'isola di Capri. Il piroscafo approdava.
6. Guardiamo il golfo. Facciamo colazione.
7. Ho incontrato un giovane. Mi farà da guida.
8. Arriviamo in dogana. Subito chiamiamo il facchino.
9. Ti scriverò più a lungo. Avrò più tempo.
10. Non ha incontrato difficoltà. Sa bene l'italiano.

Lesson Twenty-one

I. First repeat each sentence after the speaker. Then repeat the sentence with the verb in the present perfect. Then repeat the sentence a second time with the verb in the past definite.

> MODEL: Tu vuoi uscire all'aria aperta. RESPONSE 1: Tu hai voluto uscire all'aria aperta. RESPONSE 2: Tu volesti uscire all'aria aperta.

1. Lei beve molto caffè.
2. Tu cadi nella strada.
3. Egli chiede un favore.
4. Noi chiudiamo l'autorimessa.
5. Io conosco il meccanico.
6. Essi fanno due passi.

7. Lei decide di partire.
8. Esse giungono a tempo.
9. Lei si mette a conversare.
10. Noi prendiamo la macchina.
11. Voi rimanete nell'autobus.
12. Essi vogliono far le loro
    scuse.

II. The speaker will say a sentence. Then when he cues in two verbs, repeat the sentence replacing the verbs of the original sentence with the two new verbs.

> MODEL: Mi domanda a che ora torno. CUE: chiede ... arrivo
> RESPONSE: Mi chiede a che ora arrivo.

1. Quando giunsi a casa trovai alcuni amici.

   (siamo giunti ... abbiamo trovato; giunse ... trovò; è giunto ... ha trovato; giunsero ... trovarono.)

2. Mentre conversavo guardai l'orologio.

   (conversavi ... guardasti; conversavano ... guardarono; conversavate ... guardaste; conversava ... guardò).

3. Volli fare una passeggiata perchè sentivo freddo.

   (volle ... sentiva; volesti ... sentivi; vollero ... sentivano; volemmo ... sentivamo).

4. È sceso in giardino ed è rimasto lì.

   (sono sceso ... sono rimasto; siete scesi ... siete rimasti; sono scese ... sono rimaste; siamo scesi ... siamo rimasti).

5. Abbiamo preso una macchina e siamo partiti.

   (ho preso ... sono partito; ha preso ... è partito; avete preso ... siete partiti; hanno preso ... sono partiti).

III. Combine the two short sentences which are given and form complete sentences.

MODEL: Stavano viaggiando. Si fermarono nel paese.
RESPONSE: Mentre stavano viaggiando, si fermarono
nel paese.

1. Stava dormendo comodamente. Arrivò l'amico.
2. Stavano tornando dalla gita. Lo incontrarono.
3. Stavi viaggiando in Europa. Imparavi molta geografia.
4. Stavano scrivendo la lettera. Mio padre entrò in salotto.
5. Li aspettavano in casa. Hanno deciso di uscire.
6. Passeggiavo col cugino. Ho conversato un paio d'ore.
7. Cercavano un buon apparecchio. Hanno guardato la
televisione.
8. Si faceva meccanico. Lavorava in un'autorimessa.
9. Erano dal tabaccaio. Ognuno prese la sua strada.
10. Le donne si salutavano. Gli uomini passeggiavano.

Lesson Twenty-two

I. When the speaker gives a sentence, repeat it using two object
pronouns in place of the object nouns and pronouns given.

MODEL: Le offrono il panino. RESPONSE: Glielo offrono.

1. Mi portano il caffè in camera.
2. Gli offrono il caffè in salotto.
3. Ci servono la cena alle sette.
4. Vi servono la colazione alle tredici.
5. Le raccontavo il fatto.
6. Mi offre la spremuta d'arancia.
7. Gli presentano le signore.
8. Le presenta suo figlio.
9. Non gli può dire la ragione.
10. Non ci vogliono servire il pranzo troppo tardi.

II. The speaker will give the dependent clause of a sentence and
then cue in various noun clauses. Repeat the complete sentence
in each pause.

MODEL: che facessero un sonnellino CUE: non voleva RE-
SPONSE: Non voleva che facessero un sonnellino.

1. che faccia un sonnellino (è necessario; è importante; vogliamo; non vogliono; mi dice).

2. che and*a*ssimo a far   (ci d*i*ssero; non vol*e*vano; bi-
     delle compre   sognò; non fu poss*i*bile; ci
                               chi*e*se).

3. prima che lo salutassi   (partì; se ne andò; si alzò;
                               entrò nell'aeroplano; mi lasciò).

4. che li av*e*ssero invitati   (*e*rano cont*e*nti; si rallegrarono;
                               rim*a*sero dispiaciuti; non *e*ra
                               poss*i*bile; peccato).

5. che f*a*ccia b*e*ne   (mi dia una medicina; gli dia
     alla salute   qualche c*ɔ*sa; ci ɔffra un vino;
                               c*e*rcano un cibo).

III. Si trad*u*cano le segu*e*nti fra*s*i oralmente:

1. May the Lord help you!   6. They work uselessly.
2. May she come soon!   7. She sings sweetly.
3. May you find rest!   8. You converse easily.
4. Blessed be that day!   9. We live comfortably.
5. Would that I never meet her   10. He talks continually.
     again!

IV. PROGRESSIVE SUBSTITUTION DRILL. Repeat the sentence as
given by the speaker, but make the change which he cues in.

1. Appena **alzati,** ci riunivamo in sal*ɔ*tto per fare i piani
della giornata.
       vestiti

2. Appena vestiti, **ci riunivamo** in sal*ɔ*tto per fare i piani
della giornata.
       andavamo

3. Appena vestiti, andavamo **in sal*ɔ*tto** per far*e* i piani della
giornata.
       in c*a*mera

4. Appena vestiti, andavamo in c*a*mera per **fare** i piani della
giornata.
       commentare su

5. Appena vestiti, andavamo in c*a*mera per commentare sui
piani della giornata.
       fatti del giorno

6. Appena vestiti, andavamo in c*a*mera per c*o*mmentare sui
fatti del giorno.

Lesson Twenty-three

I. COMPLETION DRILL. The speaker will give the independent clause of a sentence and then cue in various dependent clauses. Repeat the complete sentence in each pause.

1. Volevano sapere se   (potessero tornare coll'autobus; l'autobus facesse quel servizio; potessimo vedere i giardini; fosse una gita incantevole).

2. Non si ricordava se   (avesse pranzato; avesse l'apparecchio cinematografico; gli rimanessero pellicole; fosse stanco).

3. Sembrava che   (il tempo si fosse fermato; ogni svolta offrisse un nuovo panorama; le montagne fossero altissime; la gita non finisse mai).

4. Non mi sapeva dire   (chi fosse il gerente; che cosa volesse fare; quale fosse il nostro albergo; dove si potesse pranzare; come si dovesse viaggiare).

II. The speaker will give a sentence and then cue in a verb. Repeat the sentence, including the new verb in the main clause.

    MODEL: Dovunque viaggino, non troveranno riposo. CUE: si fermino RESPONSE: Dovunque si fermino, non troveranno riposo.

1. Chiunque voglia venire, non possiamo riceverlo. — entrare
2. Chiunque sia, proprio non voglio vederlo. — si presenti
3. Dovunque vada, troverà molti amici. — viaggi
4. Dovunque vadano, vedranno cose incantevoli. — guardino
5. Comunque sia la pellicola, voglio vederla. — vi sembri
6. Per quanto fosse lungo il viaggio, ci interessò. — paresse
7. Per quanto fossimo stanchi, accettammo l'invito. — ci sentissimo
8. Qualunque sia la sua impressione, non m'interessa. — sembri

III. Give the singular of the sentences which the speaker gives in the plural, being sure to change both the subject and the predicate.

MODEL: Visiteranno i negozi. RESPONSE: Visiterà il negozio.

1. Noi compriamo gli apparecchi cinematografici.
2. Hanno chiamato i medici greci.
3. Le ragazze hanno le labbra rosse.
4. Hanno visto i suoi nemici.
5. Avete invitato gli artisti italiani?
6. Sono piacevoli i viaggi lunghi?
7. Verranno i nostri amici?
8. Vedrete le nostre amiche?
9. Erano belle le lunghe gite?
10. Sono buone le uova gialle?

Lesson Twenty-four

I. VOCABULARY COMPLETION DRILL. Complete the following with the phrases cued in by the speaker:

1. Cominciavo la colazione con

   (una spremuta d'arancia; una spremuta d'ananasso; una spremuta di limone; una spremuta di pomodoro).

2. Per primo piatto ci servono

   (un brodo ristretto; una minestra di fagioli; un minestrone; una minestra di piselli; una minestra di pollo).

3. Come piatto principale prendiamo

   (coscia d'agnello; manzo ai ferri; pollo arrosto; costoletta di vitello; scaloppine).

4. Con la carne vorrei

   (carciofi e purè di patate; fagiolini e patate al forno; cavolfiore e patatine fritte; peperoni e piselli).

5. Per bere ci porti

   (acqua minerale e vino bianco; un vino spumante; caffè con panna; caffè espresso, un bel vino moscato).

II. STRUCTURE COMPLETION DRILL. (The same as **I**).

1. È facile — (disporre le posate; mettersi a lavorare; insegnare a parlare; imparare a cucinare; apparecchiare la tavola).

2. Bisogna — (servire il pranzo; scegliere le pietanze; occuparsi degli invitati; guardare l'elenco; disporre i posti).

3. Il nostro professore è sempre il primo a — (aiutare gli studenti; incoraggiare ognuno; insegnare nuove cose; mettersi al lavoro; scambiare idee).

4. Ci piace molto — (il cucinare; lo stare in casa; il comandare gli altri; il preparare il pranzo; il sentire la musica).

III. As the speaker says each of the following sentences, repeat them in the present perfect.

MODEL: Deve disporre le posate. CUE: avere RESPONSE: Ha dovuto disporre le posate. M: Deve occuparsi di tutto. CUE: essere R: È dovuto occuparsi di tutto.

(The exercise will be done twice. The first time the speaker will suggest the auxiliary verb essere or **avere**. The second time he will not suggest the verb.)

1. Vuole accettare l'invito. — avere
2. Vogliono partire presto stamattina. — essere
3. Vogliamo andare in macchina. — essere
4. Devo viaggiare in aeroplano. — avere
5. Devono rimanere per lungo tempo. — essere
6. Deve Lei uscire sola? — essere
7. Non possiamo lasciare la città. — avere
8. Non possono trovare acqua da bere. — avere
9. Possono mangiare pollo arrosto. — avere
10. Non posso venire prima di loro. — essere

Lesson Twenty-five

I. The speaker will give two sentences. Combine them to form contrary-to-fact sentences.

MODEL: Non posso. Non resto a Firenze. RESPONSE: Se
potessi, resterei a Firenze.

1. Non ha denaro. Non può comprare portagioielli.
2. Non è ricca. Non compra il negozio intero.
3. Non abbiamo tempo. Non andiamo a zonzo per la
città.
4. Non possono viaggiare. Non passano le vacanze in
Europa.
5. Non ha appetito. Non prende manzo ai ferri.
6. Non hanno sete. Non prendono vino spumante.
7. Non è fiorentino. Non parla bene l'italiano.
8. Non viene presto. Non andiamo insieme.
9. Non hanno macchina. Non possono visitare le città.
10. Non è moderna. Non ha preso l'aeroplano.

II. When the speaker gives each of the following sentences, repeat it referring to past time.

MODEL: Se fossero in viaggio, ci scriverebbero. RESPONSE:
Se fossero stati in viaggio, ci avrebbero scritto.

1. Se avessi molti amici, non mi sentirei solo.
2. Se i profumi costassero un occhio, non ne comprerebbe.
3. Se foste stanchi, non uscireste a passeggiare.
4. Se girassi dappertutto, troverei panorami incantevoli.
5. Se cercassimo un albergo, lo troveremmo.
6. Se si limitasse nelle compre, le resterebbe denaro.
7. Se tu potessi, resteresti qui tutta l'estate.
8. Se vedessero il golfo, non partirebbero così presto.

III. The speaker will give a phrase containing a participle or a
gerund. Repeat the phrase, using a pronoun or a particle instead
of the noun.

MODEL: Arrivando alla stazione, trovò il cugino. RESPONSE:
Arrivandoci, trovò il cugino.

1. Finito il lavoro, se ne andò.
2. Vista la città, prese il primo treno.
3. Prodotto il vino, lo venderono.
4. Comprate le scarpe, se le mise ai piedi.
5. Tornato a casa, potè vederla facilmente.
6. Trovato il professore in casa, potè parlargli.

7. Riprese le occupazioni, trovarono la vita più interessante.
8. Adoperando le ciprie, si faceva bella.
9. Comprando degli articoli, si spende troppo.
10. Invitando gli amici, ti farai onore.

Lesson Twenty-six

I. (Prima di fare quest'esercizio, si ripassi « Alla stazione di rifornimento », a pagina 172). Chieda a un compagno:

1. di favorire la chiave per la benzina. 2. di mettere trenta litri di super. 3. se la macchina è noleggiata. 4. di controllare l'olio e l'acqua. 5. dov'è la leva del cofano. 6. se c'è pericolo che qualcuno porti via il motore. 7. se c'è pericolo che qualcuno danneggi la macchina. 8. dove può lasciare la macchina in parcheggio. 9. quanto deve in tutto. 10. qual è la strada per Castel Gandolfo.

II. (Prima di fare quest'esercizio, si ripassi il « Dialogo sullo sport », a pagina 97). Chieda a un compagno:

1. quali sono i suoi sport favoriti. 2. se il polo è ben conosciuto in Italia. 3. se il calcio si gioca come il foot-ball americano. 4. come si adopera la bicicletta. 5. come si fa il Giro d'Italia. 6. chi si dedica all'alpinismo. 7. se ci sono molti grattacieli in Italia. 8. se c'è l'alpinismo in America. 9. se lui conosce le montagne dell'ovest. 10. se a lui piace molto lo sport.

III. Repeat the sentence as given by the speaker and add the word called for by the explanation.

MODEL: Una piccola casa si dice . . . RESPONSE: Una piccola casa si dice una casetta.

1. Una piccola finestra si dice . . .
2. Un piccolo ragazzo si dice . . .
3. Un ruscello piccolo e bello si dice . . .
4. Un ponte piccolo e bello si dice . . .
5. Un vecchio piccolo e carino si dice . . .
6. Un albero molto grande si dice . . .
7. Un biglietto piccolo piccolo si dice . . .
8. Un poeta che non è vero poeta si dice . . .
9. Il colore quasi verde si chiama . . .
10. Dei pensieri cattivi si dicono . . .

VERB APPENDIX AND VOCABULARIES

REGULAR VERBS AND AUXILIARIES

Regular Conjugations   Auxiliary Verbs

I	II	III		avere	εssere

Infinitive (Infinito)

| parlare | vendere | finire | *and* | dormire | avere | εssere |

Present Participle (Participio presεnte)

| parlando | vendεndo | finεndo | dormεndo | avεndo | essεndo |

Past Participle (Participio passato)

| parlato | venduto | finito | dormito | avuto | stato |

Indicative Mood (Indicativo)

PRESENT (PRESÉNTE)

parlo	vendo	finisco	dɔrmo	hɔ	sono
parli	vendi	finisci	dɔrmi	hai	sεi
paᵣla	vende	finisce	dɔrme	ha	ὲ
parliamo	vendiamo	finiamo	dormiamo	abbiamo	siamo
parlate	vendete	finite	dormite	avete	siεte
parlano	vendono	finiscono	dɔrmono	hanno	sono

IMPERFECT *or* PAST DESCRIPTIVE (IMPERFεTTO)

parlavo	vendevo	finivo	avevo	εro
parlavi	vendevi	finivi	avevi	εri
parlava	vendeva	finiva	aveva	εra
parlavamo	vendevamo	finivamo	avevamo	eravamo
parlavate	vendevate	finivate	avevate	eravate
parlavano	vendevano	finivano	avevano	εrano

PAST DEFINITE *or* PAST ABSOLUTE (PASSATO REMɔTO)

parlai	vendei (εtti)	finii	εbbi	fui
parlasti	vendesti	finisti	avesti	fosti
parlɔ	vendè (εtte)	finì	εbbe	fu
parlammo	vendemmo	finimmo	avemmo	fummo
parlaste	vendeste	finiste	aveste	foste
parlarono	venderono (εttero)	finirono	εbbero	furono

FUTURE (FUTURO)

parlerɔ	venderɔ	finirɔ	avrɔ	sarɔ
parlerai	venderai	finirai	avrai	sarai
parlerà	venderà	finirà	avrà	sarà
parleremo	venderemo	finiremo	avremo	saremo
parlerete	venderete	finirete	avrete	sarete
parleranno	venderanno	finiranno	avranno	saranno

245

CONDITIONAL (CONDIZIONALE PRESÉNTE)

parlerɛi	venderɛi	finirɛi	avrɛi	sarɛi
parleresti	venderesti	finiresti	avresti	saresti
parlerɛbbe	venderɛbbe	finirɛbbe	avrɛbbe	sarɛbbe
parleremmo	venderemmo	finiremmo	avremmo	saremmo
parlereste	vendereste	finireste	avreste	sareste
parlerɛbbero	venderɛbbero	finirɛbbero	avrɛbbero	sarɛbbero

PRESENT PERFECT (PASSATO PRƆSSIMO)

hɔ parlato	hɔ venduto	hɔ finito	hɔ avuto	sono stato(a)

FIRST PLUPERFECT (TRAPASSATO PRƆSSIMO)

avevo parlato	avevo venduto	avevo finito	avevo avuto	ɛro stato(a)

SECOND PLUPERFECT (TRAPASSATO REMƆTO)

ɛbbi parlato	ɛbbi venduto	ɛbbi finito	ɛbbi avuto	fui stato(a)

FUTURE PERFECT (FUTURO ANTERIORE)

avrɔ parlato	avrɔ venduto	avrɔ finito	avrɔ avuto	sarɔ stato(a)

CONDITIONAL PERFECT (CONDIZIONALE PASSATO)

avrɛi parlato	avrɛi venduto	avrɛi finito	avrɛi avuto	sarɛi stato(a)

Subjunctive Mood (Congiuntivo *or* Soggiuntivo)

PRESENT (PRESÉNTE)

parli	venda	finisca	dɔrma	abbia	sia
parli	venda	finisca	dɔrma	abbia	sia
parli	venda	finisca	dɔrma	abbia	sia
parliamo	vendiamo	finiamo	dormiamo	abbiamo	siamo
parliate	vendiate	finiate	dormiate	abbiate	siate
parlino	vendano	finíscano	dɔrmano	abbiano	síano

IMPERFECT *or* PAST (IMPERFƐTTO)

parlassi	vendessi	finissi	avessi	fossi
parlassi	vendessi	finissi	avessi	fossi
parlasse	vendesse	finisse	avesse	fosse
parlassimo	vendessimo	finíssimo	avessimo	fossimo
parlaste	vendeste	finiste	aveste	foste
parlassero	vendessero	finísserc	avessero	fossero

PRESENT PERFECT (PASSATO)

abbia parlato	abbia venduto	abbia finito	abbia avuto	sia stato(a)

avessi parlato   avessi venduto   avessi finito   avessi avuto   fossi stato(a)

Imperative (Imperativo)

parla	vendi	finisci	dɔrmi	abbi	sii
parli	venda	finisca	dɔrma	abbia	sia
parliamo	vendiamo	finiamo	dormiamo	abbiamo	siamo
parlate	vendete	finite	dormite	abbiate	siate
parlino	vendano	finiscano	dɔrmano	abbiano	siano

(Second person singular negative)

non parlare   non vendere   non finire   non dormire   non avere   non ɛssere

IRREGULAR VERBS

In this section we have given all the irregular verbs which are likely to be needed by a first-year student. We have not included verbs of a purely literary nature or verbs which are very uncommon. Only the irregular forms are given, and only enough of those to leave no doubt as to what the full conjugation would be. The asterisk (*) indicates that a verb is conjugated with ɛssere. The small circle (°) indicates that a verb is conjugated sometimes with ɛssere and sometimes with **avere**. The abbreviations used are as follows and in the following order:

p.i.	present indicative	*p.d.*	past definite
p.s.	present subjunctive	*p.p.*	past participle
f.	future	*pres. p.*	present participle
i.	imperfect	*impve.*	imperative

***accadere,** to happen (*impersonal*); *see* **cadere**
  accɛndere, to light; *p.d.* accesi, accendesti; *p.p.* acceso
  accludere, to enclose; *p.d.* acclusi, accludesti; *p.p.* accluso
***accɔrgersi,** to notice; *see* **scɔrgere**
  accrescere, to increase; *see* **crescere**
  aggiungere, to add; *see* **giungere**
  ammettere, to admit; *see* **mettere**
***andare,** to go; *p.i.* vado *or* vɔ, vai, va, andiamo, andate, vanno; *p.s.* vada;
  f. andrɔ; *impve.* va'
***apparire,** to appear; *p.i.* appaio *or* apparisco, appari *or* apparisci, appare *or*
  apparisce, appariamo, apparite, appaiono *or* appariscono; *p.s.* appaia *or*
  apparisca; *p.d.* apparsi *or* apparvi *or* apparii, apparisti; *p.p.* apparso *or*
  apparito; *impve.* appari *or* apparisci
°**appartenere,** to belong; *see* **tenere**
  appɛndere, to hang; *p.d.* appesi, appendesti; *p.p.* appeso
  apprɛndere, to learn; *see* **prɛndere**
  aprire, to open; *p.d.* apɛrsi *or* aprii, apristi; *p.p.* apɛrto
  ardere, to burn; *p.d.* arsi, ardesti; *p.p.* arso

*ascendere, to ascend; *see* **scendere**

assistere, to assist, be present; *p.p.* assistito

assumere, to assume; *p.d.* assunsi, assumesti; *p.p.* assunto

*avvedersi, to perceive, notice; *see* **vedere**

*avvenire, to happen *(impersonal)*; *see* **venire**

avvolgere, to wrap; *see* **volgere**

benedire, to bless; *see* **dire**

bere, to drink; *p.i.* bevo, bevi; *f.* berrò; *i.* bevevo; *p.d.* bevvi *or* bevei *or* bevetti, bevesti; *p.p.* bevuto

*cadere, to fall; *f.* cadrò; *p.d.* caddi, cadesti

chiedere, to ask; *p.d.* chiesi, chiedesti; *p.p.* chiesto

chiudere, to close; *p.d.* chiusi, chiudesti; *p.p.* chiuso

cogliere, to gather; *p.i.* colgo, cogli, coglie, cogliamo, cogliete, colgono; *p.d.* colsi, cogliesti; *p.p.* colto

commettere, to commit; *see* **mettere**

commuovere, to move, affect; *see* **muovere**

*comparire, to appear; *see* **apparire**

comporre, to compose; *see* **porre**

comprendere, to comprehend, include; *see* **prendere**

concedere, to concede; *p.d.* concessi *or* concedei *or* concedetti, concedesti; *p.p.* concesso *or* conceduto

conchiudere *or* **concludere,** to conclude; *see* **chiudere** *and* **accludere**

condurre, to conduct, lead; *f.* condurrò; *i.* conducevo; *p.d.* condussi, conducesti; *p.p.* condotto

confondere, to confuse; *p.d.* confusi, confondesti; *p.p.* confuso

conoscere, to know; *p.d.* conobbi, conoscesti; *p.p.* conosciuto

*consistere, to consist; *p.p.* consistito

contradire, to contradict; *see* **dire**

contrarre, to contract; *see* **trarre**

convenire, to agree; *see* **venire**

convincere, to convince; *see* **vincere**

coprire, to cover; *see* **aprire**

correggere, to correct; *p.d.* corressi, correggesti; *p.p.* corretto

°correre, to run; *p.d.* corsi, corresti; *p.p.* corso

corrispondere, to correspond; *see* **rispondere**

costringere, to force; *see* **stringere**

costruire, to construct, build; *p.d.* costrussi *or* costruii, costruisti; *p.p.* costrutto *or* costruito

°crescere, to grow; *p.d.* crebbi, crescesti; *p.p.* cresciuto

cucire, to sew; *p.i.* cucio; *p.s.* cucia

cuocere, to cook; *p.i.* cuocio, cuoci, cuoce, cociamo, cocete, cuociono; *p.s* cuocia; *p.d.* cossi, cocesti; *p.p.* cotto

dare, to give; *p.i.* do, dai, dà, diamo, date, danno; *p.s.* dia; *f.* darò; *p.d* detti *or* diedi, desti; *impve.* da'

decidere, to decide; *p.d.* decisi, decidesti; *p.p.* deciso

descrivere, to describe; *see* **scrivere**

difendere, to defend; *p.d.* difesi, difendesti; *p.p.* difeso

diffondere, to diffuse; *p.d.* diffusi, diffondesti; *p.p.* diffuso

*dipendere, to depend; *see* **appendere**

dipingere, to paint; *p.d.* dipinsi, dipingesti; *p.p.* dipinto

dire, to say, tell; *p.i.* dico, dici, dice, diciamo, dite, dicono; *p.s.* dica; *f.* dirò; *i.* dicevo; *p.d.* dissi, dicesti; *p.p.* detto; *impve.* di', diciamo, dite

dirigere, to direct; *p.d.* diressi, dirigesti; *p.p.* diretto

*discendere. to descend; *see* scendere
discorrere, to converse; *see* correre
discutere, to discuss; *p.d.* discussi, discutesti; *p.p.* discusso
*dispiacere, to be displeasing; *see* piacere
disporre, to dispose; *see* porre
distinguere, to distinguish; *p.d.* distinsi, distinguesti; *p.p.* distinto
distrarre, to distract; *see* trarre
distruggere, to destroy; *p.d.* distrussi, distruggesti; *p.p.* distrutto
*divenire, to become; *see* venire
dividere, to divide; *p.d.* divisi, dividesti; *p.p.* diviso
*dolere, to ache, pain; *p.i.* dɔlgo, duɔli, duɔle, doliamo, dolete, dɔlgono;
   p.s. dɔlga; *f.* dorrɔ; *p.d.* dɔlsi, dolesti
°dovere, to have to, be obliged to, must; *p.i.* dɛvo *or* dɛbbo, dɛvi, dɛve,
   dobbiamo, dovete, dɛvono *or* dɛbbono; *p.s.* dɛva *or* dɛbba; *f.* dovrɔ
*esistere, to exist; *p.p.* esistito
esplodere, to explode; *p.d.* esplɔsi, esplodesti; *p.p.* esplɔso
esprimere, to express; *p.d.* esprɛssi, esprimesti; *p.p.* esprɛsso
*evadere, to evade; *p.d.* evasi, evadesti; *p.p.* evaso
fare, to do, make; *p.i.* faccio *or* fɔ, fai, fa, facciamo, fate, fanno; *p.s.* faccia;
   f. farɔ; *i.* facevo; *p.d.* feci, facesti; *p.p.* fatto; *pres. p.* facɛndo; *impve.*
   fa', facciamo, fate
fingere, to pretend; *p.d.* finsi, fingesti; *p.p.* finto
friggere, to fry; *p.d.* frissi, friggesti; *p.p.* fritto
*giacere, to lie; *p.i.* giaccio, giaci, giace, giaciamo, giacete, giacɔiono; *p.s.*
   giaccia; *p.d.* giacqui, giacesti
°giungere, to arrive; join (*of hands*); *p.d.* giunsi, giungesti; *p.p.* giunto
godere, to enjoy; *f.* godrɔ
imporre, to impose; *see* porre
imprimere, to imprint, impress; *p.d.* imprɛssi, imprimesti; *p.p.* imprɛsso
insistere, to insist; *p.p.* insistito
intɛndere, to intend, understand; *p.d.* intesi, intendesti; *p.p.* inteso
interrompere, to interrupt; *see* rompere
*intervenire, to intervene; *see* venire
introdurre, to introduce; *p.i.* introduco, introduci; *p.s.* introduca; *f.*
   introdurrɔ; *i.* introducevo; *p.d.* introdussi, introducesti; *p.p.* introdotto
*intrudersi, to intrude; *p.d.* m'intrusi, t'intrudesti; *p.p.* intruso
invɔlgere, to wrap; *see* vɔlgere
lɛggere, to read; *p.d.* lɛssi, leggesti; *p.p.* lɛtto
mantenere, to maintain; *see* tenere
mettere, to put; *p.d.* misi, mettesti; *p.p.* messo
mɔrdere, to bite; *p.d.* mɔrsi, mordesti; *p.p.* mɔrso
*morire, to die; *p.i.* muɔio, muɔri, muɔre, moriamo, morite, muɔiono; *p.s.*
   muɔia; *f.* morrɔ; *p.p.* mɔrto
muɔvere *or* mɔvere, to move; *p.i.* muɔvo, muɔvi, muɔve, moviamo, movete,
   muɔvono; *p.d.* mɔssi, movesti; *p.p.* mɔsso
*nascere, to be born; *p.d.* nacqui, nascesti; *p.p.* nato
nascondere, to hide, conceal; *p.d.* nascosi, nascondesti; *p.p.* nascosto
nuɔcere *or* nɔcere, to hurt, harm; *p.i.* nɔccio, nuɔci, nuɔce, nociamo, nocete,
   nɔcciono; *p.s.* nɔccia; *p.d.* nɔcqui, nocesti; *p.p.* nociuto
*occorrere, to be necessary (*impersonal*); *see* correre
offɛndere, to offend; *see* difɛndere
offrire, to offer; *p.d.* offɛrsi *or* offrii, offristi; *p.p.* offɛrto
omettere, to omit; *see* mettere

opporre to oppose; *see* **porre**

opprimere, to oppress; *p.d.* oppressi, opprimesti; *p.p.* oppresso

ottenere, to obtain; *see* **tenere**

*__parere,__ to seem, appear; *p.i.* paio, pari, pare, paiamo *or* pariamo, parete, paiono; *p.s.* paia; *f.* parrò; *p.d.* parvi *or* parsi, paresti; *p.p.* parso

percorrere, to run over; *see* **correre**

percuotere, to strike; *see* **scuotere**

perdere, to lose; *p.d.* persi *or* perdei *or* perdetti, perdesti; *p.p.* perso *or* perduto

permettere, to permit; *see* **mettere**

persuadere, to persuade; *p.d.* persuasi, persuadesti; *p.p.* persuaso

*__piacere,__ to be pleasing; *p.i.* piaccio, piaci, piace, piacciamo, piacete, piacciono; *p.s.* piaccia; *p.d.* piacqui, piacesti; *p.p.* piaciuto

piangere, to cry, weep; *p.d.* piansi, piangesti; *p.p.* pianto

°**piovere,** to rain (*impersonal*); *p.d.* piovve

porgere, to present, offer, extend; *p.d.* porsi, porgesti; *p.p.* porto

porre, to put, place; *p.i.* pongo, poni, pone, poniamo, ponete, pongono; *p.s.* ponga; *f.* porrò; *p.d.* posi, ponesti; *p.p.* posto

posporre, to postpone; *see* **porre**

possedere, to possess, own; *see* **sedere**

°**potere,** to be able, may, can; *p.i.* posso, puoi, può, possiamo, potete, possono; *p.s.* possa; *f.* potrò

prediligere, to prefer; *p.d.* predilessi, prediligesti; *p.p.* prediletto

prendere, to take; *p.d.* presi, prendesti; *p.p.* preso

pretendere, to pretend; *see* **tendere**

prevedere, to foresee; *see* **vedere**

prevenire, to anticipate, prevent, forewarn; *see* **venire**

produrre, to produce; *see* **condurre**

promettere, to promise; *see* **mettere**

proporre, to propose; *see* **porre**

proteggere, to protect; *p.d.* protessi, proteggesti; *p.p.* protetto

provvedere, to provide; *see* **vedere**

pungere, to prick, sting; *p.d.* punsi, pungesti; *p.p.* punto

raccogliere, to gather; *see* **cogliere**

radere, to shave; *p.d.* rasi, radesti; *p.p.* raso

raggiungere, to overtake; *see* **giungere**

redimere, to redeem; *p.d.* redensi, redimesti; *p.p.* redento

reggere, to support; *p.d.* ressi, reggesti; *p.p.* retto

rendere, to render; *p.d.* resi, rendesti; *p.p.* reso

reprimere, to repress; *see* **opprimere**

resistere, to resist; *p.p.* resistito

respingere, to push back; *see* **spingere**

richiedere, to request; *see* **chiedere**

riconoscere, to recognize; *see* **conoscere**

ricoprire, to cover again; *see* **aprire**

*__ricorrere,__ to have recourse, refer; *see* **correre**

ridere, to laugh; *p.d.* risi, ridesti; *p.p.* riso

ridurre, to reduce; *see* **condurre**

rifare, to do again. make (*a bed*); *see* **fare**

riflettere, to reflect; *p.p.* riflesso *or* riflettuto

*__rimanere,__ to remain; *p.i.* rimango. rimani, rimane, rimaniamo, rimanete, rimangono; *p.s.* rimanga; *f.* rimarrò; *p.d.* rimasi, rimanesti; *p.p.* rimasto

rimettere, to replace; *see* **mettere**
rimpiangere, to regret; *see* **piangere**
rimuɔvere, to remove; *see* **muɔvere**
*****rinascere,** to be born again; *see* **nascere**
rinchiudere, to shut in, enclose; *see* **chiudere**
*****rincrescere,** to regret (*impersonal*); *see* **crescere**
riprɛndere, to take back, recover; *see* **prɛndere**
riprodurre, to reproduce; *see* **condurre**
riscuɔtere, to collect; *see* **scuɔtere**
risɔlvere, to resolve; *p.d.* risɔlsi *or* risolvei *or* risolvɛtti, risolvesti; *p.p.* risɔlto *or* risoluto
rispondere, to answer; *p.d.* risposi, rispondesti; *p.p.* risposto
ritenere, to retain; *see* **tenere**
ritrarre, to draw; *see* **trarre**
*****riuscire,** to succeed; *see* **uscire**
rivɔlgere, to turn, turn again; *see* **vɔlgere**
rodere, to gnaw; *p.d.* rosi, rodesti; *p.p.* roso
rompere, to break; *p.d.* ruppi, rompesti; *p.p.* rotto
*****salire,** to ascend, climb, go up; *p.i.* salgo, sali, sale, saliamo, salite, salgono; *p.s.* salga
sapere, to know, know how; *p.i.* sɔ, sai, sa, sappiamo, sapete, sanno; *p.s.* sappia; *f.* saprɔ; *p.d.* sɛppi, sapesti; *impve.* sappi, sappiamo, sappiate
*****scadere,** to fall due; *see* **cadere**
scegliere, to choose; *p.i.* scelgo, scegli, sceglie, scegliamo, scegliete, scelgono; *p.s.* scelga; *p.d.* scelsi, scegliesti; *p.p.* scelto
*****scendere,** to descend, go down; *p.d.* scesi, scendesti; *p.p.* sceso
schiudere, to open; *see* **chiudere**
sciogliere, to untie, dissolve; *p.i.* sciɔlgo, sciɔgli, sciɔglie, sciogliamo, sciogliete, sciɔlgono; *p.s.* sciɔlga; *p.d.* sciɔlsi, sciogliesti; *p.p.* sciɔlto
scommettere, to bet; *see* **mettere**
scoprire, to discover; *see* **aprire**
scɔrgere, to perceive; *p.d.* scɔrsi, scorgesti; *p.p.* scɔrto
scrivere, to write; *p.d.* scrissi, scrivesti; *p.p.* scritto
scuɔtere, to shake; *p.i.* scuɔto, scuɔti, scuɔte, scotiamo, scotete, scuɔtono; *p.s.* scuɔta; *f.* scuoterɔ; *p.d.* scɔssi, scotesti; *p.p.* scɔsso
sedere, to sit; *p.i.* siɛdo *or* sɛggo, siɛdi, siɛde, sediamo, sedete, siɛdono *or* sɛggono; *p.s.* siɛda *or* sɛgga
seppellire, to bury; *p.p.* sepolto *or* seppellito
smettere, to cease, stop; *see* **mettere**
smuɔvere, to move, displace; *see* **muɔvere**
soccorrere, to aid, assist; *see* **correre**
soddisfare, to satisfy; *see* **fare**
soffrire, to suffer; *see* **offrire**
soggiungere, to add; *see* **giungere**
*****solere,** to be accustomed; *p.i.* sɔglio, suɔli, suɔle, sogliamo, solete, sɔgliono; *p.s.* sɔglia; *p.p.* sɔlito
sommɛrgere, to submerge; *p.d.* sommɛrsi, sommergesti; *p.p.* sommɛrso
sopprimere, to suppress; *see* **esprimere**
*****sorgere,** to arise; *p.d.* sorsi, sorgesti; *p.p.* sorto
sorprɛndere, to surprise; *see* **prɛndere**
sorrɛggere, to support; *see* **rɛggere**
sorridere, to smile; *see* **ridere**
sospɛndere, to suspend; *see* **appɛndere**

sostenere, to support; *see* **tenere**
sottintɛndere, to imply; *see* **tɛndere**
sottomettere, to subdue; *see* **mettere**
sottrarre, to subtract; *see* **trarre**
spɑndere, to spread; *p.d.* spasi, spandesti; *p.p.* spaso
spɑrgere, to spread, scatter; *p.d.* sparsi, spargesti; *p.p.* sparso
*****sparire,** to disappear; *p.i.* sparisco; *p.d.* sparii *or* sparvi, sparisti
spɛndere, to spend; *p.d.* spesi, spendesti; *p.p.* speso
spɛngere *or* **spɛgnere,** to extinguish; *p.d.* spɛnsi, spengesti; *p.p.* spɛnto
*****spɛrdersi,** to disappear, get lost; *see* **pɛrdere**
spingere, to push; *p.d.* spinsi, spingesti; *p.p.* spinto
*****spɔrgersi,** to lean out; *see* **pɔrgere**
*****stare,** to stay, stand, be; *p.i.* stɔ, stai, sta, stiamo, state, stanno; *p.s.* stia;
   f. starɔ; *p.d.* stɛtti, stesti; *p.p.* stato; *impve.* sta'
stɛndere, to stretch out; *see* **tɛndere**
stringere, to tighten; *p.d.* strinsi, stringesti; *p.p.* stretto
*****succɛdere,** to succeed, happen; *see* **concɛdere**
supporre, to suppose; *see* **porre**
*****svenire,** to faint; *see* **venire**
svɔlgere, to unfold; *see* **vɔlgere**
tacere, to be silent; *p.i.* taccio, taci, tace, taciamo, tacete, tacciono; *p.s.*
   taccia; *p.d.* tacqui, tacesti; *p.p.* taciuto
tɛndere, to tend; *p.d.* tesi, tendesti; *p.p.* teso
tenere, to hold, have; *p.i.* tɛngo, tiɛni, tiɛne, teniamo, tenete, tɛngono;
   p.s. tɛnga; *f.* terrɔ; *p.d.* tenni, tenesti
tingere, to dye; *p.d.* tinsi, tingesti; *p.p.* tinto
tɔgliere *or* **tɔrre,** to take from; *p.i.* tɔlgo, tɔgli, tɔglie, togliamo, togliete,
   tɔlgono; *p.s.* tɔlga; *f.* toglierɔ *or* torrɔ; *p.d.* tɔlsi, togliesti; *p.p.* tɔlto
tɔrcere, to twist; *p.d.* tɔrsi, torcesti; *p.p.* tɔrto
tradɯrre, to translate; *see* **condurre**
trarre, to draw, pull; *p.i.* traggo, trai, trae, traiamo, traete, traggono; *p.s.*
   tragga; *f.* trarrɔ; *p.d.* trassi, traesti; *p.p.* tratto
trascorrere, to spend (*time*); *see* **correre**
trasmettere, to transmit; *see* **mettere**
trattenere, to detain; *see* **tenere**
uccidere, to kill; *p.d.* uccisi, uccidesti; *p.p.* ucciso
udire, to hear; *p.i.* ɔdo, ɔdi, ɔde, udiamo, udite, ɔdono; *p.s.* ɔda
ungere, to grease, anoint; *p.d.* unsi, ungesti; *p.p.* unto
*****uscire,** to go out; *p.i.* ɛsco, ɛsci, ɛsce, usciamo, uscite, ɛscono; *p.s.* ɛsca
*****valere,** to be worth; *p.i.* valgo, vali, vale, valiamo, valete, valgono; *p.s.*
   valga; *f.* varrɔ; *p.d.* valsi, valesti; *p.p.* valso
vedere, to see; *f.* vedrɔ; *p.d.* vidi, vedesti; *p.p.* visto *or* veduto
*****venire,** to come; *p.i.* vɛngo, viɛni, viɛne, veniamo, venite, vɛngono; *p.s.*
   vɛnga; *f.* verrɔ; *p.d.* venni, venisti; *p.p.* venuto
vincere, to win; *p.d.* vinsi, vincesti; *p.p.* vinto
°**vivere,** to live; *f.* vivrɔ; *p.d.* vissi, vivesti; *p.p.* vissuto
°**volere,** to will, wish, want; *p.i.* vɔglio, vuɔi, vuɔle, vogliamo, volete, vɔgliono; *p.s.* vɔglia; *f.* vorrɔ; *p.d.* vɔlli, volesti; *impve.* vɔgli, vogliamo,
   vogliate
vɔlgere, to turn, revolve; *p.d.* vɔlsi, volgesti; *p.p.* vɔlto

Vocabulary

ITALIAN-ENGLISH

Articles, contractions, numerals, identical cognates, and words and expressions translated in the grammar sections are generally omitted from this vocabulary. The asterisk (*) before a verb indicates that it is conjugated with εssere; the sign (°) indicates that the verb sometimes takes εssere and sometimes avere, according to the meaning. Tonic open e is indicated by the symbol ε; tonic open o, by ɔ; these two symbols, italicized vowels, and the grave accent indicate stress. In words in which the stress is not indicated, it comes on the next to the last vowel. Italicized s and z are voiced. Only the grave accent is used.

A

a, ad to, at, about, in, for
abbastanza *adv.* enough, sufficiently
abitare (*pres.* **abito**) to live, dwell
abito m. dress
abituato, –a accustomed
aborrire (**da**) (*pres.* **aborro**) to abhor
accanto (**a**) next to; next door; **lì —**, next to it
accettare (*pres.* **accεtto**) to accept
acciuga f. anchovy
*****accomodarsi** (*pres.* **mi accomodo**) to make oneself comfortable, make oneself at home, sit down
accompagnare to accompany
accordo m. agreement; **d'—**, in agreement
*****accorgersi** to notice
acqua f. water
acquistare to acquire, obtain
adεsso now
adoperare (*pres.* **adopero**) to use
adorare (*pres.* **adoro**) to adore
Adriatico m. Adriatic Sea
aεreo, –a *adj.* air; **linea aεrea** f. airline
aeroplano m. airplane
aeroporto m. airport
affanno m. care, anxiety
affatto at all
affettuoso, –a affectionate
affinchè so that, in order that

aff. mo, –a = **affezionatissimo, –a** most affectionate
affezionato, –a devoted
agile nimble
agnεllo m. lamb; **— al forno** m. roast lamb
agosto m. August
agricola (*adj., invar. in sing.*) agricultural
agricoltura f. agriculture
ah! oh!
alberetto m. tiny little tree
albεrgo m. hotel
alberino m. little tree
albero m. tree; **— da frutta** fruit tree
alberone m. great big tree
Albεrto Albert
alcuni, –e some
Alfa Romεo *make of car*
Alighiεri, Dante (1265–1321) *greatest Italian poet*
allievo m. pupil
alloggio m. lodging
allora then; **d'— in poi** from then on
almeno at least
Alpi f. pl. Alps
alpinismo m. Alpinism, mountain climbing
altezza f. height
alto, –a tall, high
altrimenti otherwise
altro, –a other; **che altro** what else; **non altro che** nothing but

253

alunno *m.* (**alunna** *f.*) pupil
*****alzarsi** to get up
Amalfi *a city near Naples, on the famous Amalfi drive*
ambizione *f.* ambition
America *f.* America
americano, –a American
amica *f.* (*pl.* **amiche**) friend
amicizia *f.* friendship
amico *m.* (*pl.* **amici**) friend
ammalato, –a ill, sick
ammettere *irr.* to admit
ammirare to admire
ammiratore *m.* admirer
amore *m.* love
anatomia *f.* anatomy
anche also, even
ancora yet, still
*****andare** to go; — **a passeggio** to go for a walk; — **a perfezione** to fit perfectly
Andrea del Sarto (1847–1531) *great Italian painter*
aneddoto *m.* anecdote
Angelico: Fra — *or* **Il Beato** —, (1387–1455) *great Italian painter*
angolo *m.* corner
anno *m.* year
annunziare (*pres.* **annunzio**) to announce
antichità *f.* antiquity
antico, –a old, ancient
Antonio Anthony
apparecchiare (*pres.* **apparecchio**) to set (*a table*)
apparecchio *m.* appliance, set; — **cinematografico** movie camera
apparenza *f.* appearance
*****apparire** *irr.* to appear
appena hardly; **non** —, as soon as; — **che** as soon as
Appennini *m. pl.* Apennines
appetito *m.* appetite; **avere** —, to be hungry; **buon** —, enjoy your dinner; **sentire** —, to feel hungry
apprezzare (*pres.* **apprezzo**) to appreciate
approdare (*pres.* **approdo**) to dock, land
appunto exactly
aprire *irr.* to open
arancia *f.* orange; **spremuta d'**—, orange juice

arancio *m.* orange tree
archeologico, –a archeological
architetto *m.* architect
arco *m.* bow
aria *f.* air; **all'**— **aperta** in the open air; **darsi molte arie**, put on airs
aristocrazia *f.* aristocracy
armadio *m.* closet
*****arrivare** to arrive
arrivederla (*or* **arrivederci**) goodby, so long
arrivo *m.* arrival
arte *f.* art; **le belle arti** the fine arts
articolo *m.* article
artista *m. or f.* artist
ascensore *m.* elevator
ascoltare (*pres.* **ascolto**) to listen to
aspettare (*pres.* **aspetto**) to wait (for)
assai quite, very
assicurare to assure; *****assicurarsi** to make certain
Associazione Automobilistica Automobile Association, AA
astronomo *m.* astronomer
atomico, –a atomic
attraversare (*pres.* **attraverso**) to cross
attraverso through
aula *f.* classroom
autobus *m.* bus
automobile *f.* automobile, car; — **da corsa** *f.* racing car
automobilistico, –a auto (*adj.*)
autorimessa *f.* garage
autostrada *f.* highway
autunno *m.* autumn
avanti forward
avere *irr.* to have
aviazione *f.* aviation
Avignone *a city in southern France, once the residence of the Popes*
avvocato *m.* lawyer
azzurro, –a blue

B

babbo *m.* dad, father
baffoni *m. pl.* big mustache
*****bagnarsi** to get wet, bathe

baia *f.* bay
ballo *m.* dancing, dance
bambino *m.* child
barbiere *m.* barber; **fare il —**, to be a barber
Bargello *a famous museum in Florence*
barometro *m.* barometer
bastare *imper.* to be enough
battistero *m.* baptistry
beato, –a lucky, happy
Beethoven (1770–1827) *one of the greatest German composers*
bellezza *f.* beauty
Bellini, Giovanni (1426–1516) *early Italian painter*
Bellini, Vincenzo (1801–1835) *famous Italian operatic composer*
bellissimo, –a very beautiful
bello, –a (bei, begli) beautiful
bel paese *m. a type of cheese*
benchè although
bene (ben) well, fine; **va bene** that's fine; **be' well**
bene *m.* good; **fa — alla salute** is good for the health
benedetto, –a blessed
benzina *f.* gasoline
bere *irr.* to drink
Bernini, Giovanni Lorenzo (1598–1680) *famous Italian painter, sculptor, and architect*
bianco, –a white
bicchiere *m.* glass
bigliettino *m.* little note
biglietto *m.* ticket; **fare il —**, to get a ticket
binario *m.* track
biografia *f.* biography
biondo, –a blond
biscotto *m.* cookie
bisognare *imper.* (*pres.* **bisogna**) to need to, have to
bisogno *m.* need; **aver — di** to need; **far —**, to need
bocca *f.* mouth; **a — aperta** gaping
Boccaccio, Giovanni (1313–1375) *the greatest Italian writer of prose*
Bologna *important city in north central Italy*
borsetta *f.* handbag
bottega *f.* shop

Botticelli, Sandro (1444–1510) *great Italian painter*
bottiglia *f.* bottle
bottone *m.* button
braccetto: a — di arm in arm with
braccio *m.* (*pl.* **braccia** *f.*) arm; **a braccia aperte** with open arms
bravo, –a good, fine; **bravo!** fine!
Brunelleschi, Filippo (1377–1446) *famous Italian sculptor and architect*
brutto, –a bad
buffo, –a funny
buio *m.* dark, darkness; **al —**, in the dark
buono, –a good; good-hearted
burro *m.* butter

C

***cadere** *irr.* to fall; **lasciar —**, to drop
caffè *m.* coffee; café; **— e latte** coffee with milk; **— espresso** strong black coffee, demi-tasse
calcio *m.* soccer
caldo *m.* heat; **fa —**, it is warm
calzolaio, *m.* shoemaker
camera *f.* room; **— da letto** bedroom; **in —**, in my room, in the room
cameriera *f.* maid
cameriere *m.* waiter
camicia *f.* shirt; **in maniche di —**, in shirt sleeves
camminare to walk
cammino *m.* way, road
campanello *m.* bell
Campanile di Giotto *m. famous tower next to the Duomo in Florence*
campo *m.* field
canale *m.* canal
cantare to sing
canto *m.* canto (*of a poem*)
capire (isco) to understand
capitale *f.* capital
capo *m.* head
capolavoro *m.* masterpiece
capoluogo *m.* capital (*of a region*)
cappello *m.* hat

Capri *a very picturesque island in the bay of Naples*
Via Caracciolo *one of the picturesque streets in Naples, running along the bay*
caratteristica *f.* characteristic
caratteristico, –a characteristic
carbone *m.* coal
carciofo *m.* artichoke
carissimo, –a dearest
Carlo Charles
carne *f.* meat
caro, –a dear, expensive
carta *f.* paper; — **geografica** *f.* map
casa *f.* house, home; **a** —, home, to the house; **in** —, at home; — **commerciale** *f.* business house; — **editrice** *f.* publishing house
casaccia *f.* awful house
casetta *f.* neat little house
caspita! heavens!
Castellammare di Stabia *city on the bay of Naples*
castello (castel) *m.* castle; **Castel Gandolfo** *Papal summer residence*
cattedrale *f.* cathedral
cattivo, –a bad
causare (*pres.* **causo**) to cause
cavallo *m.* horse
Cellini, Benvenuto (1500–1571) *celebrated sculptor and goldsmith*
cena *f.* supper
Cenacolo *m.* Last Supper
cento one hundred
centrale central
centro *m.* center
cercare (*pres.* **cerco**) to look for, search
cerimonia *f.* ceremony; **far cerimonie** to stand on ceremony
certo certainly
che that; than; who, whom, which; **che . . . non** *conj.* without
che? what? — **cosa?** what? — **altro?** what else?
chè = perchè for, because
chi who, whom; he who, the one who
chi? who? whom?
chiamare to call; **chiamarsi* to be called; **si chiama** his name is

chiaro, –a clear
chiasso *m.* noise
chiave *f.* key
chiedere *irr.* to ask, ask for
chiesa *f.* church
chitarra *f.* guitar
chiunque whoever
ci there; **c'è** there is; **ci sono** there are
ciarlare to chat
ciascuno, –a each
cibo *m.* food
ciclismo *m.* bicycle riding
cielo *m.* sky
cinematografia *f.* movie industry
cinematografo (*or* **cinema**) *m.* movies
cinquanta fifty
cinque five
ciò that; **cioè** that is
cipria *f.* face powder
circolo *m.* club; circle
circondare (*pres.* **circondo**) to surround
città *f.* city; **Città Eterna** Eternal City (*Rome*)
civiltà *f.* civilization
classe *f.* class
clientela *f.* clientele
clima *m.* climate
cofano *m.* hood
colazione *f.* breakfast; **seconda** —, lunch; **far—**, to have breakfast
collezione *f.* collection
colore *m.* color
coltello *m.* knife
coltivare to cultivate
colto, –a cultured
come how, what, like, just as, as, **come?** why? how is that? — **mai?** how come?
cominciare (*pres.* **comincio**) to begin
commentare (*pres.* **commento**) to comment, write a commentary
commento *m.* commentary
commerciale commercial, business (*adj.*)
commercio *m.* business
comodamente comfortably
comodo *m.* comfort; **con tutto il** —, as much as one wishes, at complete leisure

comodo, -a comfortable
compagna *f.* companion, friend
compagnia *f.* company
compagno *m.* companion
compito *m.* assignment; *pl.* home-work
completamente completely
completare (*pres.* **completo**) to complete
completo, -a complete
comporre *irr.* to compose
*****comportarsi** (*pres.* **mi comporto**) to behave
compositore *m.* composer
composto (*p.p. of* **comporre**) having composed
compra *f.* purchase; **far delle compre** to do some shopping
comprare (*pres.* **compro**) to buy
comprendere *irr.* to understand
comune common
comunque however
con with
conca d'oro *f.* gold bowl
concerto *m.* concert, concerto
condizione *f.* condition; **a — che** *conj.* on condition that
confusione *f.* confusion
congiungere *irr.* to be joined to
conoscenza *f.* acquaintance
conoscere *irr.* to know
consegnare (*pres.* **consegno**) to turn over
conservare (*pres.* **conservo**) to preserve, keep
considerare (*pres.* **considero**) to consider
consiglio *m.* advice
consistere (*pres.* **consisto**) to consist
contagioso, -a contagious
contare (*pres.* **conto**) to count
*****contentarsi** (*pres.* **mi contento**) to be satisfied
contento, -a happy
continente *m.* continent
continuare (*pres.* **continuo**) to continue
continuo, -a continual
conto *m.* account; **tener — di** to keep in mind; **per — mio** for myself
contrabbasso *m.* double bass

controllare (*pres.* **controllo**) to check
conversare (*pres.* **converso**) to talk
conversazione *f.* conversation
coprire *irr.* to cover
cor = cuore *m.* heart
coraggioso, -a courageous, brave
cordialità *f.* cordiality
cornetta *f.* cornet
corpo *m.* body
°**correre** *irr.* to run
corsa *f.* race; **automobile da —,** *f.* racing car
corso, *m.* course, class
corte *f.* court
cortese courteous
corto, -a short
cosa *f.* thing; **cosa?** *or* **che —?** what?
così thus, so; **così . . . come** as . . . as
costare (*pres.* **costo**) to cost; **— un occhio** to cost a fortune
costruire (**isco**) to build
costume *m.* costume
cotesto (**codesto**), **-a** that (*near person spoken to*)
cotto (*p.p. of* **cuocere**) cooked; **prosciutto —,** *m.* boiled ham
cravatta *f.* necktie
credere (*pres.* **credo**) to believe
cresta *f.* crest
criticare (*pres.* **critico**) to criticize
crudo, -a raw; **prosciutto —,** *m.* smoked (Italian) ham
cucchiaino *m.* teaspoon
cucchiaio *m.* spoon
cucina *f.* kitchen; **in —,** in the kitchen
cugino *m.* cousin
cui whom; **il —, la —,** *etc.* whose
culla *f.* cradle
cultura *f.* culture
cuoio *m.* leather
cuore *m.* heart
curioso, -a curious
curva *f.* curve

D

da from, by; at the house of
danneggiare (*pres.* **danneggio**) to damage

dappertutto everywhere
dare *irr.* to give; ***darsi pensiero** to worry
datare (da) to date from (back to)
dato che *conj.* since
davanti a in front of
davvero really
decidere *irr.* to decide; ***decidersi (a)** to decide (to)
decimoterzo, –a thirteenth
decorare (*pres.* **decoro**) to decorate
denaro *m.* money
dentifricio *m.* toothpaste
dentro inside
desiderare (*pres.* **desidero**) to desire, want
desiderio *m.* desire; **avevamo proprio —,** we were quite anxious
destinazione *f.* destination
destra *f.* right hand; **a —,** to the right
dettatura *f.* dictation
di of; than; from
dialogo *m.* dialogue
diamante *m.* diamond
diciannove nineteen; **le —,** seven o'clock
diciassette seventeen
diciotto eighteen; **—mila** eighteen thousand
dieci ten
difficile difficult, hard
difficoltà *f.* difficulty, trouble
*diffondersi *irr.* (*p.p.* **diffuso**) to become popular
diletto *m.* delight, pleasure
dimenticare (*pres.* **dimentico**) to forget
dimostrare (*pres.* **dimostro**) to show
dinastia *f.* dynasty
dintorni *m. pl.* neighborhood, surroundings
Dio *m.* God
dipendere (da) *irr.* to depend (on)
dipingere *irr.* to paint
dire *irr.* to say; **vuol dire** it means
direttamente directly
direttissimo *m.* express (train)
direttore *m.* director
dirimpetto (a) opposite
disastro *m.* disaster
discesa *f.* descent

discorrere *irr.* to discuss
disio *m.* desire
disperare (*pres.* **dispero**) to despair
distante distant, far
distanza *f.* distance
distinguere *irr.* to distinguish
disturbare to disturb
dito *m.* (*pl.* **dita** *f.*) finger
ditta *f.* firm
*diventare (*pres.* **divento**) to become
*divertirsi (*pres.* **mi diverto**) to have a good time, enjoy oneself
dividere *irr.* to divide
divinamente divinely
divino, –a divine; **Divina Commedia** *f.* Divine Comedy
doccia *f.* shower
dodici twelve; **alle —,** at twelve o'clock
dodicimila twelve thousand
dogana *f.* customhouse; **andare in —,** to go to the customhouse; **passar la —,** to go through customs
dolce sweet; **Dolce Stil Nuovo** *a style of poetry current at the end of the thirteenth century in Italy*
dollaro *m.* dollar
domanda *f.* question; **far una —,** to ask a question
domandare to ask
domattina tomorrow morning
domenica *f.* Sunday
Donatello (Donato de' Bardi) (1386–1466) *one of the greatest Italian sculptors*
Donizetti, Gaetano (1797–1848) *famous Italian operatic composer*
donna *f.* lady
donnetta *f.* charming little woman
dopo after; **— che** *conj.* after
dormire (*pres.* **dormo**) to sleep
dotato (di) endowed (with)
dottore *m.* doctor
dove where; **di dov'è?** where are you from?
°**dovere** *irr.* to have to, owe
dozzina *f.* dozen
dubitare (*pres.* **dubito**) to doubt; **non dubiti** don't worry! by all means!

due two
duecɛnto two hundred
duemila two thousand
duetto *m.* duet
duɔmo *m.* cathedral, duomo
durante during
*durare to last

E

e, ed and
ebbɛne *adv.* well
eccellɛnte excellent
eccezione *f.* exception
ɛcco here is, here are
econɔmico, –a economical
edificio *m.* building
editrice editorial; casa —, *f.* publishing house
effɛtto *m.* effect; fare —, to be effective, look better
Egitto *m.* Egypt
egiziano, –a Egyptian
elegante elegant
elɛnco *m.* list
elettricista *m.* electrician
elɛttrico, –a electrical
*entrare (*pres.* entro) to enter, go in
eppure and yet
ɛra *f.* era, age
Ercolano Herculaneum, *a city covered by lava when Vesuvius erupted in 79 A.D.*
erudito, –a learned
esɛmpio *m.* example; ad —, *or* per —, for example
esercizio *m.* exercise
esprimere *irr.* to express
*ɛssere *irr.* to be
estate *f.* summer
estivo, –a summer (*adj.*)
etɛrno, –a eternal
Eurɔpa *f.* Europe
europɛo, –a European

F

fa ago
fabbrica *f.* factory
facchino *m.* porter
facilmente easily
facoltà *f.* faculty

falegname *m.* carpenter; fare il —, to be a carpenter
fama *f.* fame
famiglia *f.* family
familiare familiar, family (*adj.*); fɛsta —, *f.* party, family gathering
famoso, –a famous
fanciullo *m. or* fanciulla *f.* child
fantastico, –a fantastic
fare *irr.* to make, do, let; far colazione to have breakfast; fare una domanda to ask a question; fare un viaggio to take a trip; far portare to have brought; fare le sue scuse to make one's apologies; fare una bɛlla vita to lead a nice life; *farsi to become; *farsi ricco to get rich
fatto *m.* fact; happening, event; fatto sta the point is, the fact is
favore *m.* favor; per —, please
favorire to hand over
favorito, –a favorite
fazzoletto *m.* handkerchief
fedele faithful
Federico II (1194–1250) *learned king of Sicily, in whose court Italian literature began*
felice happy
feltro *m.* felt pad
femminile feminine
*fermarsi (*pres.* mi fermo) to stop
ferrovia *f.* railway; in —, on the train
ferroviario, –a railway (*adj.*); stazione —a *f.* railroad station
fɛrtile fertile
fɛsta *f.* feast
FIAT = Fabbrica Italiana Automɔbili Torino
fico *m.* fig tree; fig
fidanzata *f.* fiancée
figlia *f.* daughter
figlio *m.* son
*figurarsi to imagine; Si figuri! My pleasure.
*filare to speed along
filigrana *f.* filigree
filɔsofo *m.* philosopher
finalmente finally
finanche even, as far as
finchè until
fine *f.* end

finεstra *f.* window
finestrino *m.* car window
finire (isco) to finish; — **per** to end up by
fino a until, up to; **fin da** ever since
finta: far — di to make believe
fiore *m.* flower
fiorentino, –a Florentine
Firεnze *f.* Florence, *a city in Tuscany, in central Italy*
fisica *f.* physics
fisico *m.* physicist
fisso, –a fixed; **orario fisso** *m.* fixed hours
fiume *m.* river
flauto *m.* flute
fɔglio *m.* sheet (*of paper*)
fontana *f.* fountain; **Fontana di Trεvi** Trevi Fountain
forchetta *f.* fork
formaggio *m.* cheese
formare (*pres.* **formo**) to form
Fɔrmia *a city in Lazio, on the road from Naples to Rome*
fornaio *m.* baker
forse perhaps
fɔrte *adj.* strong, loud; *adv.* hard
fortissimo, –a very strong
fɔrza *f.* strength
fra between, among, within; — **pɔco (tεmpo)** soon; — **di loro** among themselves
Francia *f.* France
frase *f.* phrase, saying
fratεllo *m.* brother
frattεmpo: nel —, meanwhile
freddo *m.* cold; **fa —,** it's cold
fresco, –a cool
fretta *f.* hurry; **aver —,** to be in a hurry; **in —,** hurriedly
fritto, –a fried
frutta *f.* fruit
fruttivendolo *m.* fruit vendor
fulmine *m.* thunderbolt
funzione *f.* function
futuro *m.* future

G

Galilεo: Galilεo Galilεi (1564–1642) *one of the world's great scientists, mathematicians, and astronomers*
gamba *f.* leg

geloso, –a jealous
generale general
generalmεnte generally
generare (*pres.* **gεnero**) to generate, produce
generazione *f.* generation
gεnio *m.* genius
genitori *m. pl.* parents
gentile kind
geografia *f.* geography
gerεnte *m.* manager
Germania *f.* Germany
Ghibεrti, Lorεnzo (1378–1455) *famous Italian sculptor, painter, and architect*
già already
giacca *f.* coat (*of suit*), jacket
giacchè since
giallo, –a yellow
Giambologna (Giovanni da Bologna) (1524–1608) *famous Italian sculptor*
giardino *m.* garden
ginɔcchio *m.* (*pl.* **ginɔcchia** *f.*) knee
giɔco *m.* game
Giorgio George
giornata *f.* day
giorno *m.* day
Giɔtto (di Bordone) (1276–1336) *great Florentine painter and architect*
giovane *adj.* young; *m.* young man; *f.* young lady
giovanɔtto *m.* sturdy young man
gioventù *f.* youth
girare to turn; go around
giro *m.* tour; **fare un —,** to walk around
gita *f.* trip; **fare una —,** to take a trip
giù down
giudizio *m.* judgment; **con —,** with good sense
*****giungere** *irr.* to arrive at, reach
giuramento *m.* oath
gli *pron.* to him
godere (*pres.* **gɔdo**) to enjoy
Goldoni, Carlo (1707–1793) *famous Italian playwright*
golfo *m.* bay, gulf
gondola *f.* gondola
gorgonzola *m.* a *type of blue cheese*

governare (*pres.* gov**ɛ**rno) to govern

gov**ɛ**rno *m.* government

gradazione *f.* gradation, scale

grande (gran) big, large

grandezza *f.* size

grandioso, –a grandiose

grato, –a grateful

grattaci**ɛ**lo *m.* skyscraper

gra*z*ie *f. pl.* thanks; tante —, thank you very much

grazioso, –a pretty, graceful

Gr**ɛ**co *m.* Greek

grido *m.* (*pl.* grida *f.*, gridi *m.*) cry

gr*i*gio, –a gray

gruppo *m.* group

guadagnare to earn

gu*a*ncia *f.* cheek

guardare to look at; *guardarsi to look at oneself

gu*a*rdia *f.* guard

gu**ɛ**rra *f.* war

guida *f.* guide; far da —, act as a guide

guidare to drive

I

Iddio the Lord

id**ɛ**a *f.* idea

ideale ideal

i**ɛ**ri yesterday; i**ɛ**ri l'altro the day before yesterday

ignorante ignorant

imbottito, –a stuffed; panino imbottito *m.* sandwich

imitatore *m.* imitator

immaginare (*pres.* imm*a*gino) to imagine

imparare to learn

impegno *m.* obligation, duty

imp**ɛ**ro *m.* empire

impiegato *m.* clerk, employee

im*p*ortante important

important*i*ssimo, –a most important

importanza *f.* importance

impressione *f.* impression

incantevole enchanting

incanto *m.* enchantment, charm

incomodare (*pres.* inc**ɔ**modo) to inconvenience

incontrare (*pres.* incontro) to meet

indicare (*pres.* *i*ndico) to indicate

indietreggiare (*pres.* indietr**e**ggio) to go backwards

indipend**ɛ**nte independent

individualmente individually

indulg**ɛ**nte kind, indulgent

indu*s*tria *f.* industry

indu*s*triale industrial

infatti in fact

Inf**ɛ**rno *m.* Hell; *the first cantica of the Divine Comedy*

infinito *m.* infinitive

influsso *m.* influence

ingegn**ɛ**re *m.* engineer

Inghilt**ɛ**rra *f.* England

inglese *adj.* English; *m.* Englishman

inimit*a*bile inimitable

iniziatore *m.* initiator

inoltre moreover

insegnare (*pres.* insegno) to teach

ins**ɛ**me together; — a together with

insomma after all

intellig**ɛ**nza *f.* intelligence

interessante interesting

interessant*i*ssimo, –a most interesting

interessare (*pres.* inter**ɛ**sso) to interest

intero, –a whole

inutile useless

inu*t*ilmente uselessly

invece instead

invenzione *f.* invention

inv**ɛ**rno *m.* winter

invitare to invite

invitato *m.* guest (*at dinner*)

invito *m.* invitation

Ischia *a picturesque island in the bay of Naples*

*i*sola *f.* island

ispirazione *f.* inspiration

Italia *f.* Italy

italiano, –a Italian; *m.* Italian

ivi there

L

la *pron.* her, it

là *adv.* there

labbro *m.* (*pl.* **labbra** *f.*) lip
laboratorio *m.* laboratory
lagrima *f.* tear
lampeggiare (*pres.* **lampeggia**) to lighten, be lightning
Lancia *make of car*
largo, –a wide
lasciare to leave, let; **lasciar vedere** to let one see; **lasciar fare** to let one do as he wishes
latino *m.* Latin
lato *m.* side
latte *m.* milk
laurea *f.* degree
lavorare (*pres.* **lavoro**) to work
lavoro *m.* work; — **di casa** housework
le *pron.* them
legge *f.* law
lɛggere *irr.* to read
lenzuolo *m.* (*pl.* **lenzuola** *f.*) (bed) sheet
Leonardo da Vinci (1452–1519) *the greatest genius of all times*; *a ship of the Italian line*
Leoncavallo, Ruggɛro (1858–1919) *famous Italian operatic composer*
lɛttera *f.* letter
letterato *m.* literary figure
letteratura *f.* literature
lɛttere *f. pl.* liberal arts
lɛtto *m.* bed
lɛva *f.* lever
lezione *f.* lesson
li *pron.* them
lì *adv.* there
libro *m.* book
Lido *m. famous beach on a reef near Venice*
liɛto, –a happy
limone *m.* lemon tree; lemon
linea *f.* line; — **aɛrea** *f.* airline
lingua *f.* language
lira *f.* lira (*at present one dollar = 625 lire*)
litro *m.* liter (*about a quart*)
lo *pron.* him, it
Londra *f.* London
lontano far; — **da** far from; —, far away
Lorɛnzo Lawrence
Loro you; **il Loro, la Loro,** *etc.* your

loro them, they, to them
il loro, la loro, *etc.* their, theirs
luce *f.* light
Lucia Lucy
luglio *m.* July
lui him, he
lungo, –a long; **lungo** *prep.* along; **più a —,** further, more
luɔgo *m.* place
lusso *m.* luxury; **di —,** luxurious, expensive

M

ma but
macchina *f.* car; — **di gran lusso** *f.* very luxurious model
madre *f.* mother
maɛstro *m.* teacher
magari perhaps
maggiore major, greater, larger
mai never; **non . . . —,** never; **se —,** even if
malato *m.* sick person
malattia *f.* illness
male *adv.* bad, badly
male *n.m.* evil, ache; **non c'ɛ —,** fairly well
maledetto, –a cursed
mamma *f.* mother, mom
mancanza *f.* lack; **sentir la —,** to miss
mancare to lack, be missing
mandare to send
mandolino *m.* mandolin
mangiare to eat; **qualche cɔsa da —,** something to eat
manica *f.* sleeve; **in maniche di camicia** in shirt sleeves
maniɛra *f.* manner, way
mano *f.* hand
mantenere *irr.* to keep
manzo ai fɛrri *m.* broiled beef, steak
mare *m.* sea
Margherita Margaret
Maria Mary
marito *m.* husband
Marsala *m. a well-known Sicilian wine*
Mascagni, Piɛtro (1863–1945) *famous Italian operatic composer*
matematico *m.* mathematician
mattina *f.* morning

maturo, –a mature
me me, myself
meccanica *f.* mechanics
meccanico, –a mechanical
medicina *f.* medicine
mεdico *m.* doctor
mediοεvo *m.* Middle Ages
meditazione *f.* meditation
Mediterraneo *m.* Mediterranean
mεglio *adv.* better
mela *f.* apple
melodia *f.* melody, aria
meno minus, less; — di *or* — che less than; a — che . . . non unless
mentre while
meraviglia *f.* surprise, wonder, astonishment; a —, marvelously; non gli fa —, it doesn't surprise him
*meravigliarsi (*pres.* mi meraviglio) to be astonished
meraviglioso, –a marvelous
mercato *m.* shopping district
meridionale southern
mese *m.* month
mestiεre *m.* trade
mεtro *m.* meter (*39.37 inches*)
mettere *irr.* to put; — a luce to bring to light; — in mostra to put on display, display; *mettersi a to start
mεzzo, –a half; la mεzza half-past twelve; mεzz'oretta *f.* about half an hour; per — di through
mezzogiorno *m.* noon
mi me, to me, for me, myself
mica at all; non . . . —, hardly
Michelangelo Buonarrοti (1475–1564) *one of the greatest artistic geniuses of all times*
migliorare (*pres.* miglioro) to improve
migliore better; il —, the best
mila (*pl. of* mille) thousands
mille (*pl.* mila) thousand; mille e cεnto *f.* small sedan (*FIAT model*)
minεstra *f.* soup, first course
minestrone *m.* thick vegetable soup
minuto *m.* minute
il mio, la mia, *etc.* my, mine

missione *f.* mission
mοbili *m. pl.* furniture
mοda *f.* fashion
modεllo *m.* model
modεrno, –a modern
modεsto, –a modest, simple
modista *f.* milliner
mοdo *m.* way
moglie *f.* wife
Mοle Antonelliana *the highest building in Italy* (*in Torino*)
mοlo *m.* wharf
molto, –a much, a great deal of; *pl.* many; molto *adv.* very
momento *m.* moment
mondiale world (*adj.*)
mondo *m.* world
monεllo *m.* rascal
montagna *f.* mountain
monte *m.* mountain
*morire *irr.* to die
mortadεlla *f.* Bologna sausage
mostra *f.* show, exhibition; — industriale industrial show; mettere in —, to put on display
mostrare (*pres.* mostro) to show, present
motore *m.* motor
motoscafo *m.* motorboat
*muοversi *irr.* to move
Murano *an island near Venice, famous for its glass industry*
muratore *m.* mason, bricklayer
musεo *m.* museum
musica *f.* music
musicale musical
musicante *m.* musician

N

Napoli Naples, *largest city in southern Italy*
*nascere *irr.* to be born
nascondere *irr.* to hide
Natale *m.* Christmas
natura *f.* nature
naturale natural
nazionale national
nazione *f.* nation, country
ne of it, of them, some of it, some of them
nè: non . . . nè . . . nè, neither . . . nor

necessario, –a necessary
negare (*pres.* **nego**) to deny
negozio *m.* store, shop; **— di abiti** dress shop
nemico *m.* enemy
nemmeno: non . . . —, not even
nero, –a black
nessuno, –a no; *pron.* no one
neve *f.* snow
°**nevicare** *imper.* (*pres.* **nevica**) to snow
niente nothing
nobile noble
noleggiare (*pres.* **noleggio**) to rent
nome *m.* name
non not
nonna *f.* grandmother
nonno *m.* grandfather
nord *m.* north
il nostro, la nostra, *etc.* our, ours
notevole notable
notizia *f.* news
noto, –a noted, known
notte *f.* night
novantasette ninety-seven
nove nine; **alle —,** at nine o'clock
novella *f.* novella, short story
novelliere *m.* short-story writer
novità *f.* novelty
numerare (*pres.* **numero**) to enumerate
numero *m.* number
numeroso, –a numerous
nuoto *m.* swimming
nuovo, –a new
nutrimento *m.* nourishment

O

o or; **o . . . o** either . . . or
occhio *m.* eye; **costare un —,** to cost a fortune
*****occorrere** *imper., irr.* to need
*****occuparsi (di)** to deal (with)
occupazione *f.* job, occupation
offrire *irr.* (*pres.* **offro**) to offer
oggetto *m.* object
oggi today
ogni every
ognuno, –a each (one); *pron.* each one
olio *m.* oil
oliva *f.* olive

olivo *m.* olive tree
oltre beyond
ometto *m.* little man
onorare (*pres.* **onoro**) to honor
onore *m.* honor
opera *f.* work, opera; **— d'arte** *f.* masterpiece
operaio *m.* workman
ora *adv.* now
ora *f.* hour, time; **a che —?** at what time? **che — è?** *or* **che ore sono?** what time is it?
oralmente *adv.* orally
oramai now, nowadays
orario *m.* the hours; schedule
oretta *f.* about an hour
originale original
origine *f.* origin
oro *m.* gold; **conca d'—,** gold bowl
orologio *m.* watch, clock
ospite *m.* guest
osso *m.* (*pl.* **ossa** *f.*) bone
ottimo, –a excellent
otto eight
ottocento eight hundred

P

padre *m.* father
paese *m.* country, nation; town
paesello *m.* little town
pagare to pay
paio *m.* (*pl.* **paia** *f.*) pair, few
palazzo *m.* palace: **Palazzo Pitti** Pitti Palace (*a museum of art in Florence*); **Palazzo dei Dogi** Doges' Palace (*in Venice*)
Palermo *the largest and most important city in Sicily*
pane *m.* bread
panino *m.* bun, roll; **— imbottito** sandwich
panorama *m.* view, panorama, countryside
Papa *m.* Pope
papiro *m.* papyrus
paragonare (*pres.* **paragono**) to compare
parasole *m.* parasol
parcheggio: in—, parked
parco *m.* park
parecchi, –ie several
parentesi *f.* parenthesis

*parere *irr.* to seem; **che te ne pare?** what do you think of it?

Parigi *f.* Paris

parlare to speak

parmigiano *m.* Parmesan, *a type of cheese*

parɔla *f.* word

parte *f.* part; **far — di** to be a part of; **di che —?** from what part?

*partire to depart

passare to spend (*time*), pass; **— la dogana** to go through customs

passato, –a past

passato *m.* past

passeggiare (*pres.* **passeggio**) to walk, stroll

passeggiata *f.* walk, stroll; **fare una —,** to take a stroll

passeggio *m.* stroll; **andare a —,** to go for a stroll

passo *m.* step; **far due passi** to take a short walk, stroll

pasta *f.* pastry; **— asciutta** *f.* macaroni; **— in brɔdo** *f.* soup with noodles

pasto *m.* meal

patatine fritte *f. pl.* French fried potatoes

paura *f.* fear; **aver —,** to be afraid; **da far —,** frightful

pazienza *f.* patience; **pazienza!** be patient! too bad!

peccato! too bad!

pellicola *f.* film

pena *f.* trouble; **valer la —,** to be worth while

pendolo *m.* pendulum

penisola *f.* peninsula

pensare (a) to think (of)

pensiero *m.* thought, worry

pensione *f.* pension (*lodging with meals*)

per to, for, in order to, through; **— di più** moreover

pera *f.* pear

perchè why, because; *conj.* so that

perciɔ therefore

perdere *irr.* to lose; *perdersi to get lost, be lost

perfetto, –a perfect

perfezione *f.* perfection; **andare a —,** to fit perfectly; **portare a —,** to perfect

pericolo *m.* danger

permettere *irr.* to permit

perɔ however

persiana *f.* shutter

persona *f.* person; *pl.* people

personaggio *m.* personage

personale personal

personalmente personally

pɛsca *f.* peach

Petrarca Petrarch (1304–1374) *one of the most famous Italian poets and humanists*

petrɔlio *m.* oil

pɛtto *m.* chest

pɛzzo *m.* piece, composition

*piacere to please, be pleasing to

piacere *m.* pleasure

piacevole pleasant

piaga *f.* wound

pianista *m. or f.* pianist

piano *m.* story, floor; plan

pianofɔrte *m.* piano

pianterreno *m.* ground floor, first floor; **al —,** on the ground floor, on the first floor

pianura *f.* plain, valley

piatto *m.* plate

piazza *f.* square; **Piazza San Marco** Saint Mark's Square (*in Venice*)

piccino *m.* little one, little fellow

piccolo, –a small

piɛde *m.* foot; **ɛssere in piɛdi** to be up; **da capo a piɛdi** from head to foot

Piemonte *m.* Piedmont, *a region in northwestern Italy*

pietanza *f.* course (*at dinner*)

pinacotɛca *f.* art gallery

pino *m.* pine

piɔggia *f.* rain

°**piɔvere** *irr.* to rain, be raining

pirɔscafo *m.* ship

Pisa *f.* *important city in Tuscany, on the banks of the Arno*

pittore *m.* painter

pittoresco, –a picturesque

pittura *f.* painting

più more; **di —,** more; **il —,** the most; **molto di —,** much more

piuttɔsto rather

pizzicagnolo *m.* grocer

placidamente peacefully
poco little; **un po'** a little
poesia *f.* poetry
poeta *m.* poet
poetico, –a poetic, poetical
poi then, afterward, after all, besides
poichè since
politico, –a political
pollo *m.* chicken; — **arrosto** *m.* roast chicken
pomeriggio *m.* afternoon
Pompei Pompeii, *a city near Naples, buried by the ashes of Vesuvius in 79 A.D.*
ponte *m.* bridge; — **di Rialto** the Rialto bridge
ponticello *m.* pretty little bridge
popolare popular
porco *m.* pig
porre *irr.* to put
portagioielli *m.* (*invar.*) jewel box
portare (*pres.* **porto**) to bring, take; wear; — **a perfezione** to perfect
portico *m.* portico
porto *m.* harbor
posata *f.* place setting (*for a table*)
Posillipo *residential hill in Naples, overlooking the bay*
posizione *f.* position
possedere *irr.* to possess
°**potere** *irr.* to be able, can
povero, –a poor
pranzare to dine
pranzo *m.* dinner
preferire (**isco**) to prefer
prego you are welcome
prendere *irr.* to take; catch; — **freddo** to catch cold; — **un raffreddore** to catch a cold; — **la sua strada** to go one's way
*****preoccuparsi** (**di**) (*pres.* **mi preoccupo**) to worry (about)
preparare to prepare
presentare (*pres.* **presento**) to present, introduce
presente *m.* present
prestare (*pres.* **presto**) to lend; — **giuramento** to take an oath
presto early, soon; **far —,** to be quick, hurry

prezzo *m.* price
prima *adv.* first; — **che** *conj.* before; — **di** *prep.* before
primavera *f.* spring
primo, –a first
principale principal
principalmente principally, mainly
principio *m.* beginning; **al —,** in the beginning
problema *m.* problem
prodigio *m.* prodigy
prodotto *m.* product
produrre *irr.* to produce
professione *f.* profession
professore *m.* professor
professoressa *f.* teacher, professor
profondo, –a deep
profumeria *f.* perfume shop
profumo *m.* perfume
promettere *irr.* to promise
pronto, –a ready
pronunzia *f.* pronunciation
proporzionato, –a proportioned
proposizione *f.* sentence
proprietario *m.* proprietor
proprio, –a own; **proprio** *adv.* exactly, directly, really
prosa *f.* prose; **scrittore di prose** prose writer
prosciutto *m.* ham; — **cotto** boiled ham; — **crudo** smoked (Italian) ham
prossimo, –a next
proteggere to protect
provare (*pres.* **provo**) to try on
proverbio *m.* proverb
provincia *f.* province
provolone *m.* a type of cheese
provvedere *irr.* to provide
pubblico *m.* public
Puccini, Giacomo (1858–1924) *one of the most famous Italian composers of operatic music*
Puglie *f. pl. region of Italy, in the southeast*
pulire (**isco**) to clean
punto *m.* point, place
punto (*p.p. of* **pungere**) pricked
purchè provided
pure still, as long as; **se —,** *conj.* even if
puro, –a pure

Q

quadro *m.* painting
qualche some; — **cosa** *f.* something
quale (qual) *inter. adj. and pron.* which, what, which one; **il —,** **(la quale, i quali, le quali)** *rel. pron.* who, whom, which, that
qualità *f.* quality
qualsiasi any
qualunque whichever
quando when
quanto how much; how long; **per —,** *conj.* no matter how much
quarantacinquemila forty-five thousand
quartiere *m.* quarter, section
quasi almost
quattro four
quello (quel), –a that; *pl.* those; **quel che** what, that which
questi *pron.* the latter
questo, –a this; *pl.* these
qui here
quindi therefore

R

raccogliere *irr.* to pick up, gather
raccolta *f.* collection
raccontare *(pres.* **racconto)** to tell
radio *f.* radio
Raffaello (Raffaello Sanzio da Urbino) Raphael (1483–1520) *one of the most famous painters*
raffreddore *m.* cold; **prendere un —,** to catch a cold
ragazza *f.* girl
ragazzino *m.* little boy
ragazzo *m.* boy
raggiungere *irr.* to reach
ragione *f.* reason; **aver —,** to be right
rallegrarsi to be happy, rejoice
rammentare *(pres.* **rammento)** to remind; **rammentarsi** to remember
rapidamente rapidly
rappresentazione *f.* performance
raro, –a rare

rassegnarsi *(pres.* **mi rassegno)** to resign oneself
Ravenna *city in Romagna (Emilia), in north central Italy*
reale royal
regalare to grant, donate
regalo *m.* gift
regina *f.* queen
regione *f.* region
regolare regular
relazione *f.* relation
rendere *irr.* to render, make
Respighi, Ottorino (1879–1936) *famous Italian composer*
restare *(pres.* **resto)** to remain, stay
Riccardo Richard
ricco, –a rich
ricevere *(pres.* **ricevo)** to receive
riconoscere *irr.* to recognize
ricordare *(pres.* **ricordo)** to remember, mention
ricordo *m.* souvenir; record
rifornimento: stazione di —, gas station
rimanere *irr.* to remain
Rinascimento *m.* Renaissance
rinnovarsi *(pres.* **mi rinnovo)** to renew oneself
rinomato, –a famous
riparazione *f.* repair
riposare *(pres.* **riposo)** to rest; **riposarsi** to rest
riposo *m.* rest
riprendere *irr.* to take up again
riscaldare to warm, heat
rispetto *m.* respect; **— a** with respect to
rispondere *irr.* to answer
risultato *m.* result
ritornare *(pres.* **ritorno)** to return
ritorno *m.* return; **autobus di —,** return bus
riunire (isco) to gather; **riunirsi** to get together
riuscire (a) *irr.* to succeed (in)
Riva degli Schiavoni *f. promenade near Saint Mark's Square in Venice*
Roberto Robert
Roma *f.* Rome
romano, –a Roman, from Rome; **romano** *m. a type of cheese*

rompere *irr.* to break
rondò *m.* rondo
Rosa Rose
Rossini, Gioacchino (1792–1868) *famous Italian composer of operatic and symphonic music*
rosso, –a red
ruscelletto *m.* little brook

sabato *m.* Saturday
saetta *f.* arrow
sala *f.* room; — **da pranzo** *f.* dining room; — **d'aspɛtto** *f.* waiting room
salame *m.* salami
***salire** *irr.* to rise, go up; **far —,** to raise
salotto *m.* living room
salsiccia *f.* sausage
salumeria *f.* delicatessen
***salutarsi** to say good-by; greet
salute *f.* health
saluti *m. pl.* regards
salvare to save
San Piɛtro Saint Peter's (*in Rome*)
Santa Croce *a cathedral in Florence*
Santa Lucia *a picturesque bay in Naples*
sapere *irr.* to know, know how to
sarto *m.* tailor
Savɔia *f.* Savoy
sbadigliare (*pres.* **sbadiglio**) to yawn
***sbagliarsi** (*pres.* **mi sbaglio**) to be mistaken
La Scala *world-famous opera house in Milan*
scambiare (*pres.* **scambio**) to exchange
scarpa *f.* shoe
scatola *f.* box, can
scavo *m.* excavation
scegliere *irr.* to choose
***scendere** *irr.* to come down
schermo *m.* screen
sci *m.* skiing
sciɛnza *f.* science
scienziato *m.* scientist
scompartimento *m.* compartment
scɔpo *m.* purpose

scoprire *irr.* (*pres.* **scɔpro**) to discover
scritti *m. pl.* writings
scritto (*p.p. of* **scrivere**) written
scrittore *m.* writer
scrivere *irr.* to write
scultore *m.* sculptor
scuɔla *f.* school; — **di ballo** dancing school
scusare to excuse
se if
sebbɛne although
secco, –a dry
sɛcolo *m.* century; — **decimoquarto** 14th century
secondo, –a second
secondo *prep.* according to
sɛde *f.* residence; home office
***sedersi** *irr.* to sit down
sedici sixteen
sedile *m.* seat
segno *m.* sign, mark
segretaria *f.* secretary
segreto, –a secret; *m.* secrɛt
seguɛnte following
seguire to follow; — **la mɔda** to be in style
seguitare (*pres.* **seguito**) to continue
seicɛnto six hundred; *f. small FIAT model*
sembrare (*pres.* **sembro**) to seem
semplice simple
semplicità *f.* simplicity
sɛmpre always; **per —,** forever
sentire (*pres.* **sɛnto**) to hear; feel; listen; — **parlare di** to hear about; ***sentirsi** to feel
senza without; — **che** *conj.* without
sera *f.* evening; **di —** *or* **la —,** in the evening
serata *f.* evening; — **di gala** gala evening
serenata *f.* serenade
sɛrio, –a serious; **sul —,** seriously
servire (*pres.* **sɛrvo**) to serve, be of use; — **di modɛllo** to serve as a model; **a che sɛrve?** of what use is?
servizio *m.* service; **fare il —,** to make the run
settemila seven thousand

settentrionale northern
settimana *f.* week; **a —,** by the week
severo, –a severe, cruel
sì yes
sí che so that
siciliano, –a Sicilian
sicuro, –a sure
sigaretta *f.* cigarette
signora *f.* madam, lady, Mrs.
signore *m.* gentleman, Sir, Mr.
signorina *f.* young lady, Miss
simbolo *m.* symbol
simile similar
simpatia *f.* sympathy, liking
sincerità *f.* sincerity
sincero, –a sincere, clear
sinfonia *f.* symphony
sinistra *f.* left hand; **a —,** to the left
situato, –a situated
soave soft
soggiorno *m.* stay
sole *m.* sun
solenne solemn
solito, –a usual
solo, –a alone, single; **solo** *adv.* only
soltanto only
sommo, –a highest, greatest, very great
sonnellino *m.* nap; **far un —,** to take a nap
sopra above; **al di — di** above
soprattutto especially
sorella *f.* sister
sorpassare to surpass
Sorrento *a beautiful little town on the bay of Naples*
sospettare (*pres.* **sospetto**) to suspect
sospiro *m.* sigh
sotto under
spaghetti al burro *m. pl.* spaghetti with butter
spargere *irr.* to scatter
spazio *m.* space
spazzolino da denti *m.* toothbrush
specialmente especially
spedire (**isco**) to send
spendere *irr.* to spend
speranza *f.* hope
sperare (*pres.* **spero**) to hope

spesso often
spiaggia *f.* beach
spiegare (*pres.* **spiego**) to explain
spilla *f.* pin
spinaci *m. pl.* spinach
spirito *m.* morale; spirit, soul
sponda *f.* shore
sport *m.* (*invar.*) sports
sportello *m.* ticket window
*****sposarsi (con)** to get married (to)
sprecare (*pres.* **spreco**) to waste
spremuta *f.* juice; **— d'arancia** orange juice
stamattina this morning
*****stancarsi** to get tired
stanco, –a tired
stanza *f.* room; **— da bagno** bathroom
*****stare** *irr.* to be; **— attento** to pay attention; **— bene** to be well off; **— a far complimenti** to stand on ceremony; **— per** to be about to; **fatto sta** the point is, the fact is
stasera this evening
Stati Uniti *m. pl.* United States
stato (*p.p. of* **essere** *or* **stare**) been
statua *f.* statue
stazione *f.* station, channel; **— ferroviaria** *f.* railroad station
stendere *irr.* to lay, stretch
stesso, –a same; oneself
stile (stil) *m.* style
stomaco *m.* stomach
storia *f.* history
storico, –a historical, historic
strada *f.* street, road; **prendere la sua —,** to go one's way
straniero *m.* foreigner
straordinario, –a extraordinary
strumento *m.* instrument
studente *m.* student
studiare (*pres.* **studio**) to study
studio *m.* study
stupendo, –a stupendous
su on; **su, via!** come now!
subito quickly, immediately
succursale *f.* branch office
sud *m.* south
sugo *m.* sauce; **— di pomodoro** tomato sauce
il suo, la sua, i suoi, le sue his, her, its

il Suo, la Sua, *etc.* your; i Suoi
your family
suonare (*pres.* suono) to ring;
play an instrument
superiore superior
superiorità *f.* superiority
superlativo *m.* superlative
*svegliarsi (*pres.* mi sveglio) to
wake up
sveglio, –a awake
svelare (*pres.* svelo) to reveal
*svilupparsi to develop
svizzero, –a Swiss; Svizzero *m.*
Swiss
svolta *f.* turn

T

tabaccaio *m.* tobacco vendor, tobacco store
tabacco *m.* tobacco
tanto, –a so much, so; *pl.* so many;
tanto da vedere so much to see
tappo *m.* cover, top
tardi *adv.* late; più —, later
tasca *f.* pocket
taschino *m.* breast pocket
tassì *m.* taxi
tavola *f.* table; a —, at the table
teatro *m.* theater
televisione *f.* television
tema *m.* subject, theme
temperamento *m.* temperament
tempo *m.* weather; time; che
— fa? how is the weather? fra
poco — soon
tenere *irr.* to keep, hold; — conto
di to keep in mind
teologo *m.* theologian
terminare (*pres.* termino) to end,
finish
Termini: Stazione —, *the main
RR station in Rome*
terra *f.* ground, earth
terrazza *f.* terrace
terzo, –a third
Tevere *m.* Tiber
Tintoretto (Iacopo Robusti)
(1518–1594) *famous Venetian
painter, pupil of Titian*
tipo *m.* type, kind
tirare to pull; blow; tira vento
the wind is blowing, it's windy
Tiziano Vecellio Titian (1477–

1576) *the greatest painter of the
Venetian school*
toletta (*or* toeletta) *f.* toilette
tomba *f.* tomb
Tommaso Thomas
tonno *m.* tuna fish
Torino Turin, *capital of the region
of Piemonte*
*tornare (*pres.* torno) to return;
— un'altra volta to come back
Torricelli, Evangelista (1608–
1647) *famous Italian physicist and
mathematician*
Toscana *f.* Tuscany, *a province in
central Italy*
Toscanini, Arturo (1867–1957)
*the most celebrated orchestra con-
ductor of recent years*
tosto che as soon as
totale *m.* total
tovaglia *f.* tablecloth
tovagliolo *m.* napkin
tradurre *irr.* to translate
trasporto *m.* transportation
tratto *m.* stretch
Trecento *m.* fourteenth century
tredici thirteen; alle —, at one in
the afternoon
treno *m.* train
trenta thirty
trentanove thirty-nine
trentatrè thirty-three
trombone *m.* trombone
troppo, –a too much
trovare (*pres.* trovo) to find;
*trovarsi to be located, find
oneself
tuba *f.* tuba
il tuo, la tua, *etc.* your, yours (*fam.
sing.*)
tuonare *imper.* (*pres.* tuona) to
thunder
turista *m. or f.* tourist
tutti everyone, all; — e due both
tutto everything; il —, the whole
thing
tutto, –a all; tutto ciò all that

U

ufficio *m.* office; — informazioni
m. information desk; — postale
m. post office

Uffizi *art gallery in Florence*
ugualmente equally
ʋltimo, –a last, latest
umanista *m.* humanist
umano, –a human
un, una a, an
ʋnico, –a only
università *f.* university
uno, una *pron.* one
uɔmo (*pl.* **uɔmini**) *m.* man
uɔvo *m.* (*pl.* **uɔva** *f.*) egg
usanza *f.* custom
usare to use
***uscire** *irr.* to go out
uso *m.* use, style
uva *f.* grapes

V

vacanze *f. pl.* vacation
***valere** *irr.* to be worth; — **la pena**
    to be worth while
valigia *f.* bag, suitcase
valle *f.* valley
vaporetto *m.* launch
vari, –ie various
Vaticano *m.* Vatican
vecchietto *m.* nice little old man
vɛcchio, –a old
vedere *irr.* to see; **non — l'ora di**
    to be very anxious to
veduta *f.* view
veloce fast
vendere (*pres.* **vendo**) to sell
Vɛneto *m.* *region of Italy, in the
    northeast*
Venɛzia *f.* Venice, *a city in northern
    Italy, on the Adriatic*
veneziano, –a Venetian
***venire** *irr.* to come; — **all'incon-
    tro** to come *or* go to meet
venti twenty; **ventimila** twenty
    thousand
vɛnto *m.* wind; **tira —**, the wind
    is blowing, it's windy
veramente really
Verdi, Giusɛppe (1813–1901) *the
    greatest Italian operatic composer*
vero, –a true, real, veritable; **non
    è vero?** isn't it so?

vɛrso toward, about
***vestir(si)** (*pres.* **mi vɛsto**) to dress,
    get dressed
Vesʋvio *m.* Vesuvius, *a volcano
    near Naples*
vetrina *f.* window (*of a store*)
vetro *m.* glass
vi there, in it
via *f.* road, street; *adv.* away, by
    way of, via
viaggiare (*pres.* **viaggio**) to travel
viaggiatore *m.* traveler
viaggio *m.* trip; **fare un —**, to
    take a trip; **buɔn —**! have a nice
    trip!
vicino (a) near; **da —**, from nearby
vigna *f.* vineyard
villaggio *m.* village
villeggiatura *f.* country holiday;
    in —, on vacation
villino *m.* neat little house
vinaio *m.* wine seller, wine dealer
violino *m.* violin
visita *f.* visit, social call; **fare una
    —**, to pay a visit
visitare (*pres.* **visito**) to visit
visto (*p.p. of* **vedere**) seen
vita *f.* life; **fare una bɛlla —**, to
    lead a nice life
vitɛllo *m.* veal; — **arrɔsto** *m.*
    roast veal
°**vivere** *irr.* to live
voce *f.* voice; word
vɔglia *f.* desire; **venire la —**, to
    get a desire, feel like
°**volere** *irr.* to wish, want; **voler
    bɛne a** to like; **vuɔl dire** it means
volo *m.* flight
vɔlta *f.* time; **una —**, once; **una
    — l'anno** once a year; **un'altra
    —**, again; **a sua —**, in turn
vuɔto *m.* vacuum

Z

zɛlo *m.* zeal
zio *m.* uncle
zonzo: a —, wandering, at random
Zurigo Zurich, *a city in Switzerland*

Vocabulary

ENGLISH–ITALIAN

A

a, an un, una, uno, un'
able: be —, potere *irr.*
about di, su, circa; verso; **to be — to** stare per
accept accettare (*pres.* accetto)
accustomed abituato, –a
admire ammirare
after dopo (di) (*prep.*); dopo che (*conj.*)
afternoon pomeriggio *m.*
ago fa
agriculture agricoltura *f.*
all tutto, –a; **— that** tutto quel che; **at —,** affatto
almost quasi
along (alongside) lungo
Alps Alpi *f. pl.*
already già
also anche
although benchè, sebbene
always sempre
ambition ambizione *f.*
American americano, –a; Americano *m.*
and e, ed; **— so** e così
announce annunziare (*pres.* annunzio)
answer rispondere
any qualsiasi
anything (*negative*) niente
Apennines Appennini *m. pl.*
apple mela *f.*
appliance apparecchio *m.*
appreciate apprezzare (*pres.* apprezzo)
apricot albicocca *f.*
archeological archeologico, –a
architect architetto *m.*
arm braccio *m.* (*pl.* braccia *f.*); **— in —,** a braccetto
around *see* **go**

arrive *arrivare
art arte *f.*
article articolo *m.*
artist artista *m. or f.*
as come, mentre; **as ... as** tanto (così) ... come; **as if** come se; **as soon as** non appena
ask domandare; **— a question** fare una domanda
assure oneself *assicurarsi
at a, da; **at all** affatto
aunt zia *f.*
automobile automobile *f.*
away via; **far —,** lontano, –a

B

back: to come —, *tornare, *ritornare
backwards: to go —, indietreggiare (*pres.* indietreggio)
bad: too —, peccato
bag valigia *f.*
barber barbiere *m.*
basilica basilica *f.*
bathroom stanza da bagno *f.*
be *essere; **— about to** *stare per; **— about over** *stare per finire; **— left** *restare; **— needed** *bisognare; **— worth** *valere; **— worth while** *valer la pena
beach spiaggia *f.*
bean *see* **string beans**
bear with *essere indulgente
beautiful bello, –a
because perchè
bed letto *m.*; **go to —,** *andare a letto
before prima di (*prep.*); prima che (*conj.*)
begin cominciare (a), *mettersi a
believe credere
bell campanello *m.*; **— tower** campanile *m.*

272

besides per di più
best (il, la) migliore (*adj.*); meglio (*adv.*)
better migliore (*adj.*); meglio (*adv.*)
between fra
big grande
bit poco (po') *m.*
block isolato *m.*
blond biondo, –a
blow (wind) tirare
board pensione *f.*
boiled *see* **potato**
book libro *m.*
both tutti (tutte) e due
boy ragazzo *m.*
breakfast colazione *f.*; **to have —,** far colazione
bridge ponte *m.*
bring portare (*pres.* porto)
broiled *see* **steak**
brook ruscello *m.*
brother fratello *m.*
building edificio *m.*
bus autobus *m.* (*also* autobus)
but ma
buy comprare (*pres.* compro)

C

café caffè *m.*
call chiamare
camera apparecchio *m.*; **movie —,** apparecchio cinematografico *m.*
can potere (*see* **able**)
canal canale *m.*
canned in scatola
capital capitale *f.*
car automobile *f.*; macchina *f.*
carry portare (*pres.* porto)
catch prendere *irr.*
cathedral duomo *m.*; cattedrale *f.*
central centrale
century secolo *m.*
characteristic caratteristica *f.*
Charles Carlo
charm incanto *m.*
chest petto *m.*
chicken pollo *m.*; **roast —,** pollo arrosto *m.*
child bambino *m.*, bambina *f.*, ragazzo *m.*, ragazza *f.*
chilly: it's —, fa fresco
choose scegliere *irr.*

Christmas Natale *m.*
church chiesa *f.*
city città *f.*
civilization civiltà *f.*
class classe *f.*; **classroom** aula *f.*
clean pulire (isco)
clothes abiti *m. pl.*
coffee caffè *m.*
cold freddo, –a; **it's —,** fa freddo, raffreddore *m.*
color colore *m.*
come *venire *irr.*; **— back** *ritornare (*pres.* ritorno); **— down** *scendere *irr.*; **— out** *uscire *irr.*
comfortable comodo, –a
compare paragonare (*pres.* paragono)
compartment scompartimento *m.*
composer compositore *m.*
concerto concerto *m.*
converse conversare (*pres.* converso)
cook cucinare
corn granturco *m.*
corner angolo *m.*
cost *costare (*pres.* costo)
country paese *m.*, nazione *f.*
courteous cortese
cousin cugino *m.*; cugina *f.*
cover coprire *irr.*
crest cresta *f.*
cross attraversare (*pres.* attraverso)
cultivate coltivare
cup tazza *f.*; **— for drinking** tazza da bere *f.*
curve curva *f.*; svolta *f.*
custom usanza *f.*
cutlet: small veal cutlets scaloppine *f. pl.*

D

dad babbo *m.*
daily giornaliero, –a; del giorno
dance ballo *m.*
dark buio *m.*; **in the —,** al buio
daughter figlia *f.*
day giorno *m.*; giornata *f.*
deal: a great —, molto, –a
dealer: wine —, vinaio *m.*
dear caro, –a
decide decidere (a) *irr.*
depart *partire
descent discesa *f.*

desk: information —, uffi*c*io informazioni *m.*
die *morire *irr.*
different diverso, –a
difficult diffi*c*ile
dine pranzare
dining room sala da pranzo *f.*
dinner pranzo *m.*
discuss discorrere *irr.*
distinguish dist*i*nguere *irr.*
divide div*i*dere *irr.*
do fare *irr.*
dock approdare (*pres.* appr*o*do)
doctor m*e*dico *m.*
doubt dubitare (*pres.* d*u*bito)
dozen dozzina *f.*
dress *a*bito *m.*; — **shop** neg*o*zio di
*a*biti *m.*
drinking water a*c*qua da bere *f.*
drive giro *m.,* gita *f.*
dry secco, –a
during durante
duty occupazione *f.*

E

each ciascuno, –a
early pr*e*sto
easily facilmente
easy f*a*cile
eat mangiare
effective: to be —, fare eff*e*tto
eggplant melanzana *f.*
electrical el*e*ttrico, –a
elegant elegante
empire imp*e*ro *m.*
enchanting incant*e*vole
end fine *f.*
end finire (isco)
Englishman Inglese *m.*
enjoy godere (*pres.* g*o*do); — **oneself** *divertirsi (*pres.* mi div*e*rto)
enter *entrare (*pres.* entro)
entrance entrata *f.*
enumerate numerare (*pres.* n*u*mero)
equally ugualmente
especially specialmente
Europe Eur*o*pa *f.*
European europ*e*o, –a
even (*negative*) nemmeno
evening sera *f.;* **in the** —, la sera
event fatto del giorno *m.*
every ogni

everybody ognuno, –a; tutti, –e;
— **else** tutti gli altri
everyone ognuno, –a; tutti, –e
everything tutto; — **we needed**
tutto il necessario
everywhere dappertutto
excavation scavo *m.*
excellent eccellente
exchange scambiare (*pres.* scambio)
exhibition mostra *f.*
expensive di lusso
express (train) direttissimo *m.*
extremely *use superlative*

F

fall autunno *m.*
fall *cadere *irr.*
family fam*i*glia *f.*
famous famoso, –a
far distante, lontano, –a; **not** —,
p*o*co lontano; — **away** lontano, –a
fashion m*o*da *f.*
fast pr*e*sto, –a; *adv.* presto
father padre *m.*
feel sentire (*pres.* s*e*nto); **I** — **at
home** mi par di *e*ssere a casa mia;
— **cold** sentire freddo; — **hungry**
sentire fame
fellow: little —, piccino *m.*
fertile f*e*rtile
few p*o*chi; **a** —, parecchi
fiancée fidanzata *f.*
fifteen qu*i*ndici
filigree filigrana *f.*
film pell*i*cola *f.*
finally finalmente
find trovare (*pres.* tr*o*vo)
fine arts belle arti *f. pl.*
finger dito *m.* (*pl.* dita *f.*)
finish finire (isco)
first primo, –a; *adv.* prima
floor piano *m.;* **first** —, pianterreno
m.; **second** —, primo piano *m.*
Florence Fir*e*nze *f.*
Florentine fiorentino, –a
flower fiore *m.*
foot pi*e*de *m.*
for per; — **some time** da parecchio
t*e*mpo
foreigner stran*i*ero *m.*
forget dimenticare (*pres.* dim*e*ntico)
fork forchetta *f.*

form formare (*pres.* formo)
fortune fortuna *f.*; **they cost a** —, costano un occhio
four quattro
French (*language*) francese *m.*
fried *see* **potato**
friend amico *m.*
friendship amicizia *f.*
from da
fruit frutta *f.*; — **vendor** fruttivendolo *m.*

G

garden giardino *m.*
geography geografia *f.*
get prendere *irr.*; — **rich** *farsi ricco
girl signorina *f.*; ragazza *f.*
give dare *irr.*
glad contento, –a
glass vetro *m.*
go *andare *irr.*; — **away** *andar via; — **by** (*time*) passare; — **out** *uscire *irr.*; — **around** girare
good buono, –a
grammar grammatica *f.*
grandfather nonno *m.*
grandiose grandioso, –a
grandmother nonna *f.*
gray grigio, –a
great grande; **the greatest** il maggiore
green verde
greet salutare
greetings saluti *m. pl.*
grocer pizzicagnolo *m.*
group gruppo *m.*
guest invitato *m.*
gulf golfo *m.*

H

hand mano *f.*
handbag borsetta *f.*
handkerchief fazzoletto *m.*
happy felice; contento, –a; — **life of ease** dolce far niente
hat cappello *m.*; — **shop** modista *f.*
have avere *irr.*; — **to** dovere *irr.*
he egli, lui; — **who** chi
head capo *m.*; **from** — **to foot** da capo a piedi
health salute *f.*

her *dir. obj.* la; *disj.* lei; *indir. obj.* le; *poss.* il suo, la sua, *etc.*
here qui; — **is** ecco
high alto, –a
him lo, lui; **to** —, gli
his il suo, la sua, *etc.*
historical storico, –a
history storia *f.*
home casa *f.*; a casa; **at** —, in casa
homework compiti *m. pl.*
hope sperare (*pres.* spero)
hot caldo, –a; **it is** —, fa caldo
hotel albergo *m.*
hour ora *f.*; **the hours** l'orario *m.*
house casa *f.*; **frightful** —, casaccia *f.*
housework lavoro di casa *m.*
how come; — **much** quanto, –a; — **many** quanti, –e
however comunque
humanist umanista *m.*
hundred cento; **hundreds** centinaia *f. pl.*
hungry: to be —, aver fame, aver appetito; **to feel** —, sentire appetito
husband marito *m.*

I

I io
ideal ideale
if se
immediately immediatamente
importance importanza *f.*
important importante
impossible impossibile
impression impressione *f.*
in in; a; — **order that** per, di maniera che, affinchè
inconvenience incomodare (*pres.* incomodo)
industry industria *f.*
influence influsso *m.*
information informazione *f.*; — **desk** ufficio informazioni *m.*
inspiration ispirazione *f.*
instead (of) invece (di)
intelligence intelligenza *f.*
interest interessare (*pres.* interesso)
interesting interessante
invite invitare
invitation invito *m.*

island isola f.
it dir. obj. lo, la; **of** —, ne
Italian italiano, –a; Italiano m.
Italy Italia f.
its il suo, la sua, etc.

J

jewel gioiello m.
Joseph Giuseppe

K

keep mantenere irr.; — **waiting** fare
aspettare; — **on** seguitare (pres.
seguito); — **in mind** tener (irr.)
conto
kitchen cucina f.
knee ginocchio m. (pl. ginocchia f.)
knife coltello m.
know conoscere irr. (to know a person,
be acquainted with); sapere irr. (to
know a fact); — **how** sapere
knowledge sapere m.

L

lady donna f.; signora f.; signorina f.
lamb agnello m.
language lingua f.
large grande (gran)
last *durare
last ultimo, –a; passato, –a; — **year**
l'anno passato, l'anno scorso
late tardi adv.
latest: the — models gli ultimi
modelli
lead condurre irr.; — **a fine life**
fare una bella vita; — **by the
hand** portare per la mano
learn imparare
leather cuoio m.
leave lasciare; *partire (da)
left sinistra f.; **on the —**, a sinistra
less meno; **the more . . . the —**,
quanto più . . . tanto meno; —
than meno di, meno che
lesson lezione f.
let lasciare
letter lettera f.
life vita f.
light leggiero, –a; — **wine** vino
leggiero m.

like conj. come; verb, see **please**
liking simpatia f.
limit oneself limitarsi (pres. mi
limito)
listen ascoltare (pres. ascolto)
liter litro m.
literature letteratura f.
little piccolo, –a; **a —**, un poco di
live abitare (dwell); *vivere (exist)
irr.
long lungo, –a
look (at) guardare; — **for** cercare
(pres. cerco); — **like** sembrare
luxurious di lusso

M

maid cameriera f.
make fare irr.; rendere; — **oneself
at home** *accomodarsi (pres. mi
accomodo)
mama mamma f.
man uomo m. (pl. uomini)
manager gerente m.
many molti, –e; **how —**, quanti, –e
map carta geografica f.
mashed see **potato**
matter: no — how comunque
mature maturo, –a
may use potere
me mi, me
meal pasto m.
meat carne f.; — **course** piatto di
carne m.
medicine medicina f.
meet incontrare (pres. incontro)
melody melodia f.
meter metro m.
mind mente f.
mine il mio, la mia, etc.
minute minuto m.
model modello m.
money denaro m.
morale spirito m.
more più; **the — . . . the —**,
quanto più . . . tanto più
morning mattina f.; **this —**, stamattina, stamane or stamani
most: the —, il più, la più
mother madre f.
mountain montagna f.
movies cinematografo m., cinema m.
museum museo m.

much molto, –a; too —, troppo, –a;
  too —, *adv.* troppo
music musica *f.*
must *use* dovere
mustache baffi *m. pl.*
my il mio, la mia, *etc.*

N

name nome *m.;* his — is si chiama
nap sonnellino *m.;* to take a —, fare
  un sonnellino
napkin tovagliolo *m.*
Naples Napoli *f.*
nation nazione *f.*
near vicino, –a (a)
necessary necessario, –a
necktie cravatta *f.*
need *n.* bisogno *m.; v.* aver bisogno
  di; volerci
never mai, non . . . mai
nevertheless nondimeno
new nuovo, –a
news notizie *f. pl.;* — of the day
  fatti del giorno, *m. pl.*
next prossimo, –a; — to accanto a
nimble agile
nobody nessuno, –a
noise chiasso *m.*
no nessuno, –a; (non *before verb*);
  — one nessuno, non . . . nessuno
northern settentrionale
not non
note biglietto *m.*
now ora
number numero *m.*

O

object oggetto *m.*
of di
offer offrire *irr.*
office ufficio *m.*
often spesso
old vecchio, –a; — man vecchio *m.*
older più grande, maggiore
olive oliva *f.*
on su, a; — the first floor al pianterreno
one uno, –a; *reflexive construction;*
  the —, quello, –a
only soltanto
open aprire *irr.*

opera opera *f.*
opposite dirimpetto (a); right —,
  proprio dirimpetto (a)
or o
order: in — to per; in — that
  affinchè
other altro, –a
otherwise altrimenti
ought *use* dovere
our (ours) il nostro, la nostra, *etc.*
ourselves ci (*reflexive pron.*)
oven-baked *see* potato
over finito, –a; to be about —,
  stare per finire

P

painter pittore *m.*
painting quadro *m.*
pair paio *m.* (*pl.* paia *f.*)
palace palazzo *m.*
panorama panorama *m.*
parasol parasole *m.*
parents genitori *m. pl.*
part parte *f.;* to be a —, far
  parte
party festa *f.*
pass passare
past passato *m.*
patience pazienza *f.*
peach pesca *f.*
pear pera *f.*
people persone *f. pl.;* gente *f. sing.*
personal personale
piano pianoforte *m.*
picturesque pittoresco, –a
piece pezzo *m.*
pin spilla *f.;* filigree —, spilla di
  filigrana *f.*
pineapple ananasso *m.*
pity: it is a —, peccato
place posto *m.;* luogo *m.;* (*at table*)
  posata *f.*
plain pianura *f.*
plate piatto *m.*
play giocare (*game*) (*pres.* gioco);
  suonare (*instrument*) (*pres.* suono)
please *piacere; please! per favore!
pleasure piacere *m.*
poet poeta *m.*
Pompeii Pompei *f.*
poor povero, –a
Pope Papa *m.*

porter facchino *m.*
potato patata *f.*; **oven-baked potatoes** patate al forno *f.* *pl.*;
mashed potatoes purè di patate
m.; **boiled potato** patata lessa *f.*;
French fried potatoes patatine
fritte *f.* *pl.*
prefer preferire (isco)
prepare preparare
present presente *m.*; — **perfect** passato prossimo *m.*
price prezzo *m.*; **what the — is**
quanto costa
produce produrre *irr.*
product prodotto *m.*
profession professione *f.*
professor professore *m.*
promise promettere *irr.*
prose prosa *f.*; — **writer** scrittore
di prose *m.*
proverb proverbio *m.*
provided (that) purchè
province provincia *f.*
purchase compra *f.*
put mettere *irr.*

Q

quality qualità *f.*
question domanda *f.*; **to ask a —,**
fare una domanda

R

radio radio *f.* (*invariable*)
rapidly rapidamente
Ravenna *city in Romagna*
reach *arrivare, *giungere
read leggere *irr.*
ready pronto, –a
really veramente
receive ricevere
red rosso, –a
region regione *f.*
remain *rimanere *irr.*
remember *ricordarsi (*pres.* mi
ricordo)
remind rammentare (*pres.* rammento)
repair riparazione *f.*
residence sede *f.*
rest riposare (*pres.* riposo), *riposarsi
rest riposo *m.*

restaurant ristorante *m.*
return *tornare (*pres.* torno)
return trip ritorno *m.*
rich ricco, –a; **to get —,** *farsi
ricco
Richard Riccardo
right destra *f.*; **to the —,** a destra;
— **opposite** proprio dirimpetto;
to be —, aver ragione
ring suonare (*pres.* suono)
river fiume *m.*
roast beef rosbiffe *m.*
Roman romano, –a
Rome Roma *f.*
room stanza *f.*, camera *f.*; spazio *m.*;
waiting —, sala d'aspetto *f.*
rush *andare in fretta

S

same stesso, –a
Saturday sabato *m.*; — **afternoon**
sabato nel pomeriggio
sausage salsiccia *f.*
say dire *irr.*
saying proverbio *m.*
school scuola *f.*
secret segreto, –a
see vedere *irr.*
seem sembrare (*pres.* sembro)
sell vendere
send mandare, spedire (isco)
serve servire (*pres.* servo)
set apparecchio *m.*
set (*a table*) apparecchiare (*pres.*
apparecchio); (*places*) mettere
several parecchi, parecchie; —
times parecchie volte
she essa, lei
ship piroscafo *m.*
shoe scarpa *f.*
shoemaker calzolaio *m.*
shop negozio *m.*; **dress —,** negozio
di abiti *m.*; **hat —,** modista *f.*;
— **window** vetrina *f.*
shopping district mercato *m.*
short corto, –a; **in a — time** in
poco tempo
short-story writer novelliere *m.*
show mostrare (*pres.* mostro)
simple semplice
since siccome
sister sorella *f.*

six sei
sleep dormire (*pres.* dormo)
sleepy: to be —, aver sonno
small piccolo, –a
so così
some qualche; di + *def. art.*
something qualche cosa; **— else**
qualche altra cosa
son figlio *m.*
soon fra poco; presto; **as — as,** non
appena; **as — as possible** al più
presto possibile
southern meridionale
souvenir ricordo *m.*
speak parlare
speed along filare
spend (*time*) passare; **spend** (*money*)
spendere
spinach spinaci *m. pl.*
spoon cucchiaio *m.*
square piazza *f.*
stand: — on ceremony far cerimonie
station stazione *f.*; **Termini —,**
Stazione Termini
stay *stare *irr.;* *restare (*pres.*
resto)
steak: broiled —, manzo ai ferri *m.,*
bistecca *f.*
(small) steamer vaporetto *m.*
still ancora
stop *fermarsi (*pres.* mi fermo)
store negozio *m.*
strawberry fragola *f.*
stream ruscello *m.*
street strada *f.*
string beans fagiolini *m. pl.*
stroll passeggiare (*pres.* passeggio)
strong forte; **strong-bodied wine**
vino forte *m.*
student studente *m.*
study studio *m.*
study studiare (*pres.* studio)
stupendous stupendo, –a
style moda *f.;* **to be in —,** seguir la
moda
subject tema *m.*
such tale, simile; così
summer estate *f.;* **— residence**
sede estiva *f.*
Sunday domenica *f.*
surround circondare (*pres.* circondo)
surroundings dintorni *m. pl.*

T

table tavola *f.;* **at the —,** a tavola
tailor sarto *m.*
take prendere *irr.;* portare; **— a
walk** fare (*irr.*) una passeggiata;
— a nap fare un sonnellino; **—
a trip** fare un viaggio; **— up**
(*space*) prendere; **— up again**
riprendere *irr.*
talk parlare, conversare (*pres.* converso)
tall alto, –a
taxi tassì *m.*
teach insegnare (*pres.* insegno)
teacher maestro *m.;* professore *m.*
television televisione *f.*
tell dire *irr.;* raccontare (*pres.*
racconto)
temperament temperamento *m.*
ten dieci
terrace terrazza *f.*
than di, che, di quel che
that *rel. pron.* che; *dem. adj.* quel,
quello, quella; **— (one)** *dem. pron.*
quello, –a; **that** (*near you*) codesto,
–a
theater teatro *m.*
their (theirs) *poss. adj. and pron.* il
loro, la loro, *etc.*
them li, le; **of —,** ne; **to —,** loro
themselves *use reflexive*
then poi; **and —,** eppoi
there lì; **near —,** lì vicino; **— are**
ci sono; **— is** c'è
these questi, –e
they essi, esse, loro
thing cosa *f.;* **such things** cose
simili *f. pl.*
think pensare (*pres.* penso), credere
irr.
this questo, –a; **— one** questo, –a
those *dem. pron.* quelli, quelle; *dem.
adj.* quei, quegli, quelle
thousand mille; **thousands** mi-
gliaia *f. pl.*
three tre
through per
time tempo *m.;* volta *f.;* ora *f.;* **all
the —,** sempre; **what — is it?**
che ora è? **for a long —,** per molto
tempo; **for some —,** da parecchio
tempo

tired stanco, -a; **get** —, *stancarsi
to a, ad; in; per
today oggi
together insieme
toilette toletta *f.*
tomorrow domani
tonight stasera
too anche; troppo; — **much** troppo, -a; — **bad** peccato
tourist turista *m.*
toward verso
tower: bell —, campanile *m.*
town paese *m.*; **little** —, paesello *m.*
trade mestiere *m.*
train treno *m.*; **express** —, direttissimo *m.*
travel viaggiare (*pres.* viaggio)
tree albero *m.*
Trevi Fountain Fontana di Trevi *f.*
trip viaggio *m.*; **to take a** —, fare un viaggio
try provare (*pres.* provo)
tuna fish tonno *m.*
turn svolta *f.*
twenty venti
two due; **two-story** a due piani

U

uncle zio *m.*
understand capire (isco*)*
United States Stati Uniti *m. pl.*
university università *f.*
until fino a
us (to us) ci; *disjunctive* noi
use usare, adoperare; — **up** spendere *irr.*
use uso *m.*; **of what** — **is?** a che serve?
useless inutile
usual solito, -a

V

vacation villeggiatura *f.*, vacanze *f. pl.*; **to go on a** —, *andare in villeggiatura; — **being over** passate le vacanze
valley valle *f.*
veal chop costoletta di vitello *f.*; **small** — **cutlets** scaloppine *f. pl.*
vegetable verdura *f.*
vendor *see* **fruit**

Venice Venezia *f.*
very molto
view veduta *f.*, panorama *m.*
visit visitare (*pres.* visito)
visit visita *f.*

W

wait aspettare (*pres.* aspetto)
waiter cameriere *m.*
waiting room sala d'aspetto *f.*
wake up *svegliarsi (*pres.* mi sveglio)
walk camminare
walk passeggiata *f.*; **take a** —, fare una passeggiata
want volere *irr.*
warm *v.* riscaldare; *n.* caldo *m.*; **it is** —, fa caldo
waste sprecare (*pres.* spreco)
watch orologio *m.*
watch guardare
water acqua *f.*; **drinking** —, acqua da bere *f.*
way modo *m.*
we noi
wealthy ricco, -a
wear portare (*pres.* porto)
weather tempo *m.*; **how is the** —? che tempo fa? **the** — **is fine** fa bel tempo
week settimana *f.*
well bene; **to be** —, stare bene
what *inter.* che, che cosa; quel che; quale (qual); — **a!** che!
when quando
where dove
wherever dovunque
which *rel. pron.* che; *after a prep.* cui; *inter. adj. or pron.* quale
while mentre
white bianco, -a
who *rel. pron.* che; **he** —, chi; *inter. pron.* chi
whoever chiunque
whom *rel. pron.* che, cui; **with** —, con cui; *inter. pron.* chi
whose *rel. pron.* il cui, la cui, *etc.*
why perchè
wide largo, -a
wife moglie *f.*
wind vento *m.*; **the** — **was blowing** tirava vento
window (*of a store*) vetrina *f.*; **car** —, finestrino *m.*

wine vino *m.*; — **dealer** vinaio *m.*
winter inverno *m.*
wish volere *irr.;* desiderare (*pres.*
desidero)
with con
without senza, senza che
woman donna *f.*; **neat little** —,
donnetta *f.*
word parola *f.*
work lavoro *m.*
work lavorare (*pres.* lavoro)
world mondo *m.*
worry *preoccuparsi (*pres.* mi preoccupo)
worst il peggiore, la peggiore
worth *valere *irr.;* **be** — **while**
valer la pena
write scrivere *irr.*
writer scrittore *m.*

Y

yawn sbadigliare (*pres.* sbadiglio)
year anno *m.*
yellow giallo, –a
yes sì
young giovane; **younger** più giovane, minore
young man giovane *m.*
your (*fam. sing.*) il tuo, la tua, *etc.*;
(*fam. pl.*) il vostro, la vostra, *etc.*;
(*pol. sing.*) il Suo, la Sua, *etc.*; (*pol.
pl.*) il Loro, la Loro, *etc.*
youth gioventù *f.*

Z

Zurich (*Switzerland*) Zurigo *m.*

INDEX

INDEX

Numbers in lightface refer to pages; numbers in boldface in parentheses refer to sections. Pronunciation aids are not indicated in the index.